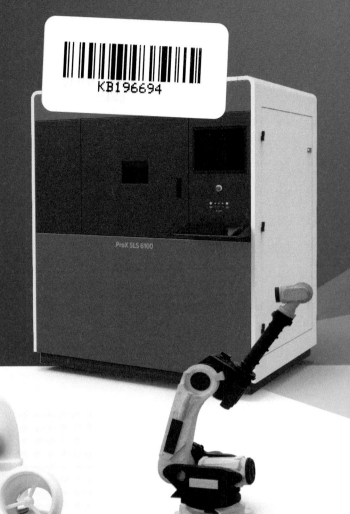

CONTENTS

PART 5. 3D 프린팅 소프트웨어 및 관련 제품 소개

PART 6. 3D 프린팅 관련 업체 및 기관 소개

PART 1

코로나 19 이후
3D 프린팅 기술
도입의 의미

신상묵 | 3D 프린팅 토털솔루션 전문기업 프로토텍 부사장으로 있다.
이메일 | sangmook_shin@prototech.co.kr
홈페이지 | www.prototech.co.kr

코로나19 이후의 비즈니스

코로나19(COVID-19)로 인한 충격이 크면 클 수록 코로나19 이후의 세계는 지금과 더 달라진 모습을 보일 것이다. 카이스트 기술경영전문대학원의 김원준 원장은 "코로나19는 세계 산업 구조를 바꾸는 계기가 될 것"이라며 "이 과정에서 각 국가의 자생 능력과 산업의 스마트 전환이 경쟁력의 핵심이 될 것"이라고 예측했다. 대표적인 것이 '디지털 경제로의 전환'이라고 진단한다. 특히, 코로나19처럼 불시에 닥치는 위험들이 반복되면서 기업들에 '효율성'보다 '위험의 분산'이 훨씬 중요한 경영 요소로 부각되고 있다.

스마트, 디지털, 분산과 같은 용어들은 3D 프린팅이 보편화되기 시작할 때부터 항상 언급되던 3D 프린팅의 특징적 요소라는 점에서, 코로나19 이후의 비즈니스에서 3D 프린팅 기술의 역할은 이전보다 더 부각될 것으로 예상된다. 실제로 코로나19가 확산되기 시작한 시점부터 특히 의료 분야에서 3D 프린팅 제조 규모가 늘어났다는 소식이다. 이와 같이 즉각 대응하기 위한 긴급 수단으로서 사용되는 것뿐만 아니라, 향후 점진적으로 3D 프린팅 기술의 산업 적용은 늘어날 것이다.

생산 네트워크의 혁신

지금까지 글로벌 경제가 성장하는데는 '세계화된 시장에서 서로에게 최고의 효율성을 추구하며 협력하면 다 같이 크게 성장해 나갈 수 있다'는 믿음이 큰 역할을 했다. 중국과 같은 공산권 국가들의 시장이 개방되면서 실제로 많은 글로벌 국가들이 성장했다. 갇혀 있던 저임금 노동 시장이 세계 시장으로 급격하게 확대된 영향이다.

글로벌 기업들은 효율성을 중심으로 공급망을 구축했다. 문제는 글로벌 정치·경제가 안정적일 때는 잘 굴러가던 이 시스템에 균열이 나타나기 시작한 것이다. 코로나19처럼 불시에 닥치는 위험들이 반복되면서 기업들에 효율성보다 위험의 분산이 훨씬 중요한 경영 요소로 부각되고 있다. 앞으로 각 국가와 기업들은 중국에 대한 의존성을 줄이는 방향으로 변화를 시도할 것이다. 각 국가마다 생산 네트워크의 혁신이 가속화될 것이다. 비용이 조금 더 들고 시스템이 조금 덜 효율적이더라도 '덜 위험한 방식'으로 글로벌 공급망이 다극화될 것이다.

영국의 철도차량 리스회사 엔젤 트레인즈(Angel Trains)가 엔지니어링 자문회사 이에스지 레일(ESG Rail) 및 3D 프린터 제조회사 스트라타시(Stratasys)의 기술지원으로 열차 객실 인테리어 부품을 3D 프린팅 기술로 부품 조달하는 것은 좋은 사례다. 제작하는 부품은 의자 팔걸이, 손잡이, 테이블 등으로 오래된 부품을 교체하여 차량유지비용을 줄이고 내용연수를 연장하기 위한 것이다.

최근의 문제는 30년이라는 긴 철도 차량의 수명에 비해, 유지를 위해 필요한 부품 공급망은 불안하다는 점이었다. 제조에는 스트라타시스의 3D 프린터인 포터스(Fortus 450mc) 및 ULTEM9085 재료가 사용되어 난연성 문제와 독성 문제 해결을 위한 영국의 철도 차량 안전기준인 EN45545-2 인증을 얻었다.

3D 프린팅을 채택함으로써 얻을 수 있는 주요 장점 중 하나는 즉시 교체 부품을 생산할 수 있어 열차 유지 보수를 위한 가동 중단 시간을 줄일 수 있다는 것이다. 엔젤 트레인즈의 데이터 및 성능 엔지니어인 제임스 브라운(James Brown)은 "최근 오래된 열차 차량의 교체 부품을 합리적인 비용으로 단기간에 소싱하는 것이 점점 어려워지는 가운데, 3D 프린팅 기술은 활로가 되어주고 있다"고 전했다.

이것은 결국 기존에는 인건비가 가장 싼 곳에서 제품을 제조하고 소비자가 많은 곳에서 판매하는 시스템이었다면, 3D 프린팅 기술을 통해 앞으로는 제품을 안정적으로 공급하기 위해

Stratasys Fortus450mc

그림 1. 엔젤 트레인즈는 열차 객실 인테리어 부품을 3D 프린팅으로 빠르게 제작해 교체할 수 있었다.

로컬 공급망으로 전환될 수 있다는 것을 의미한다. 기존의 전통적인 글로벌 공급망은 비용을 최소화하는 방식으로 설계돼 있다. 효율성이 가장 중요한 요소다. 하지만 코로나19로 인해 글로벌 공급망에서 가장 중요한 요소가 달라졌다. 언제 어떤 돌발적인 상황이 오더라도 대처할 수 있는 리스크 관리가 중요해진 것이다. 3D 프린팅 기술이 당장의 효율성은 다소 떨어지더라도 리스크를 헤지(hedge)하기 위한 안전망 역할을 담당하게 될 것이다.

연결성: 어떻게 연결할 것인가

코로나19로 인해 평소에는 당연한 일이 이제는 심각한 리스크가 되어 버리는 상황에 직면하였다. 물건이 이동할 수 없는 리스크와 더불어, 인간이 이동할 수 없는 리스크도 생산성과 부가가치, 사회적 자본을 감소시킨다. 사람들간의 연결성에 제한을 받게 되면 정보 전달의 지연, 인적교류에 따른 창조역량(팀워크) 저하 등으로 제조 이상의 손실로 이어진다.

특히 디자인은 연결, 공유, 전달이 중요한 분야이다. 유수의 세계적 디자인상을 휩쓸은 박지원 디자이너는 디자인이 "사람과 사람을, 사회와 그 구성원을 그리고 사회와 사회를 연결하는 가장 강력한 커뮤니케이션 수단"이라고 설명한다. 디자인의 결과물뿐 아니라, 그 결과물을 만드는 과정에서 '연결'은 상품성 확보에 필수적인 요소다. 재택근무, 웹미팅 등 사람간 연결이 리스크가 되는 환경에서 3D 프린팅 기술은 디자인 프로세스에서 더 중요한 역할을 하고 있다.

세계적인 제조기업인 쿼드팩(Quadpack)은 모범적인 3D 프린팅 활용 경험을 보여 준다. 디자인 프로세스에서 3D 프린터는 디자이너, 개발자, 기획자, 그리고 고객에 이르기까지의 모든 '연결'을 촉진시킨다. 기존 목업집에 디자인 목업을 맡겼

을 때, 비용과 시간문제 뿐 아니라 아이디어 및 콘셉트 전달에도 아날로그적인 한계가 있었다. 정확한 아이디어를 전달하기 위해 수시로 목업집을 드나들어야 하는 직접적 대면도 필수적이다.

쿼드팩은 스트라타시스의 J 시리즈 3D 프린터 하나로 디자인 및 생산 영역 전체의 연결성을 확보한 성과를 거두었다. 쉽고 자유롭게 새로운 아이디어를 테스트하고 소통할 수 있으며, 디자인 및 개발의 초기 단계 또한 크게 가속화된다. 콘셉트를 제품으로 개발할 준비가 되면 모든 절차가 매우 빠르게 진행된다. 쿼드팩의 수석디자이너인 Garrard의 설명은 참고할 만하다.

"매우 정교한 3D 프린팅 모델을 통해 클라이언트는 완제품의 모양을 확실하게 확인할 수 있다. 볼 수 있고, 느낄 수 있고, 만질 수 있다. 클라이언트를 위해 아이디어를 실현하고 의사 결정 프로세스를 가속할 수 있다. 영감 측면에서, 업계에서는 3D 프린팅을 통해 매우 현실적인 방법으로 새로운 아이디어에 접근할 수 있다. 예를 들어, 디자이너가 트렌드 조사를 기반으로 개발한 최초의 패키징 아이디어는 J 시리즈를 사용하여 3D 프린팅으로 제작되어 볼로냐에서 열린 코스모팩(Cosmopack) 전시회에 전시되었다. 이 기계를 사용하여 약 300개의 프로토타입을 만들어 트렌드 월(Trend Wall)과 글로벌 영업팀을 통해 클라이언트에게 보여주었다. 선도적인 유명 기업을 비롯하여 주요 잠재 고객의 폭발적인 관심을 받았다."

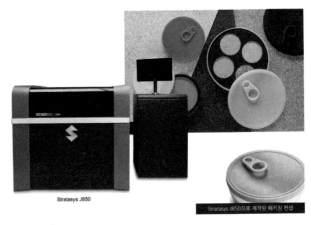

Stratasys J850

그림 2. 쿼드팩은 디자인-생산 프로세스를 단축하고 연결성을 갖추는데 3D 프린팅을 활용했다.

즉, 3D 프린터가 디자인 영감을 받는 단계서부터 최종 승인 단계까지 '연결성'을 회복시킨 것이다. 디자인 반복 과정을 빠르고 단순하게 간소화하고, 각 디자인 단계마다 디자인 샘플을 수시로 제작하며, 화면에서 보는 것이 아니라 실제화하여 만지

PART 1

고 느껴볼 수 있다는 것은 크나큰 부가가치를 창출할 수 있는 잠재력으로 작용한다. 이 과정에서 디지털화라는 3D 프린팅의 기본적 속성은 디자인 과정 상 모든 중간결과물의 데이터베이스화와 수정/변형의 신속성이라는 장점 뿐 아니라, 직접 접촉을 줄여줄 수 있는 역할도 수행한다.

위험관리를 위한 선제적 대응

코로나19 사태는 우리나라가 선진국이라는 것을 인식하는 새로운 계기가 되었다. 소위 선진국이라고 하는 나라들을 따라하는 것이 아니라 우리가 먼저 길을 개척하는 경험을 하며, 선제적/적극적인 대응의 중요성을 깨달았다. 선제적으로 대응한 진단 키트 업체는 현재 막대한 부가가치와 수익을 얻고 있다.

디지털 시대의 혁신은 인력·시간·비용 등 모든 측면에서 초기 투자비용이 많이 든다. 하지만 어느 시기를 넘기고 나면 혁신에 따른 성과가 기하급수적으로 늘어난다. 이를 흔히 'J 커브'라고 말한다. 디지털 혁신 기업들에서 공통적으로 나타나는 패턴이다. 사회·경제적으로 안정돼 있을 때는 혁신이 일어나기 어렵다. 코로나19 사태로 스마트 워크, 원격 의료, 교육 등 전방위적으로 혁신의 압력이 커지고 있고, 이를 얼마나 적극적으로 수용하느냐에 따라 시장의 새로운 승자가 될 수 있을 것이다. 이를 위해서는 기업 내부에서도 단기적인 성과 중심의 평가보다 장기적인 관점에서 혁신을 바라보는 관점이 필요하다.

그렇기 때문에 제조업에서는 '어떻게 만들 것인가'에 대해 계속해서 고민하고 선제적으로 대응하는 것이 필요하다. 먼저 고민, 시도하고 투자한 후, 결과를 만들어 누구보다 빠른 이익을 창출한다. 창출한 이익은 다시 투자하여 선순환을 만든다. 3D 프린팅 기술은 계속해서 발전하고 있기 때문에, 선제적 대응에 따른 효과를 보기에 무엇보다도 적합한 기술이다. 3D 프린팅은 역사적으로 다양한 프로토타입을 만들 목적으로 개발, 발전되어 온 것도 있지만, 계속해서 활용 용도가 다양해지고 있다.

예를 들어 작년과 올해 출시된 신재료들만 살펴봐도 매우 다양하다.

Antero840CN03은 스트라타시스가 독자 개발한 PEKK(폴리에테르케토네케톤) 기반의 고성능 폴리머 재료다. 스트라타시스의 전략적 재료 공급 업체인 아르케마의 Kepstan PEKK 기술을 활용하고 있으며, 안정된 정전기 방전(ESD) 특성을 가지며, 낮은 가스 유출 특성과 뛰어난 내마모성, 내열성, 내약품성이 있다. ESD 특성에 따라 항공 우주, 산업용 애플리케이션에서 가볍고 강인한 부품 제작에 적합하며, 현재 실용부품, 치공구, 인공위성 커버 등으로 활용되고 있다.

Diran 410MF07는 새롭게 개발된 신소재로, 탄화수소 계열의 약품에 내성을 가지면서 충격 강도와 강인함을 특징으로 하는 나일론 기반의 열가소성 플라스틱 재료다. 7% 정도의 중량비로 미네랄이 함유되어 있다. 내마모성이 뛰어나 부품에 손상을 줄이기 위해 생산 라인에서 사용하는 지그 및 보조기구 등 다양한 애플리케이션에서 활용을 기대할 수 있다. 현재 로봇분야의 최종부품이나 각 산업의 치공구로 사용되고 있다.

ABS-ESD7는 열가소성 폴리머 재료로 정전기의 발생을 억제함과 동시에 전기를 띤 경우는 천천히 확산시키는 특성을 가지고 있다. 분말, 먼지, 미립자 등의 다른 재료에 의한 전기 발생도 방지한다. 전자 부품의 양산 공정에서 사용되는 치공구 및 반송 용기 등 정전기 대책이 필수가 되는 제품의 조형에 그 특징을 발휘한다.

그림 3. 스트라타시스의 3D 프린팅 신재료

이와 같은 신재료, 신기술을 즉각적으로 테스팅, 시도한 해외 업체들은 이미 한 발 앞서나가며 수익을 창출하고 있다. 코로나19 사태로 선제적, 즉각적 대응으로 호평을 받고 있는 이때, 제조업 분야를 선도하는 많은 업체들에서 3D 프린팅 기술을 선제 적용하여, 소리소문없이 성공적으로 수익증가, 원가절감, 부가가치 창출을 하는 모범사례를 만들어내기를 기대해 본다.

3D 프린팅 적용을 위해 고려할 사항

실무진에서 장비 사용에 대한 우려 때문에 3D 프린팅 기술 도입에 대해 반발하는 경우가 있다. 그러나 보급형 3D 프린터가 아닌 산업용 3D 프린터 급으로 넘어오게 되면서부터는 그 어떤 제조 장비보다도 안전하고 사용이 편리한 것이 3D 프린터라고 할 수 있다.

예를 들어 그랩캐드(GrabCAD) 프린트 소프트웨어는 SaaS(Software-as-a-Service) 플랫폼을 기반으로 구축돼 전문가들이 사용하기 쉬운 3D 프린팅 준비 과정과 일정 관리 환경을 구현한다. 또한 3D 프린팅 과정을 매우 쉽고 직관적이며 보다 접근하기 쉽게 만들어준다. CAD 파일을 변환하고 수정해야 하는 번거로움을 해소하여 프린팅 오류를 줄이고 보다 손쉽게 3D 프린팅을 사용할 수 있도록 고안됐다. 이에 따라 제품 디자이너, 엔지니어, 3D 프린터 장비 운영자 등은 별도의 변환 과정 없이 네이티브 CAD 파일을 기존 CAD 환경에서 스트라타시스 3D 프린터 또는 3D 프린팅 제작 부서로 전송할 수 있다. 현재 많은 기업들에서 3D 프린터 장비 오퍼레이팅을 심지어 관리부에서 맡고 있는 경우가 많다는 사실은 얼마나 사용하기 편한 제조장비인지 짐작케 한다.

디자인/개발 조직 내의 3D 작업 디지털화에 대한 가치 제고가 필요하다. 디자인 프로세스에서 디지털화가 거의 100% 가까이 이뤄지고 있는 2D 디자인 프로세스의 디지털화 효과를 생각해 봤을 때, 3D 디자인 역시 디지털화가 이뤄질 때 높은 가치 창출이 이뤄질 수 있다. 더 많은 소통과 교류를 만들어 내는 것에 3D 프린팅 기술의 가치가 존재할 것이다.

비용 절감은 다양한 관점에서 바라볼 필요가 있다. 단순한 원가절감뿐 아니라, 시간 단축에 따른 비용 절감, 프로세스 단축에 따른 비용 절감, 소통 증가에 따른 가치 창출, 경량화/일체화 등에 따른 효용 증가가 그것들이다. 눈에 보이는 비용 뿐 아니라 눈에 보이지 않는 비용을 잡아낼 수 있다면 앞서 나가는 발판이 될 것이다.

3D 프린팅 파트 서비스를 사용한다면 '신뢰성'을 검토 항목에 넣어야 할 것이다. 앞서 설명한 철도 회사는 3D 프린팅 부품을 조달받을 때 반드시 신뢰성이 확보된 업체로부터 받고 있다. 일시적 부품 납품이 아니기 때문에, 신뢰성/안정성이 확보되어야만 정상적인 생산 네트워크로 작동할 수 있다.

PART 1

글로벌 3D 프린팅 산업 동향 및 트렌드

송인보 | 3D 프린팅 관련 기술, 업계 제품 정보, 비즈니스 정보, 활용사례 등 정보를 전달하는 3D그루를 운영하고 있다. 다양한 3D 프린터와 3D 스캐너를 판매하고 3D 프린터 컨설팅, 강연, 교육을 하고 있다. 3D 프린팅 인적자원개발 협의체 운영위원으로도 활동하고 있다.

이메일 | inbo@3dguru.co.kr
홈페이지 | www.3dguru.co.kr

3D 프린팅은 적층제조(Additive Manufacturing: AM), 쾌속조형(Rapid Prototyping: RP) 등 다양한 이름으로 불리고 있고 사용 목적에 따라 의미를 분리하여 사용되기도 하지만, 여기서는 같은 의미로 '3D 프린팅'이라는 용어로 사용하기로 한다.

3D 프린터는 재미 있는 부분이 있다. 어떤 사람은 도깨비 방망이처럼 뚝딱하면 뭐든지 만들어진다고 신기해하고, 어떤 사람은 이미 한물갔다는 식으로 쓸모없다고 말하기도 한다. 2013년 버락 오바마 미국 대통령이 재선 연설에서 3D 프린터를 언급한 이후 3D 프린터에 대한 엄청난 관심이 거대한 파도처럼 우리나라뿐만 아니라 전세계적으로 밀려왔지만, 몇 년 후 그 버블은 거의 꺼져버린 것 같아 보인다.

거대한 파도가 밀려오거나 파도가 잔잔하거나 바다 속은 항상 평온하게 물이 흐르고 있듯이, 3D 프린팅 산업은 버블이 꺼진 이후에도 계속 발전하고 있었다. 3D 프린터 판매는 증가하고, 새로운 기술이 등장하고, 새로운 업체들은 계속 진입하고 있었다. 이러한 최근 몇 년간의 3D 프린팅 산업 동향과 트렌드를 살펴보기로 하자.

3D 프린터 판매 동향

3D 프린팅(적층제조) 산업은 매년 성장을 거듭하고 있다. 홀러스 리포트(Wohlers Report)에 따르면, 지난 31년간 전세계 3D 프린팅 매출 성장률은 26.7%에 이르고 있다. 최근 2016년에서 2019년까지 4년간의 성장률은 23.3%이며, 2019년 전세계 3D 프린팅 매출은 전년 대비 21.2% 성장한 118억 달러로 발표하였다.

폼넥스트(Formnext) 전시회는 매년 독일 프랑크푸르트에서 개최되는데, 폼넥스트 2019 전시회는 3D 프린팅 역사상 가장 큰 단일 전시회로 기록되었다. 최근 몇 년동안 3D 프린팅

산업의 버블이 꺼지며 일반 대중의 관심에서 멀어지고 있는것 같지만, 일반소비자용이 아닌 산업용 장비로서 3D 프린팅 산업은 꾸준히 성장을 하고 있다. 폼넥스트를 포함하여 미국과 유럽의 대표적인 3D 프린팅 전시회는 매년 규모를 키우고 있으며, 대다수의 전문가들은 3D 프린팅 산업의 성장과 활용 분야의 확대가 지속될 것으로 예측하고 있다.

다양한 플레이어들의 3D 프린팅 업계 진입
투톱체제에서 멀티플레이어 체제로 변화

그림 1. 스트라타시스 로고

3D 프린터 제조업체의 쌍두마차로 오랫동안 3D 프린팅 업계를 이끌어온 스트라타시스와 3D시스템즈의 시장 점유율은 최근 5년 사이에 눈에 띄게 감소하였다. 홀러스 리포트에서 발표한 2015년과 2019년도의 3D 프린터 마켓 셰어 데이터에 따르면, 스트라타시스는 2015년 41.1%에서 2019년 16.6%로 감소하였고 3D시스템즈는 같은 기간에 15.3%에서 10.3%로 감소하였다.

그림 2. 3D시스템즈 로고

스트라타시스와 3D시스템즈는 지금도 3D 프린터 업계를 대표하는 업체이지만 시장 점유율이 감소세를 보이고 있는 원인 중 하나는, 전세계적으로 다양한 업체들이 3D 프린팅 시장에 진출하여 성장을 한 것이 아닐까 한다. 뛰어난 아이디어와 기술력으로 무장한 스타트업을 비롯해 GE, HP, 제록스(Xerox) 같은 대기업들도 3D 프린팅 산업에 뛰어들면서 점점 더 경쟁이 치열해지고 있다. 기존 강자인 스트라타시스와 3D 시스템즈 같은 회사들은 시장을 지키고자 노력하고 새로 진입한 업체들은 생존과 성장을 위해 노력하면서, 전체 3D 프린팅 시장 규모는 성장하고 있다.

기존 대기업의 3D 프린팅 업계 진입

HP는 3D 프린터 제조에 많은 관심을 보여왔고 3D 프린팅 업계 진입 전에 여러가지 루머를 낳기도 했지만, 2016년 12월 자체 3D 프린터 개발과 함께 3D 프린팅 사업에 대한 장단기 계획과 대담한 포부를 내비쳤다. GE는 금속 3D 프린터 제조업체인 콘셉트 레이저(Concept Laser)와 아르캠(Arcam)을 인수합병하여 GE 애디티브(GE Additive)라는 조직을 신설하였고, 금속 3D 프린팅 분야에만 집중하고 있다.

세계 최고의 화학회사중 하나인 BASF(바스프)도 3D 프린팅 산업을 위한 새로운 조직을 신설하였으며, 이노필(Innofil), 스컬프티오(Sculpteo) 같은 회사들을 인수합병하는 등 3D 프린팅 회사에 대한 투자와 협업을 진행하고 있다. 제록스는 이들보다 조금 늦게 3D 프린팅 업계 진출을 선언하였다. 3D 프린팅 전시회에 참가하며 본격적인 비즈니스를 준비하고 있다. 제록스는 HP를 인수합병하려는 시도를 하다가 코로나19 등의 영향으로 인수포기를 선언하기도 하였다.

이렇게 대기업들이 3D 프린팅 산업계로 진출했다는 것은 3D 프린팅 산업의 성장 가능성에 대한 긍정적인 신호로 받아들일 수 있다. 시장 점유율이 독보적이던 두 회사의 영향력이 감소하고, 신규 진입하는 회사들이 증가하고, 전체 시장규모도 성장하는 추세가 천천히 진행되어 왔다. 현 시점에 이러한 것들을 한번쯤 짚어보고 갈 때가 된 듯 싶다.

소재업체의 사업 확장

화학산업은 장치산업이며 기간산업의 측면이 있어서 대형 화학회사들의 규모는 상당하다. 앞에서 언급한 BASF 역시 100년이 넘는 역사를 자랑하며 2019년도 매출이 593억 유로(약 80조 원)에 이르는 대기업이다. BASF는 빠르게 변화하는 3D 프린팅 시장에 대응하기 위해 빠른 의사결정과 애자일 스타트업처럼 운영할 BASF 3D Printing Solutions GmbH라는 회사를 신설하고, 인수합병과 투자 및 협업 활동을 활발하게 진행하고 있다. 2019년말에는 프랑스의 3D 프린팅 서비스 업체인 스컬프티오를 인수합병하였고, 이는 소재 이외의 다른 3D 프린팅 분야로 사업확장을 시도하는 것으로 보인다. 2019년에는 포워드 AM(Forward AM)이라는 자체 브랜드를 론칭하였다.

그림 3. BASF의 Forward AM 로고

헨켈(Henkel)은 록타이트라는 기존의 브랜드를 활용하여 3D 프린터 레진 소재와 여러 후가공 장비를 개발하고, 관련 서비스들을 제공하고 있다. 에센티움(Essnetium) 역시 폴리머 소재 업체이지만, 고속 FDM 방식의 3D 프린터를 개발하여 주목을 받았다.

계속되는 투자 및 협업사례

데스크톱 메탈(Desktop Metal)은 2019년초 1억 6000만 달러의 추가 투자를 포함해 총 4억 3800만 달러를 투자받았고 기업가치는 약 15억 달러 정도로 평가받고 있다. 속도가 빠른 3D 프린터로 유명한 카본(Carbon)도 2019년에 2억 6000만 달러 이상의 펀딩을 받았고, 마크포지드(Markforged)도 8200만 달러를 투자받았다. 이외에도 에센티움이 BASF와 머티리얼라이즈(Materialise)로부터 2200만 달러를 투자받았고, 미국의 라이즈 3D(Rize 3D)는 1500만 달러를 투자받는 등 유망한 스타트업을 중심으로 투자는 계속 이루어지고 있다.

에어버스와 파순 테크놀로지스(Farsoon Technologies)는 파트너십을 맺고 일반 항공기용 폴리머 소재 개발에 나섰으며, BASF와 임파서블 오브젝트(Impossible Objects)도 파트너십을 맺고 투자를 하였다.

HP는 스페인의 바르셀로나에 미식축구 경기장 3배 크기의 3D 프린팅 및 디지털 제조센터를 개소하였고, 올리콘(Oerlikon)도 미국 노스 캐롤라이나에 최신 시설을 오픈하였다.

3D 프린팅 서비스 업체의 서비스 확장

3D허브스(3Dhubs)는 초기에 3D 프린팅 서비스만 제공하였지만, 서비스 범위를 확장하여 CNC 머시닝 서비스, 판금 제

PART 1

조, 사출성형 서비스를 제공하고 있다. 조메트리(Xometry), 스컬프티오 등 일부 규모가 있는 3D 프린팅 서비스업체도 3D 허브스와 같이 처음에는 3D 프린팅 서비스로 출발했다가 영역을 넓혀서 전통 제조 서비스까지 제공하는 경향을 보이고 있다. 회사의 제조 철학과 맞고 역량이 된다면, 3D 프린팅 서비스 뿐만 아니라 산업계에서 수요가 더 많은 전통 제조 영역으로 서비스를 확장하고 있는 추세이다.

아이머티리얼라이즈(i.materialise)와 셰이프웨이즈(Shapeways)같은 업체들은 여전히 3D 프린팅 서비스만 제공하고 있다. 서비스의 범위는 다르지만, 3D허브스부터 셰이프웨이즈까지 여기서 언급한 모든 회사의 공통점은 온라인 기반으로 서비스를 제공하고 있다는 것이다. 그리고, 서비스 제공 범위가 특정 지역에 국한되지 않고, 대부분 글로벌 서비스를 제공하고 있다.

시제품에서 생산으로 3D 프린팅의 영역 확장

3D 프린터 제조업체들은 3D 프린터를 시제품이 아닌 최종 생산품 용도로 쓸 수 있도록 계속 노력해오고 있다. 신제품을 개발 및 생산하는 전체 비용에서 제품 디자인 및 시제품 제작에 5~10% 정도가 소요되고, 제품 생산에 90~95%의 비용이 든다고 한다. 현재의 3D 프린터 기술로 연속 대량생산을 하기에는 부족한 것이 현실이지만, 3D 프린터 제조업체의 입장에서는 많은 비용이 책정되는 생산 공정에 3D 프린터를 투입하기 위해 노력할 수 밖에 없는 것이다.

하지만 현재의 기술력으로도 우주항공, 자동차, 의료 등의 분야에서는 최종 생산품 용도로 3D 프린팅을 사용하는 사례가 꾸준히 나오고 있다. 성공적인 사례로 많이 인용되는 GE의 리프 엔진(LEAP engine) 연료노즐은 3D 프린팅을 활용하여 20개의 부품을 하나로 통합하였고, 이를 통해 25%의 무게 감소와 5배의 강도 강화를 이루었다. 미국 앨라배마에 있는 GE공장에서 2015년부터 2018년까지 3만 개의 노즐을 생산하였다.

그림 4. GE의 리프 엔진 노즐 3만 개 생산 기념

그림 5. BMW의 i8 로드스터

BMW는 i8 로드스터(i8 Roadster) 자동차의 윈도 가이드 레일(window guide rail)을 3D 프린터로 출력한 부품을 사용하여 경량화하였다.

최종 생산품 용도로 3D 프린팅된 부품이 전년 대비 22.5% 성장한 14억 5000만 달러 정도 된다고 홀러스 리포트는 분석하고 있다. 금속 3D 프린터 출력물이 최종 생산품으로 사용이 가능한 것은 금속 출력물의 물성이 전통 제조방식으로 제작한 것과 비교해 손색이 없고, 툴링 과정이 필요없으며, DfAM(Design for Additive Manufacturing)같은 디자인 기법을 사용하여 경량화를 할 수 있기 때문이다. 우주항공, 의료, 자동차 산업에서 복잡한 구조에 소량생산 품목이고 가격이 고가인 제품이나 부품의 경우는 3D 프린팅을 사용하는 것이 경쟁력이 있다.

3D 프린팅을 위한 디자인, DfAM

3D 프린터를 활용하는데 있어서 DfAM의 중요성은 여러 해 전부터 계속 강조되어 왔다. 생산을 위한 디자인(DfM: Design for Manufacturing)이라는 개념에서 발전한 DfAM은 3D 프린팅의 장점을 잘 살릴 수 있는 디자인이다. 구체적인 기술요소로는 위상 최적화(topology optimization)과 격자 무늬 구조(lattice structure)를 꼽을 수 있다. 사용자는 부품이나 제품의 성능 목표치를 만족하면서 경량화와 부품 단일화(part consolidation)라는 이점을 얻을 수 있다. 3D 프린터가 생산용도로 활용되기 위해서 필요한 요소 중 하나가 DfAM일 것이다. GE, BMW 등 해외 업체들은 DfAM 기법을 적용한 디자인을 3D 프린터로 출력하여 최종제품으로 사용하고 있다.

금속 3D 프린팅의 현황

폴리머 소재를 사용하는 3D 프린터가 전체 3D 프린터 시장의 가장 큰 부분을 차지하고 있는 것이 현실이지만, 금속 3D 프린팅은 최근 몇 년 사이에 많은 관심을 받아왔고 3D 프린팅 시장에서 가장 성장이 가파른 분야였다. 지난 2~3년간 가파른 성장의 여파인지 2019년 금속 3D 프린터 성장률은 약간의 숨고르기를 하는 양상을 보이고 있다. 전년 대비 1.3% 성장률에 그치고 있는데, 일시적인 포화현상으로 보는 시각도 있다.

폴리머 소재를 사용하는 3D 프린터의 출력물은 전통적인 제조방식의 생산품과 품질면에서 차이가 나지만, 금속 3D 프린터 출력물의 물성치는 전통적인 제조방식의 그것과 비교하여 비슷하거나 더 좋은 경우도 있다. 이러한 점이 금속 3D 프린터가 주목을 받는 이유일 것이다.

오랜 기간동안 파우더 베드 퓨전(Powder Bed Fusion) 방식의 금속 3D 프린터가 시장에서 주류를 이루어왔지만, 최근에는 데스크톱 메탈이나 마크포지드 등의 회사가 FDM 방식을 활용하여 금속 필라멘트로 출력하고, 디바인딩(debinding)과 소결(sintering) 과정을 거치는 방식의 금속 3D 프린터를 출시하였다. HP에서도 새로운 방식의 금속 3D 프린터인 HP 메탈 젯(HP Metal Jet) 프린터를 출시할 예정이라고 지난 2018년에 발표하였다.

그림 6. HP 메탈 젯 3D 프린터

이렇게 다양한 방식의 금속 3D 프린터가 등장하였고, HP, 데스크톱 메탈, 마크포지드와 같은 새로운 금속 3D 프린터 제조사가 시장에 진출하였으며, 벨로3D(Velo3D)는 금속 3D 프린터로 출력할 때 획기적으로 서포트의 양을 줄이는 프로세스를 선보이기도 하였다. 금속 3D 프린터 시장에 신규 진입하는 이러한 업체의 제품이 시장에서 인정받고 계속 성장해 나갈지는 지켜보아야 할 것이다.

그림 7. 벨로3D의 서포트프리(SupportFree) 출력물

3D 프린팅과 이기종 기술의 협업

인공지능(AI), 머신러닝(machine learning) 등의 기술은 다양한 분야에서 사용되고 있다. 3D 프린팅 분야도 예외일 수 없다. MIT 출신들이 만든 잉크비트(Inkbit) 3D 프린터는 다중 소재를 사용할 수 있고, 사람의 눈 역할을 하는 비전 시스템과 머리 역할을 하는 머신러닝 기능을 탑재하여 통합하였다. 비전 시스템은 출력물의 각 레이어를 스캔하고 디자인 데이터와 비교하여, 불일치하면 그 다음 레이어에서 잘못된 점을 수정하고 보정하는 기능을 가지고 있다. 3D 프린터에서 반복 발생하는 에러는 머신러닝이 학습을 통해서 해결할 수 있다. 이 프린터의 머신러닝은 실수를 통해서 계속 배워나갈 것이므로, 출력을 할 수록 기능은 더 좋아지고 출력 실패율은 낮아질 것이다.

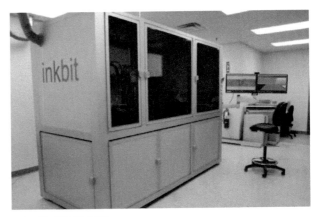

그림 8. 잉크비트 3D 프린터

오토데스크의 AI 기반 제너레이티브 디자인(generative design) 소프트웨어는 사람이 디자인에 필요한 제약사항들을 제공하면 클라우드 컴퓨터상의 인공지능이 수백 개에서 수천 개의 디자인을 제공해주며, 사람이 수정할 사항을 제시하면 인공지능은 다시 새로운 디자인을 제시해준다. 이런 식으로 사람과 인공지능이 협업하여 원하는 디자인을 만들어간다. 엔지니

어 또는 디자이너와 인공지능이 함께 디자인과 설계를 하는 것이다.

GE는 미국에서 3D 프린팅에 블록체인 기술을 적용한 특허를 출원하였다. 컴퓨터에서 디자인과 설계를 하므로 설계 데이터는 디지털 데이터로 저장된다. 디지털 데이터의 특성상 복사, 배포, 편집 및 악의적인 위변조도 가능하다. 3D 프린터의 사용이 늘어날 수록 데이터 보안의 필요가 커질 것이다. 이러한 위변조 방지 및 이력관리를 위해서 블록체인 기술을 사용하겠다는 것이다.

4차 산업혁명의 키워드 중 하나가 여러 기술의 융합이다. 3D 프린팅도 이러한 트렌드에 맞추어 인공지능, 블록체인, 바이오, 빅데이터, IoT(사물인터넷) 등의 기술과 융합하여 발전해 나갈 것이다.

폼넥스트 2019 전시회 - 3D 프린팅 역사상 최대규모의 전시회로 기록되다

독일 프랑크푸르트에서 매년 개최되는 폼넥스트는 3D 프린팅 단일 전시회이며 전시회의 규모는 매년 성장하고 있다. 2019에 개최된 폼넥스트 전시회는 3D 프린팅 역사상 가장 큰 단일 전시회로 기록되었다. 방문자 수는 전년 대비 28% 증가해 3만 4000명이 넘었고, 부스 참가업체 수는 전년 대비 35%가 증가한 852개였다. 전시기간도 3일에서 4일로 하루 더 연장되었다.

산업용 3D 프린터를 제조하는 전세계 대부분의 회사들이 참가한 것 같았고 러시아, 인도 등에서 참석한 이름도 들어보지 못한 작은 업체들도 회사 홍보를 위해 노력하고 있었다. 폼넥스트 전시회의 성장은 행사 주최측의 노력도 있겠지만, 사람들의 3D 프린팅에 대한 관심이 없었다면 몇 년 안 되는 단기간에 이렇게 성장하지 못했을 것이다. 소비자 시장에서 3D 프린터에 대한 거품은 많이 빠졌지만, 산업계에서는 지속적인 관심을 가지고 있다는 것을 알 수 있었다.

3D 프린팅의 순환 경제

긴 인류 역사에 비해 1차 산업혁명에서 4차 산업혁명까지의 짧은 기간에 인류는 엄청난 기술 발전을 하였지만, 그 대가로 지구 환경은 많이 파괴되고 오염되었다. 이제는 이러한 환경 파괴로 인해 인류의 생존조차 위협받고 있는 실정이다. 모든 산업분야에서 환경 보호는 이제 선택이 아닌 필수가 되었다.

이와 관련하여 나온 개념 중에 하나가 순환 경제(circular economy)이다. 순환 경제란 지속가능한 미래를 위한 환원

혹은 재생 가능한 경제 시스템으로, 자원의 낭비를 최소화하고 자원의 전체 순환과정 안에서 최대한 그 가치를 유지할 수 있도록 자원 활용을 극대화하는 것이다.

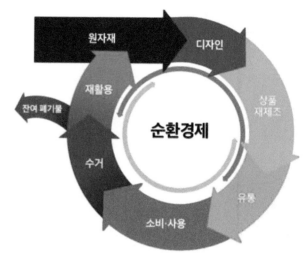

그림 9. 순환 경제

3D 프린터 방식 중 하나인 DED(Direct Energy Deposition) 방식은 제품을 수리하는데 사용되기도 한다. 이는 제품의 수명을 늘리는 것이니 순환 경제에 도움이 되는 방식이라고 할 수 있고, 3D 프린팅 자체가 전통 제조방식에 비해서 제조 과정에서 소재를 버리는 양이 적은 편이라 더 환경 친화적이기도 하다.

하지만 3D 프린팅 분야에서도 이러한 순환 경제의 흐름에 발맞추어 노력을 해야 한다. 디자인 측면에서는 DfAM 디자인 기법을 통해서 소재 사용량을 줄여야 한다. 제품이 여러 파트로 이루어져 있다면 분해 조립이 용이하게 디자인하여, 제품 수명이 다했을 때 제품 전체를 폐기하지 않고 분해하여 재활용할 수 있는 부품들은 재활용할 수 있게 디자인 단계에서부터

그림 10. 3d이보의 필라멘트 재활용

고려되어야 한다. 또한, 플라스틱 폐기물을 수거하여 재활용 업체로 보내거나, 이미 사용된 플라스틱 소재를 재활용하는 기술을 개발해야 할 것이다. 3d이보(3devo)같은 회사는 FDM 방식의 3D 프린터 출력물의 폐기물이나 출력에 실패한 것 등을 모아서 다시 필라멘트로 만들 수 있는 장비를 출시하였고, 소재업체인 사빅(Sabic)은 80%까지 재활용할 수 있는 PC 분말 소재를 출시하였다.

아디다스 스피드팩토리 셧다운의 교훈

아디다스의 스피드팩토리(Speedfactory)는 3D 프린터와 로봇을 이용하여 상품을 제조하는 '미래의 공장'으로 각광을 받으며 많은 관심을 받았다. 값싼 노동력을 이용할 수 있는 아시아에 집중된 생산공장을 다시 자국으로 가져가려는 미국과 유럽의 리쇼어링(reshoring)과도 일맥상통하는 면이 있어서 서구의 관심이 높았다. 아디다스는 3D 프린터로 출력한 중창(midsole)을 장착한 퓨처 크래프트 4D 운동화를 정식으로 론칭하였다. 하지만 2019년 11월경 미국과 독일의 스피드팩토리를 폐쇄하고, 이 시설들을 아시아 공장으로 이전한다고 발표하였다. 아디다스의 발표에 대해서 중창의 원가가 43 달러나 되어서 원가가 높았다, 내구성이 안 좋다, 안 예쁘다, 회사 내부의 정치적인 이슈가 있었다 등 많은 분석이 쏟아졌다.

3D 프린터 관점에서 원인을 하나 더 추가하자면, 3D 프린팅 본연의 장점을 제대로 반영하지 못했다는 점에 대해서 언급하고 싶다. 본래 3D 프린터의 장점은 기존 제조방식과 달리 개인 맞춤화가 가능하고, 소량 다품종 생산방식에 적합하고, 경량화 및 파트 단일화가 가능하다는 것이다. 하지만, 아디다스는 속도가 빠른 카본의 3D 프린터를 이용하여 경량화된 중창의 대량생산을 시도했다. 여기에는 개인 맞춤화도 없었고, 카본의 3D 프린터가 빠르기는 하지만 신발 같은 제화를 단시간에 대량 생산하기에는 가성비 측면에서 적합하지 않고, 가벼운 중창은 꼭 3D 프린터가 아니라 기존 생산방식으로도 가능하지 않았을까 싶다.

결론적으로, 3D 프린팅 본연의 장점을 비즈니스 모델에 충분히 녹여내지 못한 것으로 보인다. 3D 프린터로 제품을 생산하려는 업체들은 아디다스의 스피드팩토리 사례를 교훈삼으면 도움이 될 것이다.

PART 1

3D 프린팅을 활용한 유인드론 , 에어택시 시장 동향

주승환 | 한국적층제조사용자협회 회장, 인하대 교수, 산업부 및 과기부의 3D 프린팅 기술로드맵 수립위원이다. 국내 메탈 3D 프린터 개발자이고 메탈 공정 개발 전문가이다.
이메일 | jshkoret@naver.com
홈페이지 | www.kamug.or.kr

세계 시장

도심항공교통이 미래 모빌리티 산업의 신성장동력으로 가능성을 인정받으면서 시장 선점을 위한 글로벌 기업들 간의 경쟁이 치열해지는 가운데, 항공기술을 선점한 항공업계부터 대규모 양산이 가능한 자동차업계까지 200여 개 업체가 기체 개발에 진출·투자 확대 중이고, 국내 주요업체의 사업진출도 늘고 있다.

시장에서는 에어택시 서비스의 보급 및 본격적인 상용화 시점을 2040년으로 보고 있다. 다만, 기술이 예상보다 빠르게 발전하고 정부와 입법기관이 적극적으로 산업을 육성하고 지원해준다면 시장은 보다 일찍 열릴 것으로 예상된다. 포르쉐 컨설팅은 여객용 드론 시장 상용화 시점을 2035년으로 보고 있으며 시장(도심 내 서비스) 규모는 210억 달러, eVTOL 비행체는 1만 5000대에 달할 것으로 전망하고 있다. 미국 대형 전문 기관에서는 2040년 기준으로 1조 8000억 달러(약 1800조 원 이상)의 시장이 형성될 것이라는 전망이 나오고 있다. 나사의 경우는 2030년 2만 8000대의 유인드론(드론택시)이 실제 서비스에 들어갈 것으로 예측하고 있다.

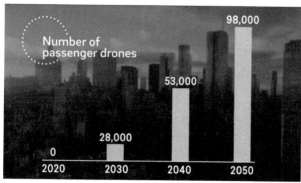

그림 1. 유인드론의 시장 규모(NASA 자료)

전 세계 개발 현황

전 세계적으로 많은 업체가 유인드론을 개발하기 위해 노력하고 있으며, 최근에는 아이언맨처럼 제트 엔진으로 하늘을 나는 제트 팩 프로젝트와 회전익 형태의 프로젝트인 볼로콥터 등이 진행되고 있다. 뿐만 아니라 항공사와 우버(Uber)가 협력해 고정 날개가 있는 고정익 형태로 회전익에 비해 비행시간이 길고, 속도가 빠른 유인드론을 개발하고 있다.

우버

우버를 자세히 살펴보면 도심 공항 터미널을 구축하여 시간당 200~1000대의 이착륙을 처리하고, 소음을 60데시벨 이하로 줄였다.

우버는 멀티모달(multimodal : 다중적) 이동편의 서비스도 구축한다. 통합시스템을 통해 인터넷 예약으로 집 앞에서 집 앞으로 이동하는 문전 연결성을 자동차, 개인 이동체, 도심 이동 비행기 등 복합이동 여정을 하나의 과정으로 실현한다는 것이다. 즉 집에서 목적지까지 예약을 하면 우버택시, 우버 도심공항 비행기 예약, 스카이포트(이착륙장), 내려서 이동하는 것까지 하나의 앱에서 일괄적으로 예약된다. 뿐만 아니라 우버 에어택시는 1.6km에 5.7달러에서 0.4달러까지 가격을 내릴 예정이다.

우버는 6개의 파트너사를 통해 장비를 개발하고 있으며, 서비스와 운영, 법규, 제정보안, 항공운영시설 등에 대한 투자를 아끼지 않고 있다. 우버의 경우 속도와 제공 시간을 늘리기 위해 회전익 형태보다는 비행기 형태의 고정익을 추구하고 있으며, 착륙과 이륙하는 포트에서 전기 이외의 공급이 어렵기 때문에 전기 동력 이외의 것을 사용하지 않는 것을 원칙으로 하고 있다.

이항과 볼로콥터

독일의 드론 및 플라잉카 제조사인 볼로콥터(Volocopter)와 중국의 이항(EHang)은 회전익 형태를 추구하고 있다.

그림 2. 이항의 최신 기종 앞에서 필자

이항은 드론 시장의 초창기부터 UAM(Urban Air Mobility: 도심항공교통)에 투자를 빠르게 한 것으로 유명하다. 최근 나스닥에 상장되기도 했다.

그림 3. 볼로콥터

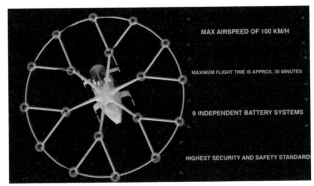

그림 4. 볼로콥터는 제원 100km/h까지 가능하고, 30분동안 비행이 가능하다. 안전을 위해서 9개의 독자적인 배터리 시스템으로 구성되어 있다.

기존업계 동향

폭스바겐의 경우 새로운 개념의 이동 수단으로 플라잉카를 정의한 것이 특징이다. 플라잉카는 일반차가 도심공항(Skyport)에 도착하면 차에서 비행체로 바뀌는 형태를 지녔다.

국내업계 동향

국내에서는 현대자동차가 UAM 분야에 투자를 계획하고 있고, 플라잉카 산업에 본격적으로 뛰어들겠다고 밝혔다. 또한 UAM 사업을 위해 미국 항공우주국 나사(NASA)에서 미래항공을 연구해온 신재원 박사를 영입하기도 했다.

한화그룹은 우버의 파트너사 중 한 곳에 298억원을 투자해서 30%의 지분을 인수했으며, 2023년부터 서비스를 개시하려고 준비 중이다.

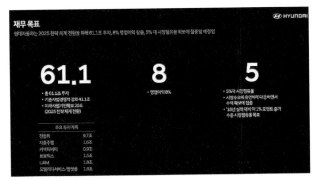

그림 5. 현대자동차는 UAM 분야에 1조 8000억 원을 투자할 예정이다.

기술적인 선제 조건

UAM 시장이 형성되기 위해서는 기술 측면에서 해결해야 할 문제가 몇 가지 있다.

배터리, 멀티로터(분산전기추진, 멀티 프로펠러), 자율비행 AI 소프트웨어, 고성능 컴퓨팅, 5G, 보안, 센서, 레이더, 전기모터, 신소재 등이 가장 중요한 기술 분야이다. 자율주행차와 모바일 폰의 개발 붐과 함께 이 분야의 기술적인 발전이 많이 이루어졌다.

향후에는 UAM, 플라잉카로 확대될 것으로 기대된다. 예를 들어 아이폰의 나침반, 속도계 등의 소형화(MEMS) 기술 등은 드론 개발에 획기적인 기여를 하였다. 배터리, 멀티로터(분산전기추진), eVTOL(전기수직이착륙), 자율 비행 소프트웨어 등의 기술 개발과 기술적인 혁신이 필요한 상황이다.

규제 측면에서는 항공기 제작부터 인증, 운행, 사후 관리까지 FAA(미연방항공국), EASA(유럽항공국)의 새로운 표준 제정과 규제가 필요한 상황이다. 기술과 규제가 해결된 뒤에는 사회적으로 안전 등에 대한 인식의 변환이 필요하며, 이것이 가장 핵심적인 사항이다. 또한 안전과 소음이 해소되어야 하고, 가격도 수용할 수 있을 만큼 형성되어야 한다.

오늘날 헬리콥터 사고 원인 중 대부분은 엔진 고장인데, 멀티로터 방식 유인드론은 여러 개의 전기 모터, 제어장치, 로터(회전익)를 사용하기 때문에 안전성은 헬기에 비해 우수하다.

PART 1

또한 제어 장치, 배터리 센서 등의 이중화를 통해서 안전성을 극대화하는 방안이 논의되고 있다. 이외에도 낙하산 등 이중/3중 안전장치를 이용하여 안전을 최우선으로 하고 있다.

한국의 개발 현황

한국에서는 크게 두 가지 경향이 있다. 하나는 드론 업계와 3D 프린팅 업계가 공동으로 개발하는 것이며, 다른 하나는 대기업을 중심으로 2023년까지 개발을 진행한다는 것이다. 대기업의 경우 앞서 언급했던 현대자동차와 한화그룹이 주도적으로 진행할 것으로 예상된다.

연구개발 분야는 수직이착륙이 가능한 비행기인 틸트로터의 기술을 응용하여 개발 중인 OPPAV 개발 사업이다. 여기에 400억 원 이상이 투입되어 진행 중이지만 우버가 2023년 실제 적용하는 시기까지는 실제 상용화가 어려울 수 있다.

현재 대부분의 UAM, 에어택시 내에 들어가는 부품은 3D 프린팅 기술을 통해 제작하고 있다. 그러나 국내 탄소섬유는 품질이 일정하지 않아 안정성에 문제가 있어 부품을 제작하는 데 어려움이 있다. 이를 경량화 금속 부품과 탄소섬유로 제작해 해결해야 하며 이러한 기술을 통해 에어택시를 제작할 수 있도록 노력해야 한다.

한편 한국적층제조사용자협회는 컨소시엄(협력)을 통해 3D 프린팅 기술을 근간으로 비행기 수준의 강도를 가진 부품을 경량화하고 있으며, 우수한 안정성을 가진 비행기의 설계 능력 및 부품 제작 능력을 높이고 있다. 뿐만 아니라 현재 고정익 VTOL 기술을 통해 1~2인용 고정익 기반 에어택시를 개발하고 있다.

또한 한국적층제조사용자협회는 앤시스의 자동항법 소프트웨어, GCS 기반 소프트웨어 중에서 재난구조시스템을 드론과 유인 앰뷸런스 드론을 기반으로 제작하고 있다. 한국적층제조사용자협회는 지상 관제 시스템을 기반으로 정밀한 드론을 제작할 수 있는 소프트웨어 기술과 하드웨어 기술을 가진 컨소시엄을 구성하고 있으며 현재 여러 가지 실전 장비 개발을 통해서 안전성과 통합 운용 기술을 개발 중이다.

한편, 정부에서는 2019년 10월 관계부처 합동으로 미래자동차 산업 발전 전략 및 플라잉카 발전 전략을 발표하였다. 또한 제2차 혁신성장전략회의에서 하늘 길 출퇴근을 가능케 할 UAM의 상용화 서비스 개시를 주 내용으로 하는 한국형 도심항공교통(K-UAM) 로드맵을 확정·발표하기도 했다.

그림 6. 미래자동차 산업 발전 전략 : 플라잉카

맺음말

UAM 상용화가 되는 시점까지 국내에서는 메탈 3D 프린팅 기술을 근간으로 항공부품 경량화, 고강도 알루미늄 공정 기술 개발 등으로 시장에 진출해야 할 것이다.

또한 선진업체는 이미 2011년부터 관련 기술을 개발하고 있는데, 국내에서 이러한 기술을 빠르게 따라가기 위해서는 독자적인 기술을 개발해 UAM이 상용화될 수 있도록 노력해야 할 것이다.

구분	1단계	2단계	3단계	4단계	5단계
필요 기술	제작 기술 확보	위상최적화 설계	제트 항공기 제작 & S/W (소형)	무인항공기 제작 & S/W (대형)	융복합 드론 (jet engine+drone)
	3D프린팅	경량화/부품단일화	제트엔진/자동항법	조립/자동항법	융복합(Vtol)
방식					

■ 현재
· UAM 2인용 모델시스템 개발 및 자율비행 개발
· 전기비행기 제작 + 수직이착륙기 제작
■ 계획
· 하이브리드 UAM 개발 - 제트엔진 기동 + eVTOL

그림 7. 단계별 UAM 개발 계획

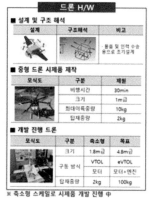

그림 8. 한국적층제조사용자협회의 드론 개발 기술

금속 적층제조 기술의 새로운 물결

금속 적층제조의 원리와 장단점 비교

강민철 | 3D프린팅연구조합 상임이사
이메일 | mkang@3dpro.or.kr
홈페이지 | http://3dpro.or.kr

금속 적층제조 기술은 대부분 금속 분말을 아토마이저 방식 등으로 급랭하여 구형화된 분말을 대부분 사용한다. Powder Bed Fusion(PBF)과 Directed Energy Deposition(DED) 방식이 대표적으로 널리 사용되며, 박판 기반형은 산업에서 활용도가 매우 낮다. PBF 방식은 금속 장비 중 판매 비율이 90% 이상 차지하고 있는데, 이는 부품의 복잡한 형상 구현이 가능하고 경량화하기에 유리한 방식이기 때문이다.

그러나 최근 합금화된 금속 와이어를 사용하거나(w-DED) 수지와 금속 분말을 혼합하여 필라멘트를 기본 소재로 하는 Material Extrusion(ME) 방식, 그리고 금속 분말을 일정한 두께로 도포하여 바인더를 선택적으로 뿌리는 방식인 바인더 제팅(Binder Jetting) 방식 등이 여러 회사에서 개발되어 시판 또는 출시를 앞두고 있다.

PBF 외 금속 적층의 새로운 트렌드

금속 적층 장비는 레이저, 전자 빔(Electron Beam), 플라즈마 등의 에너지를 사용하여 금속 분말 또는 금속 와이어를 직접 용융시켜 3차원 형상을 제작한다. PBF 방식은 복잡한 형상의 구현이 가능하여 우주항공, 메디컬, 자동차 부품 등에 다양하게 사용되고 있다.

PBF 방식은 분말 공급 장치에서 일정한 면적을 가지는 분말 베드에 수십 ㎛의 분말층을 깔고, 레이저 또는 전자빔을 설계 도면에 따라 선택적으로 조사한 후, 한 층씩 용융시켜 쌓아 올라가는 방식이다. PBF 방식은 SLS(Selected Laser Sintering) 또는 SLM(Selected Laser Melting), DMLS(Direct Metal Laser Sintering) 등의 용어도 혼용되고 있으나 그 원리는 동일하다. DED 방식은 금속 분말을 주로 이용하나 최근 와이어를 사용하는 방식도 보급되고 있다.

와이어를 활용하는 DED 기술

DED 기술은 kW급의 집속된 열 에너지를 사용하여 소재의 용해 및 응고 과정을 통해 3차원 형상을 구현하는 적층기술이다. 즉 레이저빔과 같은 고에너지원의 조사(照射)에 의해 모재 표면에 형성된 용융풀(melt pool)에 외부로부터 분말 소재를 공급하여 급속용융과 응고과정을 거쳐 모재 표면에 새로운 층을 만들고, 이 층을 CAD 데이터로부터 산출된 공구 경로에 따라 반복적으로 적층하여 조형하는 기술이다.

와이어를 이용하는 w-DED 기술은 용접의 원리와 같이 와이어를 용융시켜 용융풀을 형성한 후 기계 가공으로 마무리하는 방법이다. 와이어를 사용하는 경우는 시간당 적층 속도가 대단히 빨라 독일, 미국 등에서 다양한 장비와 제품들이 시도되고 있다. PBF에 비교하여 형상 자유도가 떨어지는 단점이 있지만, 소재 가격도 분말에 대비하여 저렴하고 절삭가공에 비해 저비용으로 부품 생산이 가능하여 방산부품이나 우주항공 분야에서 성공사례가 잇따라 보고되고 있다.

DED 기술의 최대 장점은 금속 제품의 조직이 치밀하여 강도 및 연신율 등 기계적 물성이 매우 우수하다. 그러나 복잡한

그림 1. w-DED 방식으로 제작된 하우징. 형상 자유도에는 한계가 있으나 소재 가격이 저렴하고 적층속도가 빠르다.(Formnext 2019의 Gefertec 부스)

오버행(over-hang) 구조는 불가능하며, 내부의 중공화가 부분적으로 가능하여 경량화와 구조강성 향상을 위한 적층제조의 장점을 극대화하기는 어려운 단점이 있다.

Binder Jetting

최근 금속 분말에 바인더를 선택적으로 분사하여 부품을 제조하는 BJ(Binder Jetting) 방식이 선보이고 있다. 이 기술은 엑스원(ExOne), 데스크톱 메탈(Desktop Metal), 엑스젯(Xjet), GE 애디티브(GE Additive) 등 무려 58개사에서 개발 중에 있다. 최근 플라스틱 장비의 대표주자인 HP와 스트라타시스(Stratasys)에서도 개발을 마무리하고 시판 예정으로 있어, 금속 장비 시장의 변화가 예상되고 있다.

이러한 BJ 방식은 전통적인 MIM(Metal Injection Molding: 금속사출성형)과 유사한 형태지만 금형이 필요 없다. MIM의 기본 원리는 바인더와 금속 분말 혼합물을 금형에 주입하여 탈지 후 소결하는 과정을 거친다. 이에 반해 BJ는 5~20㎛ 정도의 분말을 베드에 도포하고 노즐에서 액상 바인더를 레이어마다 선택적으로 분사한 후에 각 레이어마다 열을 이용하거나 별도의 오븐에서 경화한다. 성형 단계 이후에는 MIM과 마찬가지로 탈지(debinding)와 소결(sintering) 과정을 거쳐 최종 부품이 형성된다.

이 공정으로 적용될 수 있는 부품은 생산개수가 많은 소형 제품에 적용될 가능성이 매우 높아 전통적인 분말야금이나 MIM을 대체할 가능성이 높다. 그러나 소형 부품이 아닌 경우 탈지 과정에서 내부기공이 다수 존재하며, 고온/고압 등의 극한 환경에 적용되는 부품의 경우 기계적 강도값이 낮아 엔지니어링 부품에는 많은 한계가 있을 것으로 보인다.

PBF와 같이 금속 분말의 형상과 크기에 민감하지 않고, 고가의 레이저 소스가 필요 없어 장비 가격이 저렴하고, 부품 개당 제조 시간이 단축되어 대량 생산시 양산 가능성은 대단히 높을 것으로 보인다.

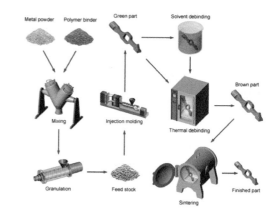

그림 2. Metal Injection Molding의 공정. BJ 기술을 활용하면 금속 분말에 선택적으로 바인더를 분사하여 금형 없이 대량생산이 가능해진다.

그림 3. BJ 방식으로 제작된 부품. 한 개의 베드에서 수십 개의 부품 제작이 가능하다.(Formnext 2019의 HP 부스)

Material Extrusion

이 방식은 ABS나 PLA 필라멘트를 사용하는 FDM 방식과 원리는 동일하다. 재료는 금속과 수지의 혼합물을 사용하는 MIM 방식과 유사하며, 통상 20%의 열가소성수지와 80%의 금속 분말을 혼합하여 압출 방식으로 제조된다.

이 방식은 데스크톱 메탈과 마크포지드(Markforged) 등에서 개발한 바 있으며 소재 형태나 적층 방식에는 약간의 차이가 있다. 수지와 혼합된 금속 필라멘트 또는 6mm 봉재는 적층시 필라멘트에 연성을 부여하기 위해 별도의 예열이 필요하고, 서포트를 위해서 세라믹 재료를 동시에 압출하기도 한다. 적층이 완료되면 탈지와 소결 과정을 거쳐 최종 제품이 완성된다. 소재 가격이 다소 고가인 것이 단점이나, 장비 구조가 단순하고 서포트 절단 과정이 쉽다. 기존 PBF에서 적층하기 힘든 자성소재나 구리 등과 같은 고열전도율 소재의 부품 개발이 보다 쉬울 것으로 여겨진다.

이 방식은 BJ와 마찬가지로 소결 과정에서 수축에 따른 기공 및 형상 정밀도에는 문제가 있으나 기능성 시제품, 지그&픽스처, 소형 금형 제작에는 활용될 가능성이 매우 높다.

맺음말

〈표 1〉은 PBF, w-DED, BJ, ME 방식의 기술을 비교한 것이다. 전세계 장비 판매량은 비교적 정밀하고 형상 자유도 구현에 유리한 PBF 방식이 월등히 많다.

PBF 방식의 경우 우주항공 분야 및 의료, 산업용 부품에 널리 사용되고 있으나, 장비 및 분말 가격이 다소 높고 적층 속도가 낮아 산업화의 걸림돌이 되고 있다. 와이어를 사용하는 경우 PBF 분말 소재 가격의 절반 수준으로 방산 부품이나 중대형 산업용 부품에 활용될 가능성이 높다.

BJ와 ME의 경우 대형 제품을 제작하기에는 탈지와 소결 공정에서 수축이 일어나고 내부 기공이 문제가 되나, 강도가 중요시되지 않는 각종 지그나 자동차 부품 제작에는 대단히 유리할 것으로 보인다. 따라서 장비의 선택은 각 장비의 장단점과 대상 부품을 선정하여 신중하게 고려해야 것이다.

우리나라 기업과 정부가 3D 프린팅 산업에 본격적으로 뛰어든 것은 불과 6년 남짓한 짧은 역사를 가지고 있다. 많은 전문가들이 적층제조 산업은 기술 출현기를 넘어서 대량생산을 위한 전환기에 있으며, 10년 내 3D 프린팅 기술로 만든 제품이 광범위한 부품에 적용되는 '안정기'가 도래할 것으로 예상하고 있다.

우리나라가 선진국과 기술격차가 크다고 하지만 아직 선점되지 않은 많은 분야가 존재한다. 기술 선점이 가능한 유망 기술 분야에 정부의 정책 노력과 더불어 기업의 역량이 집중된다면, 3D 프린팅 산업의 저성장을 넘어 한국이 3D 프린팅 강국으로 올라설 날도 멀지 않을 것이라 기대해 본다.

표 1. PBF, w-DED, BJ, ME 방식의 기술 비교

	PBF	w-DED	BJ	ME
공정 정의	레이저 또는 전자빔 소스에 의한 금속 분말의 선택적 용융	레이저/전자빔/플라즈마에 의한 와이어 용융 적층	금속 분말층에 바인더를 선택적 분사 후 경화, 탈지 및 소결	금속+수지 혼합물을 와이어 형태로 제작하여 국부적인 용융에 의한 적층 후 탈지 및 소결
장비 가격	고가	최고가	저가	중저가
재료비	중가	저가	고가	최고가
재료 크기	15-45μm(레이저) / 40-120μm(전자빔)	Ø2~3mm (전자빔/플라즈마) / Ø0.8~2.0mm(레이저)	1~15μm / 5~20μm (데스크톱 메탈)	15μm이하(필라멘트) / 30μm(봉재)
형상 자유도	아주 우수	우수	우수	우수
내부 기공	매우 낮음	낮음	다소 있음	많음
부품 크기	중형	대형	중소형	중소형
생산성	낮음	높음	아주 높음	낮음
cm³당 적층 비용	아주 높음	낮음	중간	다소 높음

PART 1

3D 프린팅용 금속 소재의 글로벌 동향

구용모 | 금속 분말, 전자재료 및 부품 전문 기업인 창성의 개발 마케팅기획팀장이다.
이메일 | ymkou@changsung.com
홈페이지 | http://changsung.com

4차 산업혁명이라는 이슈로 많은 산업의 트렌드 변화가 그 속도를 더하고 있는 시기이다. 전기차와 자율주행차로 대변되는 스마트카 시장과 5G 통신, 폴더블과 스트레처블로 새로운 디스플레이 시장이 이미 열리고 있고, 이러한 시장을 뒷받침하는 소자인 반도체 시장도 비약적으로 성장하고 있다. 이러한 시기에 혁신적인 공정 파괴 기술이 있으니 이것이 적층제조 기술인 3D 프린팅 기술이다.

3D 프린팅 기술은 독립된 공정이 아닌 4차 산업혁명이라는 트렌드에 걸맞는 새로운 공정 기술이라는 틀에서 볼 필요가 있다. 3D 프린팅 기술은 기존의 제조 방식을 대체하는 혁신 제조 기술로 제품의 디자인 자유도가 높고, 소재의 사용 효율이 높으며 생산 과정에서 에너지 효율이 높은 기술이다. 3D 프린팅 산업이 자리를 잡아가면서 점차 관심은 소재로 이어지고 있으며, 궁극적으로 3D 프린팅 공정에 최적화된 소재의 확보가 산업에서 주도권을 갖는 형국이 될 것으로 전망하고 있다.

이 글에서는 3D 프린팅용 금속 소재 시장의 글로벌 현황과 금속 소재 중에서 금속 분말의 제조법과 요구 특성, 그리고 2019년 주요 3D 프린팅 전시회에서 확인된 소재 동향에 대해 살펴보고자 한다.

하기 위하여 다양한 3D 프린팅 공정 중에서 PBF(Powder Bed Fusion)와 DED(Direct Energy Deposition) 방식을 채택하고 있으며, 3D 프린팅 장비에 최적화된 금속 분말 소재의 개발도 활발히 진행되고 있다.

금속 3D 프린팅 기술은 항공 우주산업, 의료산업, 자동차산업, 금형산업 및 주얼리와 같은 일반 소비재 산업의 발전에 기여할 것으로 보인다. 항공 우주산업에서 요구하는 소재는 극한 환경에서 사용하는 경량 소재로서, 부품 통합으로 조립공정을 최소화할 수 있고 고가의 소재 사용 효율을 높일 수 있는 장점이 있다. 의료산업 분야에서는 임플란트로 대표되는 소재로서 개인 맞춤형 시장 대응이 가능하다는 점에서 3D 프린팅 기술 적용이 활발할 것으로 예상한다. 자동차 산업은 표준화, 규격화된 대량생산 부품 대응이 가능하여 수요기업에서 생산 설비를 갖추고 부품 내재화가 이루어지게 되면 조립 공정 단축 등의 기대효과가 있다.

금형 산업은 복잡한 형상의 금형을 제작하고 사용중 파손시 수리 및 보수가 가능하며 국부적인 고강도 특성을 부여하기에 적합하여 발전이 기대되는 산업분야이다.

3D 프린팅 금속 소재 시장 전망

2018년 전세계 3D 프린팅용 소재의 구성은 2017년과 마찬가지로 포토폴리머(Photopolymers: 감광성 수지)가 가장 많은 비중을 차지하였고(32.9%), 그 다음으로 폴리머 파우더(Polymer Powders) 26.9%, 필라멘트(Filaments) 20.6%, 메탈(Metals) 17.4% 등의 순이다.

이 중에서 사용량은 4번째이지만 기계적 특성과 내성이 우수하여 첨단 소재 부품을 대체할 수 있는 금속 소재의 산업화가 활발히 진행되고 있다. 금속 소재인 금속 분말을 3D 프린팅

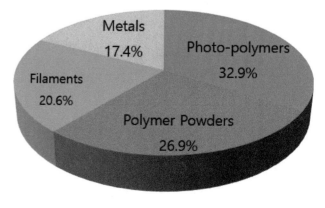

그림 1. 3D 프린팅용 소재 구성(출처: Wohlers Report, 2018)

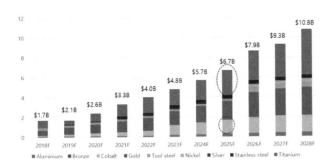

그림 2. 3D 프린팅용 금속 소재 사용 추이

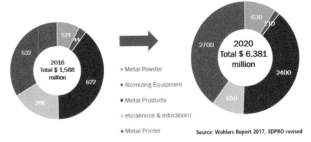

그림 3. 금속 3D 프린팅 산업 매출(출처: Wohlers Report, 2017)

3D 프린팅용 금속 분말 소재의 사용량은 향후 10년간 지속적으로 성장할 것으로 예상된다. 〈그림 2〉는 2018~2028년의 3D 프린팅용 금속 분말 예측 성장률을 보여준다. 금속 분말의 전체 시장은 2018년 17억 달러에서 연평균 21% 성장해, 2028년에는 108억 달러까지 성장이 예상된다.

단위 단가가 높은 금(gold)을 제외하게 되면 타이타늄과 코발트 소재가 시장 점유율을 주도하고 있다. 타이타늄의 성장은 항공 우주 산업의 수요 증가에 힘입어 2028년까지 시장 점유율이 50% 수준이 될 것이다. 코발트 소재는 임플란트와 같은 바이오 소재에 적용되고 있으며, 시장 성장과 함께 점유율이 향상될 것으로 예상한다.

이러한 소재 사용 예측을 통해 향후 금속 3D 프린팅 산업의 발전 방향을 예측할 수 있다. 또한 소재의 사용량이 증가하면서 타이타늄과 코발트 소재 분말의 가격이 낮아지고 이로 인한 관련 산업 활성화로 이어지는 선순환이 기대된다. 현재 3D 프린팅용 타이타늄 분말은 1kg 당 250 달러 정도로 유통되고 있어 관련 산업의 확대 발전에 걸림돌이 되고 있지만, 주요 생산업체들은 1kg 당 150 달러 수준을 목표로 생산성을 높이고 있다.

금속 3D 프린팅 산업은 프린팅 장비, 분말 제조 장비(아토마이징, 플라즈마 설비), 금속 분말, 부품 산업으로 구성되며 2016년과 비교해 2020년에 금속 분말 분야가 5배 성장할 것으로 예상하고 있어서, 향후 금속 분말 산업이 산업 전체를 주도할 것으로 예상한다. 프린팅 장비와 부품은 4배 성장하는 것으로 예상하고 있다.

3D 프린팅용 금속 소재

3D 프린팅 산업에서 활발히 적용되고 개발이 진행 중인 금속 소재는 그 사용 목적에 따라 철계, 니켈계, 코발트계, 타이타늄계, 알루미늄계로 구분된다.

철계는 STS와 마레이징 스틸(Maraging steel)로, 주로 자동차 부품과 금형 부품 시장에서 그 수요가 증가하고 있으며

사용량이 가장 큰 시장이다.

니켈계는 인코넬(Inconel)과 Ni계 초합금(super alloy)으로 항공과 발전용 고온 터빈 부품에 적용되며, 향후 성장세와 시장 규모면에서 기대가 높은 소재이다.

코발트계는 CoCrMo가 대표적인 소재로서, 내식성이 우수하고 인체 친화적인 특성으로 임플란트 소재로 적용되고 있다. 임플란트는 개인 맞춤형으로 3D 프린팅이 추구하는 다품종 대응과 디자인 자유도 면에서 경쟁력이 높은 시장이다.

타이타늄계는 순 타이타늄과 Ti6Al4V이 있다. Ti은 임플란트용으로 사용되며 Ti6Al4V은 비강도가 높은 특성을 갖는 소재로 항공 부품에 적용된다. 특히 타이타늄은 판재로 제조시 생산단가가 높고 가공의 어려움이 있어 부품 소재로서 적용의 한계가 있었으나, 3D 프린팅 공정을 통해 복잡 형상 제조가 가능해지고 부품의 단일화를 통해 항공 부품의 조립 공정을 생략할 수 있다는 점에서 각광받고 있다.

이와 같이 첨단 소재 분야에서 공정의 단순화가 가능하고 디자인 자유도가 높은 3D 프린팅 공정을 통해 소재의 한계를 넘어서는 것이 가능하기에, 금속 소재 시장의 새로운 국면을 기대하게 된다.

Materials name	Material type	Typical applications
Maraging Steel MS1	18 Mar 300/1.2709	Injection molding series tooling; Engineering parts
Stainless Steel GP1	Stainless steel 17-4/1.4542	Functional prototypes and series parts; Engineering and medical
Stainless Steel PH1	Hardenable stainless 15-5/1.4540	Functional prototypes and series parts; Engineering and medical
Nickel Alloy IN718	Inconel™ 718, UNS N07718, AMS 5662, W.Nr 2.4668 etc.	Functional prototypes and series parts; High temperature turbine parts etc.
Nickel Alloy IN625	Inconel™ 625, UNS N06625, AMS 5666F, W.Nr 2.4856 etc.	Functional prototypes and series parts; High temperature turbine parts etc.
Cobalt Chrome MP1	CoCrMo superalloy, UNS R31538, ASTM F75 etc.	Functional prototypes and series parts; Engineering, medical, dental
Cobalt Chrome SP2	CoCrMo superalloy	Dental restorations
Titanium Ti64	Ti6Al4V, TiAl6V4 ELI	Functional prototypes and series parts; Aerospace, motor sport etc.
Al & Alloy	AlSi10Mg, AlSi12	Functional prototypes and series parts; Engineering, automotive etc.
ETC	CL 80CU(Bronze), Yellow gold(18 carat), Silver alloy(930 sterling)	Arts and Jewelry

그림 4. 3D 프린팅용 금속 소재

PART 1

3D 프린팅용 금속 분말의 제조 및 평가

분말 야금 산업의 원료가 되는 금속 분말을 제조하는 공정은 크게 4가지로 구분된다.(그림 5) 가장 일반적인 방법은 분사법으로, 용해된 금속 용탕을 일정 속도로 공급하면서 이 공급되는 용탕을 가스나 물로 때려서 응고시켜 가루로 만드는 방법이며 아토마이징(Atomizing)이라고도 한다. 생산성과 품질에서 가장 우수한 방법이다.

기계적 밀링법은 편상의 금속 분말을 만들 수 있는 방법으로, 필름과 페이스트등에 사용되는 전자기용 분말 생산에 적합하다.

화학법은 금속을 산(acid)에 녹여 용액을 만들고, 다시 환원 석출하여 미세한 분말을 만드는 방법이다. 주로 칩과 같은 전자부품에 사용된다.

전기분해법은 금속을 황산과 같은 산에 녹여 이온화시킨 후 음극에서 석출하게 하여, 표면적이 매우 큰 형상의 금속 분말을 만드는 방법이다. 넓은 표면 특성으로 전도성과 마찰 특성이 우수한 분말을 생산할 수 있다.

그림 5. 금속 분말 제조 공정

여러 가지 금속 분말 생산 방법 중에 3D 프린팅 공정에 적합한 방식은 분사법이라고 볼 수 있다. 3D 프린팅 공정 특성상 분말의 흐름성이 우수하고 산화도를 포함한 불순물이 적어야 하며, 분말 패킹 특성을 좌우하는 구형도가 좋아야 한다. 또한 분사법은 분말 생산성도 우수하기 때문에 3D 프린팅용 분말의 가격을 낮추어 관련 산업의 활성화를 이룰 수 있는 방법이다.

3D 프린팅 공정에서 요구되는 금속 분말의 특성 중 가장 중요한 특성은 분말의 흐름성인 유동도이다. 금속 분말을 이용

한 3D 프린팅 공정은 PBF와 DED이며 공정 특성상 분말의 원활한 공급이 중요하다. 유동도에 미치는 관련 인자로는 분말 입도, 형상, 분말 밀도, 표면 상태가 있다. 적층 제조 후 부품의 기계적 특성을 만족시키기 위해서는 이러한 분말의 특성을 확보하고 3D 프린팅 공정에 최적화되어야 한다. 〈그림 6〉에 금속 분말의 평가 항목과 측정법 그리고 3D 프린팅 공정시 요구 특성을 정리하였다.

타이타늄 분말의 평가 항목과 적층 제조시 요구특성		
평가항목	적층제조시 요구특성	측정법
형상	적층 높이, 적층 후 낮은 기공	SEM(주사전자 현미경) 분석
유동도	적층 높이, 적층 후 낮은 기공	홀 플로우미터
분말 밀도	분말 적층시 패킹	홀 플로우미터, 탭 밀도 테스터
기공도	건전한 미세 조직	SEM
입자 사이즈	적층시 일정한 용융	레이저 입도 분석기, 체 분석기
화학 조성	요구되는 기계적 특성	ICP
순도 (산소, 질소, 탄소, 황)	불순물 결함	ON 분석기, CS분석기

그림 6. 3D 프린팅용 금속 분말 평가

이와 같이 3D 프린팅 공정에서 요구되는 금속 분말을 제조하기 위해서는 기존 분말 생산공정을 더욱 개선하는 노력이 필요하게 된다. 특히 3D 프린팅 시장에서 성장세에 있는 소재인 타이타늄 합금, 코발트 합금과 같은 고온용 소재를 분말로 생산하기 위해서는 금속의 용해 과정부터 개선이 필요하다. 분말의 고순도와 우수한 구형도 확보를 위하여 Arc 용해, skull 용해, EIGA와 같은 용해 방식을 채택하여 용해시 도가니로부터 용탕의 오염을 최소화하고, 금속 분말 표면 개선과 구형도를 확보하고 있다. 또한 플라즈마 공정을 이용하여 고특성 소재 분말의 표면과 구형도 개선을 극대화하고 있다.

제조된 금속 분말을 3D 프린팅 공정인 PBF와 DED 공정에 최적화하기 위해 분말의 입도를 맞추는 분급 과정이 뒤따르게 된다. 통상 PBF 공정에는 15~45㎛의 입도 분포를 갖는 분말

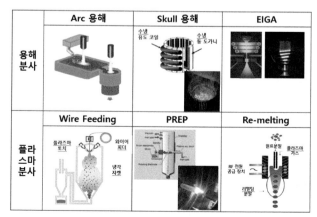

그림 7. 3D 프린팅용 금속 분말 제조 방법

이 사용되고, DED 공정에는 45~150㎛의 입도 분포를 갖는 분말이 사용된다. 따라서 분사법을 통한 분말 생산 과정에서 요구되는 입도 분포에 근접한 분말을 제조하는 것이 분말 제품 수율에 직접 영향을 미치고, 결국에는 분말의 가격을 결정하는 가장 중요한 요소가 된다. 분사 설비에서 아토마이저와 분사 공정의 설계를 통해 입도를 조절할 수 있고, 이러한 기술을 확보하는 것이 분말의 가격 경쟁력을 확보하는 길이다.

오랜 기간 금속 분말을 생산하여 업력을 갖추고 있는 글로벌 금속 분말 제조업체들이 시장에 진입하게 되면 단시간 내에 시장을 선도해 나갈 것으로 생각되는 이유이다.

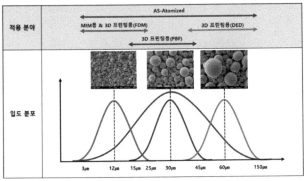

그림 8. 3D 프린팅용 금속 분말 입도

2019 전시회 동향 - TCT 아시아, 폼넥스트, 도쿄 고기능 소재전

3D 프린팅 관련 전시회가 최근 들어 활발히 진행되고 있다. 지역별, 기업별 기술의 변화와 동향을 볼 수 있는 대표적인 전시회는 중국 상하이의 TCT 아시아, 독일의 폼넥스트 (Formnext) 그리고 일본의 도쿄 고기능소재전이라고 생각된다. 필자는 2019년에 이들 전시회를 통해 3D 프린팅용 금속 소재 동향을 확인하였다.

상하이 TCT 아시아(2019년 2월 21~23일)

업체 참가 수는 270여개로 2018년 대비 70여 업체가 늘었다고 하며, 두 개의 전시장을 운영하는 중급 이상의 규모였다. 중국이 이 산업에서 비약적인 발전을 선보였다는 점은 주목할 만하다. 중국의 BLT, 테크지니 등에서 부품 사이즈 1m 이상의 대형화를 선보였고, 중국 우주항공국과 연계를 통한 소재 개발이 눈에 띈다.

소재의 관점에서 보면 호가나스(Hoganas), 샌드빅 (Sandvik), 바스프(BASF), 올리콘(Oerlikon) 등의 글로벌 메이저 업체들이 이 시장에 진입하기 위하여 분말, 소재 개발, 부품 특성 평가 등의 내부 인프라 역량을 극대화하고 있었다.

중국 금속 분말 제조업체는 연간 100~300톤 생산 규모의 업체 10여 개가 출품하였다. 대부분 Ti ,인코넬, STS, Co-Cr 소재이며 기존 분사 설비를 활용하거나 VIGA, EIGA 설비를 신규로 구축하였다. 금속 분말 관련 소재 원천 기술이 부족함에도 3D 프린팅 시장의 이슈에 발맞추어 모기업의 투자, 국가 주도, 항공우주국 주도 등의 협업이 눈에 띄었다.

그림 9. 2019년 상해 TCT에서 AVIMETAL 전시 부스

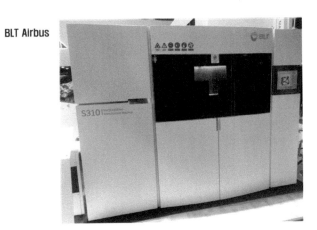

그림 10. 2019년 상해 TCT에서 전시된 3D 프린터 장비 BLT Airbus

AVIMETAL PM의 경우는 경우 앞서 소개한 분말 제조 공정을 모두 보유하여 성장 가능성이 클 것으로 보인다. PSNM(Peshing New Metal)은 아토마이저 설비를 5기 보유하여 Fe 베이스 금속 분말을 연간 1600톤 생산하지만, EIGA를 3기 보유하면서 Ti 합금과 Co-Cr 시장 진입을 위해 금속 분말 라인업을 확대해가고 있다.

PART 1

독일 폼넥스트(2019년 11월 19~22일)

독일 프랑크푸르트 메세에서 매년 진행되는 가장 큰 규모의 3D 프린팅 전시회이다. 840개 업체가 참가하고 방문자 수도 3만 5000명 규모이다. 글로벌 메이저 업체들이 대거 참여하여 글로벌 동향을 확인하기에 적합하였다. GE 애디티브, 3D 시스템즈, EOS, 트럼프(Trumpf), SLM 솔루션즈(SLM Solutions) 등 장비 업체와 이에 소재를 공급하는 업체들이 함께 연합을 하여, 각 분야에서 차별화를 점차 구축해 가는 것을 알 수 있었다. 상하이 TCT에 비해 글로벌 소재 업체들도 공격적으로 시장에 진입하고 있었다.

GKN Hoeganaes, PAC, Oerlicon am, Cappenter Additive, Heraeus, Tekna 등 금속 분말 전문 업체들이 각자 경쟁력 있는 소재 분야에서 3D 프린팅 부품 평가 결과를 선보였다. GKN Hoeganaes, Hoganas(스웨덴), 헤라우스 등 메이저 업체가 소재 태동기임에도 장비 업체 연합, 자사의 포지션 등의 구축을 시작하였다.

GKN은 미국에서 3D 프린팅용 분말이 연간 3000톤 쓰일 것으로 예상하며, PAC(신시내티 소재)는 연간 300톤 규모 대응하여 GE 애디티브의 AP&C와 유사한 수준이다. STS, Tool steel, INCONEL 625/718, Bronze, Ti64, AlSiMg 등이 주력이다. 특히 Oerlicon am은 용사용, MIM 시장의 분말 공급사로서 강점을 활용하여, 자사 내 3D 프린팅용으로 Fe, Ni, Co, Ti 합금계의 양산 라인업을 완성하였다. 아르캠(Arcam), 콘셉트 레이저(Concept Laser), EOS, SLM 등 메이저 장비업체와 협력을 체결하고 항공, 자동차, 의료, 발전용 소재를 활발히 교류하고 있다.

테크나(TEKNA)는 플라스마 장비 제조 전문업체이지만 최

그림 11. 2019년 폼넥스트의 GKN 전시 부스

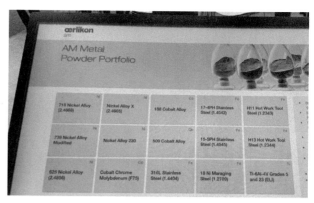

그림 12. 2019년 폼넥스트에서 소개된 Oerlicon 금속 분말

근 노르웨이 업체인 AMF가 인수한 후 소재 전문 기업을 선언하였다. 타이타늄 중심의 고특성 원료의 사용량이 늘면서 분말 가격 경쟁력 강화에 주력하고 있다. 고가의 장비와 낮은 생산성을 극복하기 위해 단위 생산성을 높이고, 소재 생산 시 장비 감가를 최소 반영하는 전략으로 고가의 소재 시장을 선도하기 위한 준비를 하고 있다.

도쿄 고기능소재전(2019년 12월 4~6일)

일본 고기능소재전은 도쿄 마쿠하리 메세와 오사카에서 진행되는 일본 최대 규모의 소재전이다. 일본은 3D 프린팅 관련 산업에서 아직은 두각을 나타내지 않고 있지만, 원천 소재 기술과 관련 인프라가 잘 구축되어 있어 현재의 시장보다 차세대 고특성 소재 개발에 집중하는 모습이다.

대표적으로 히타치 금속은 3D 프린팅용 하이 엔트로피(High Entropy) 소재를 소개했는데, 이 소재는 다성분계로 주조시 편석 우려가 있는 조성이지만, 3D 프린팅 공정 특성상 단시간 내 Melt - Pool 형성을 통한 급냉 응고 조직으로 강도 향상을 이루어냈다. 또한 Co가 1% 이하로 인체 유해성을 개선한 합금을 소개하였다. 석출상의 비율을 높여 물성 향상이 가능한 YAG 285 grade이다.

국내 3D 프린팅 산업 발전을 위한 소재 기업의 역할

글로벌 메이저 분말 제조업체들의 변화와 발전을 보고, 국내 3D 프린팅 산업의 발전을 위한 관련 소재 업체의 역할과 과제에 대해 생각해 볼 수 있었다.

첫째, 3D 프린팅용 부품 특성 평가와 데이터베이스 구축이 필요하다. 3D 프린팅 공정에 최적화된 새로운 소재 개발과 이에 대한 지속적인 평가를 진행하여, 분말 - 3D 프린팅 공정 - 부품 제조 - 평가 피드백을 통한 데이터를 쌓아 나가야 한다. 소재 - 부품 - 장비의 네트워크를 조속히 마련해야 한다. 한국

이 가장 뒤처지고 있는 부분이기도 하다. 이를 위해 국내 분말 제조업체들의 경쟁력을 높이고 부품 수요 기업의 참여를 통한 사업화가 필요하다.

둘째, 분말 소재 특성의 플랫폼화이다. 3D 프린팅 장비에 따라 사용 가능한 분말의 메이커가 다르고 한정되는 경우가 있다. 이미 장비 최적화가 이루어졌다는 것이 이유이다. 각 장비마다 프린팅 공정 조건이 서로 달라서 원료 분말을 자사 장비에 최적화하려는 요구가 있다. 이렇게 장비와 업체에 최적화되고 특화되게 되면 마치 경쟁력이 있을 것처럼 보이지만, 결국에는 전체 시장의 활성화를 저해할 것이라 생각된다. 분말 제조업체들이 다양한 장비에 자사 분말을 적용하여 공통적인 분말의 요구 특성을 도출하고 플랫폼화해야 한다. 장비 중심이 아닌 3D 프린팅용 분말의 최적화라는 큰 틀에서 접근해야 한다.

셋째, 금속 분말 시장 가격의 합리화이다. 상용화되고 있는 금속 분말은 철계, 니켈계(Inconel, Super Alloy), 코발트계, 타이타늄계이다. 분말의 사이즈는 10~45㎛, 45~150㎛ 수준이다. 기존 분말 야금 입장에서 보면 STS 분말의 시장가격은 특수한 경우에도 1kg 당 3만원 미만이다. 하지만 3D 프린터용으로 통용되는 가격은 1kg 당 5만원 이상이다.

물론 양산 진입 단계가 아니고 양산 단계에서도 기존 분말 야금과 같이 수십 톤 이상을 사용하지 않을 수도 있고, 프린팅 공정단가가 높기에 원료 분말의 전체 원가 부분이 적다고 생각할 수도 있겠지만 원료를 자유롭게 선택하고 원가 측면에서 부담 없이 적용하기에는 어려운 것이 현실이다. 분말 업체들이 합리적인 시장가격을 제시할 필요가 있다. 해외 분말 제조업체들이 국내 시장을 선점하면서 가격을 낮추는 단계에 진입하고 있기에, 3D 프린팅 부품 제조사들이 국내 소재를 선택할 수 있는 기반을 마련해야 한다.

PART 2

스피커 제작 전문기업 노드 오디오

3D 프린팅 기술을 적용해 하이파이 사운드 스피커 생산

대부분의 하이파이(HiFi) 장비들이 라이브 성능 수준의 음질을 추구하지만, 이들 제품들 중 다수는 박스 스피커 형태와 매우 유사하게 제작된다. 노드 오디오(Node-Audio)가 제작한 HYLIXA 스피커는 선택적 레이저 소결(SLS) 3D 프린팅 기술을 사용해 독특하고 복잡한 캐비닛 구조를 만들어 진정한 하이파이 사운드 산업의 혁신을 시작했다.

고부가가치 제품 생산의 기회 포착

산업 디자이너인 애슐리 메이와 데이비드 에반스가 하이파이 세계로 진출하게 된 것은 지금까지 불가능했던 일을 할 수 있는 기회를 봤기 때문이다. 생산공정에서 3D시스템즈의 SLS 3D 프린터를 사용할 수 있게 되면서, 이들은 적층기술을 활용한 고부가가치의 고성능 제품을 고안해냈다.

산업 디자이너이자 노드 오디오의 공동 설립자인 데이비드

에반스는 "이 기술은 디자이너인 우리에게 새로운 시작과 같았다"며 "우리는 그동안 기존의 제조 방식에 국한하여 디자인하는 방법만 생각하고 있었다. 반면, 적층제조 기술은 기존 방식에 대한 모든 생각을 허물고 우리의 상상력을 열어주었다"고 설명했다.

3D 사운드 시뮬레이션을 사용한 설계 반복

데이비드 에반스와 애슐리 메이는 산업 디자인 컴포넌트를 관리하면서 새로운 스피커 기술 개발을 추진하기 위해 음향 엔지니어의 도움을 요청했다. 그들의 비전은 아름답고 조각적인 디자인과 생생한 사운드 음질의 스피커를 만드는 것이었다.

개발 프로세스는 데이비드 에반스와 애슐리 메이의 3D 설계로 시작되었으며, 이 설계는 전문화된 3D 오디오 시뮬레이션 소프트웨어를 통해 다음 스텝에 대한 정보를 제공했다. 시뮬레이션 결과로 팀이 추구하는 수준의 사운드를 확인한 후, 그들은 프로토타입을 제작하고 개선을 통해, 마침내 노드 오디오의 대표 제품인 'HYLIXA'를 출시하게 되었다.

HYLIXA 스피커는 특허 출원 중인 나선형 전송 라인이 있는 원뿔형 캐비닛 디자인이 특징이며, 캐비닛 내부 주위로 음향 전송 라인이 1.6m로 회전한다. 이 음향 라인은 전용 베이스 드라이버부터 가운데를 지나 스피커를 중심으로 원형 통풍구를 통해 소리를 방출한다. 둥근 캐비닛은 단일 부품으로 설계되고 제조되기 때문에 회절(음 정밀성 붕괴)을 발생시킬 가장 자리가 없다. 이 구조를 통해 부드러운 사운드 트래블과 향상된 청취 경험을 가져다준다.

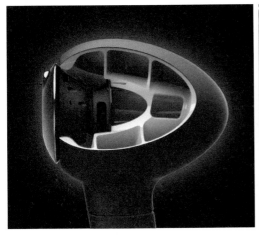

설계 및 생산 분야의 기술 극대화

HYLIXA 스피커의 생산 및 프로토타이핑은 3D시스템즈의 'sPro 60 SLS 프린터'로 제작됐다. 두 개 세트로 판매되는 스피커는 각각 프린터의 381mmx330mmx460mm 빌드 볼륨 내에서 별도로 제작된다. 데이비드 에반스는 "프린터 빌드 내에 스피커 캐비닛 내 다른 구성품을 배치하여 각각의 생산율을 최대화한다"고 설명했다.

HILIXA 스피커 캐비닛과 프론트의 칸막이 소재는 유리 충전식 엔지니어링 플라스틱인 DuraForm GF로 제작되어 가공 및 도장 가능한 우수한 표면 마감을 제공한다. 노드 오디오는 체계적인 후처리 방법을 통해 부품에 남은 소재를 제거하고 고객이 요청한 HILIXA 스피커 캐비닛 표면을 처리한다.

데이비드 에반스는 "우리는 프로토타이핑 과정을 통해 DuraForm GF가 실제로 음향적으로 매우 잘 작동한다는 것을 알게 되었다"며, "이 소재는 거의 세라믹과 같은 품질을 가지고 있어서 구조적으로나 음향적으로 우리에게 큰 도움이 되었다. 디자이너로서 우리는 SLS 기술을 자유롭게 활용하여 내부 구조를 만들 수 있을 뿐 아니라 뛰어난 사운드만큼 미적으로 아름답게 디자인할 수 있었다"고 전했다.

미래형 제품에 대한 업계 반응

2019년 HYLIXA를 출시한 노드 오디오는 편견 없는 피드백을 위해 여러 쌍의 스피커를 하이파이 업계 전문가들에게 보냈다. 출판사 Hi-Fi+는 'radical', 'unusual', 'sufficient'와 같은 설명 외에도 '놀라운', '거의 믿을 수 없는'이라는 문구로 스피커에 대한 평을 내놓기도 했다.

데이비드 에반스는 "솔직히 우리가 처음 기대했던 것보다 훨씬 더 좋은 피드백을 받았다"면서 "업계에서 신뢰를 얻은 노드 오디오는 이제 더 많은 역량을 갖추게 되었고 성장을 모색하고 있다"고 전했다. 이어 그는 "노드 오디오는 여전히 적층제조 프로세스에 전념하고 있다. 이전에 시도하지 않았던 기술을 통해 차별화를 꾀하는 회사 전략은 앞으로도 필수적인 부분이 될 것이다"라고 말했다.

▲ HYLIXA 스피커는 고객의 취향에 따라 다양한 사용자 지정 마감 옵션을 제공한다.

▲ 음악이 복잡해질수록 더 좋은 사운드를 구현하는 HILIXA

PART 2

국내 산업용 3D 프린터 활용 사례

디자인 개발 및 주조 공정의 효율 향상

자료 제공 | KTC, http://kvox.co.kr

2013년 오바마 미국 대통령의 "3D 프린팅은 우리가 모든 것을 만드는 방법에 있어서 혁명의 바람을 불러일으킬 잠재력을 가지고 있다"는 연설으로 미국 내 뿐만 아니라 온 세계의 관심이 3D 프린터와 그 기술력에 몰렸다. 하지만 놀라운 3D 프린팅 이론과 미국 대통령의 연설로 인한 기대가 너무 컸던 것일까? 많은 산업 현장과 커뮤니티에서 3D 프린팅에 대한 부정적인 경험을 한 사람이 늘어나고, 불완전한 기계라는 인식이 강해지고 있다. 이는 시장이 커질 것을 예상한 장비 제조 업체들의 난입과 마구잡이식 확장만을 노려, 시장 늘리기에만 급급하고 제대로 된 검증 절차를 거치지 않은 제조사와 유통사들의 역할이 컸다.

3D 프린팅 자체를 위한 3D 프린터가 아닌 산업현장과 실 사용자를 위한 3D 프린터를 개발하고 공급했어야 했는데, 실제 현장에서 사용 여부는 뒤로한 채 기술 자체에만 연연한 결과다. 이러한 공급은 수요자에게도 딜레마를 제공했는데, 장비를 구매한 사용자들이 제조사의 장비 사용 기준과 제작 기준에 기대는 현상이 나타났다. 예외도 있지만, 많은 제조사에서는 기계 자체의 성능상의 정상 여부만 확인할 뿐 각 산업에 적합한 제작 방법이나 최선의 품질을 위한 솔루션 등을 충분히 제공하지 못했다. 이러한 공급과 수요의 악순환이 3D 프린팅의 이미지를 떨어뜨리는데 기여했다.

하지만, 3D 프린터는 한창 열풍이 불 때 알려진 것처럼 만능의 기계도 아니지만, 현재 퍼져 있는 인식처럼 불완전한 기계도 아니다. 오히려 생산 현장에서 공정을 대폭 줄이고, 필요한 공정의 생산 난이도도 크게 감소시킨다.

이 글에서는 기계의 한계라고 포기하기보다는 더 나은 방법을 찾기 위해 노력했고, 그 효과를 크게 누리고 있는 국내 3D 프린팅 적용 사례를 몇 가지 소개하려고 한다. 자세한 사항이나 업체명은 직접적으로 언급할 수 없지만, 더 많은 분야에서 새 시대의 제조 방식에 대한 힌트가 되었으면 한다.

자동차 디자인 개발 및 검증용으로 사용

자동차의 성능과 품질에서 제조사와 소속 국가의 전반적인 산업 역량을 볼 수 있다. 특히 디자인의 경우 디자이너와 제조사, 제조사의 소속 국가의 모습이 투영되기도 한다.

최근 몇 년간 3D 프린터가 가장 적극적으로 사용된 분야는 놀랍게도 자동차 디자인 분야다. "내장, 외장 가릴 것 없이 모두 3D 프린터로 미리 만들어본다"라는 간단한 방식으로 사용되었다.

자동차는 모든 부품들이 따로 디자인되고 조합된다. 3D 프린터를 활용하기 전에는 디자인 조합 과정에 시간과 비용이 크게 소비되었고, 디자인 검증 기간 역시 매우 짧았다. 또한, 단 하나

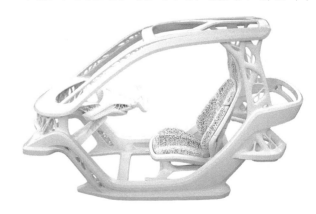

의 제작 방식이 아닌 각 부품의 시제품을 만드는 것에 있어서 최선의 방법들을 사용했다. 깎고, 조립하고, 제련해야 했다.

이 때문에 생기는 문제는 각자 다른 제작방식으로 인한 차이가 발생하는 것이다. 이 차이를 확인하고 보정하기 위해 검증에 소비되는 시간과 비용이 막대했다. 여러 문제 중에 하나의 사례가 단차 문제가 발생하는 경우다. 이 원인을 찾기까지는 많은 시간이 걸리기도 하고, 결국 원인을 찾지 못하는 경우 역시 허다했다. 일부 문제의 경우에는 최종 제품의 결함으로 이어졌다.

3D 프린터로 여러 번 만들어본다는 것은 단순히 보기 좋은 디자인을 선택하는 것을 넘어 설계에서 요구하는 완성도를 크게 높여주는 역할을 한다. 3D 프린팅의 활용 결과는 요 몇 년 사이 출시하는 H사의 차량 디자인 변화를 보면 알 수 있다. 물론 기술의 변화, 소재의 활용, 디자이너 변경 등 다양한 요소들이 합쳐져 긍정적인 변화를 이끌어냈지만, 그 중심에는 3D 프린터가 있었다. 3D 프린팅을 적용하기 이전에 디자인의 변화는 최소한으로 이루어졌다. 이는 개발 가성비의 문제도 있지만, 완전히 새로운 형태의 디자인에서 생길 수 있는 실수와 오류에 대해서는 누구도 확신할 수 없기 때문에 시도하기 어려웠다. 하지만 3D 프린팅은 매우 짧은 시간 안에 저렴한 비용으로 많이 생산해낼 수 있기 때문에 디자인 오류나 설계의 실수 등을 검증해낼 수 있으며, 단일한 생산 방법으로 시제품을 생산했기 때문에 휴먼 에러 여부까지 확인할 수 있다.

이러한 사용법은 기존의 3D 프린터 사용법에서 크게 벗어나지 않는다. 다만, H사는 3D 프린팅의 한계라고 선을 그었던 영역을 넘어 더 적극적으로 3D 프린팅 시제품을 사용했다. 그리고 이를 뒷받침한 것은 최대1000×600×500 크기의 제작 공간을 가진 대형 3D 프린터가 있었기 때문에 가능했다.

주조에 3D 프린터를 활용
샌드 3D 프린터

효율적인 주조를 위해 3D 프린터를 활용한다는 말은 상당히 역설적이다. 기존에 금속 부품을 얻는 방식은 주조, 단조, 절삭 등의 방법을 사용했다. 고대부터 사용했던 이 방법은 인류의 기술과 지성이 성장함에 따라 휴먼 노하우가 점점 쌓였고, 프로그램의 연산 능력과 기계 성능은 점점 빠르고 정밀해졌으며, 소재는 다양해졌다.

하지만, 부품에 정밀함을 요구할 수록 조금 더 자유로운 형태를 요구할 수록 제작 방식과 소재의 한계가 드러났고, 그런 한계를 넘기 위해서 다소 비효율적인 방식으로 금속 부품을 생

산해왔다. 그리고 그런 부품은 매우 고가를 형성하고 있다. 이와 같이 소위 '어려운' 형상을 효율적으로 쉽게 제작하기 위해서, 3D 프린팅을 사용하는 적층가공에 주조 업계가 큰 관심을 가지게 된 것이다.

처음 주조 업계에서 관심을 가졌고, 지금도 각 3D 프린터 제조사에서 연구 개발하는 품목이 메탈 3D 프린터이다. 주조에 있어서 형상 제작의 어려움을 3D 프린팅으로 쉽게 극복하기 위해서다. 하지만 대부분 실패했다. 그 이유는 크게 3D 프린팅 소재가 유사 금속 소재라는 것과 적층가공이라는 이유다.

어느 정도의 합금의 성격을 띄는 소재지만, 3D 프린터에서 제작이 되어야 하기 때문에 선택하는 것이지만, 그 '어느 정도'가 문제가 되는 경우가 많았다. 적층가공은 제작 과정에서 한 층씩 녹여서 붙이기 때문에 해당 단면 방향의 강도, 치수 등 물성의 문제점이 두드러졌다. 이외에도 복잡한 내부의 서포트 제거 문제, 극심한 열 변형, 제작 과정의 위험 등 다양한 이유 때문

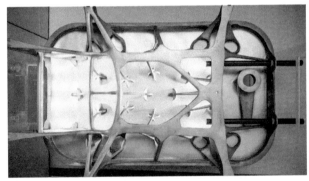

PART 2

에 잘 활용되지 못했고 현재도 연구 개발 중인 경우가 많다. 이런 조건에서 직접 3D 프린팅이 아닌, 사형 주조를 위한 코어를 제작하는 3D 프린팅이 제시되었다.

사형 주조 과정에서 가장 만들기 어렵고 시간도 오래 걸리는 부분이 주형의 '코어' 제작이다. 코어는 상형과 하형 사이에 위치하며, 복잡한 내부 형상의 모양에 해당한다. 일반적으로 주물품의 개발 과정에 있어서 상형과 하형같이 하우징에 해당하는 몰드의 경우, 개발 단계에서는 크게 변화가 없으며 기존의 가공 방법으로 쉽고 저렴하게 만들 수 있는 반면, 용탕의 온도와 충격을 버틸 수 있는 정밀한 형상의 코어는 개발 과정이 어렵다.

이 때문에 공간과 재료를 많이 차지하는 샌드몰드 자체는 기존의 가공 방법으로 만들고, 중요하고 어려운 코어만 3D 프린팅으로 만들어 제품 개발 과정을 밟는 것이다. 국내의 주조 및 자동차 관련 유명회사인 K사와 L사, H사 등이 이미 몇 년간 테스트를 거쳤으며, 개발 과정에서 엄청난 비용 절감과 시간 단축을 이뤄냈다. 올해도 상당한 규모의 R&D 과정을 이 샌드 3D 프린터로 진행할 예정이다.

목형이나 금형 없이 데이터로만 존재하는 코어를 하루 안에 수 십 개씩 제작할 수 있다는 것은 개발 단계의 이득을 쉽게 상상할 수 있게 만든다. 3D 프린터로 코어를 확보한 뒤의 주조과정은 기존의 사형주조 과정과 상당히 비슷하다. 그리고 그렇게 얻은 금속 부품은 기존의 사용처에서 그대로 사용이 가능하다.

PMMA 3D 프린터

PMMA(폴리메틸 메타크릴레이트)를 활용하는 경우, 앞에서와 비슷한 형태로 정밀 주조에 사용된다. 앞의 사형 사례에서 '코어'에 해당하는 '왁스 패턴'을 3D 프린터로 제작한다.

이 왁스 패턴 역시 이전에는 목형, 금형, 절삭 가공 등의 방법으로 만들어야 했으며, 이를 만들기 위한 준비 시간과 비용이 너무 큰 문제들이 있었다. 이 때문에 시제품의 가격이 비싸며, 형상이 어렵고 이전에 없는 형태를 가질 수록 제작 시간과 비용이 매우 커지기 때문에 제작 기술의 한계와 타협한 제품들이 개발되었다.

KTC가 공급하는 VX 장비는 3D 데이터로만 존재하는 왁스 패턴을 몇 시간 만에 제작한다. 정밀 주조 과정을 위한 왁스 코팅과 경화 과정까지 합치면 2~3일 내에 주조를 위한 왁스 패턴을 확보할 수 있다.

왁스 패턴을 3D 프린터로 만든 후의 과정은 기존의 주조과정과 거의 유사하게 진행된다.

3D 프린터를 활용한 제품 생산의 미래

3D 프린팅의 열풍이 비교적 쉽게 사라진 이유 중 하나는 제한된 재료와 완성품의 충분하지 않은 물성이다. 새로운 3D 프린팅 방식인 HSS(High Speed Sintering)로 제작된 대형 3D 프린팅 제작품들은 나일론의 성질을 가진 부품의 역할을 충분히 하고 있다. 국내에도 이러한 소재의 장비가 설치될 예정이며, 복잡한 구조의 하우징 제작에 사용될 예정이다.

이제 3D 프린팅을 시제품으로만 사용하는 시대가 끝나간다. 3D 프린터의 활용은 모든 생산 체계를 바꾸고, 라인을 들어낼 필요가 없다. 기존의 기술과 노하우는 그대로 유지하면서 특정 공정에서만 3D 프린팅을 활용하는 것이 효율이 좋다.

개발과정에서의 시간과 비용을 줄이는 것도 큰 효과지만, 실제 현장에서의 작업자들의 업무 난이도를 줄여주는 역할도 한다. 특히 주조 현장에서는 다양한 원인으로 수축률, 치수, 강도 등과 싸워야 하는 경우가 많은데, 3D 프린팅을 접목한 이후에 해당 작업자들은 그러한 싸움을 더 이상 하지 않아도 되었다.

물론, 앞으로 기술이 더욱 발전할 미래 시대에서는 온전하게 3D 프린터만으로 모든 것을 만들어낼 수 있는 시대가 올 것이다. 하지만 그 시대를 걱정하기에는 너무 멀리 있는 것이 현실이다. 현재 할 수 있는 최선의 효율은 3D 프린터와 함께 할 때 이뤄낼 수 있다.

3D 프린터와 무관한 분야는 없다. 내 사무실, 내 공장의 업무 환경은 3D 프린터가 모든 면에서 개선시켜줄 수 있다.

PART 2

적층제조를 이용한
타이어 금형의
열 변형 해석

자료 제공 | 메탈쓰리디, metal3d.co.kr

타이어 제조 과정의 복잡성

자동차 타이어는 주행과 제동이라는 기본 역할을 수행하며, 포장 및 비포장 등의 도로 환경에 상관없이 운행되어야 한다. 커브 및 경사각, 눈, 비, 바람과 같은 자연환경에 따른 유동, 저항, 마찰 등을 고려한 최적의 설계로 안전하고 부드러운 주행도 보장되어야 한다.

하지만 타이어의 제조 과정은 복잡하다. 그 이유는 바로 스레드(thread) 때문이다. 일반 사용자인 우리가 단순 디자인의 심미적 요소로 간주하는 스레드는 타이어에 라인 형상으로 나 있는 홈을 가리킨다. 타이어 스레드의 역할은 쾌적한 환경에서 주행할 때에 공기 흐름을 통해 유동성을 보완해 부드러운 주행을 돕는 것이다. 비가 오는 날에는 스레드를 통해 빗물을 배출하며, 미끄럼 방지 역할을 하여 타이어의 무게감을 가볍게 한다. 다이내믹 주행이나 차선을 변경할 때에는 핸들링 성능을 높이기도 하고, 제동을 걸면 마찰 계수를 높여 타이어 변형을 최소화하여 접지력을 균일하게 유지하면서 자동차를 멈추게 한다.

중요한 것은 스레드의 선형 패턴을 구 형태의 타이어 형상에 성형하는 것이 어렵다는 점이다. 타이어의 기본 베이스 형상에 구현된 스레드 모형인 사이프(sipe)를 설계하고 이를 일체형으로 제작하기에는 전통적 제조 공법으로는 한계가 있다.

현재 타이어 금형은 기본 베이스 형상만 밀링 기계를 이용해서 금형이 만들어지고 있다. 사이프의 형상은 레이저 커팅 방식을 사용하고 있는데, 이 때 스레드 패턴은 구조적 해석 보완 작업을 거치면서 복잡한 비정형의 3차원 형상이 된다.

타이어 금형 제조 방법은 레이저 커팅기를 이용해 얇은 시트지를 접고 구부리는 반복적인 작업을 하여 성형을 하게 되고, 베이스 금형 형상에 덧씌워 고무 레진을 통한 주조 작업을 거치게 된다. 그런데 안에 고무 레진을 부어 타이어의 패턴을 만들어낼 때 종종 분리형인 사이프가 고무 레진에 박혀 있거나 찢어지는 경우가 발생하며, 이는 곧 제품 불량률과 연계된다.

타이어 금형 제작에 금속 3D 프린팅 적용

3D 프린터 공정은 3차원 형상 데이터를 기반으로 2차원 단면 데이터를 생성, 소재를 얇은 막으로 도포하여 적층(additive)하는 방식으로 제작하는 기술이다. 학문적으로는 적층제조(AM: Additive Manufacturing) 기술로 많이 알려져 있다. CNC 공작기계에서 시작된, 재료를 자르거나 깎아 생산하는 절삭(subtractive)과 대비되는 개념이다.

금속 3D 프린팅의 공정은 레이저(laser)&빔(beam)을 분말(powder)에 주사해 녹여서 융착하는 방식이다. 열에 의해 '고체-액체-고체'로 분말의 상변화(phase transformation)가 발생하고, 반복되는 입열(heatflux)과 냉각(cooling) 공정을 통해 열응력(thermal stress)과 변형(distortion)이 발생한다.

금속 3D 프린팅 공정에서 발생할 수 있는 이러한 열응력과 열변형은 제품 결함이 가장 중요한 원인으로, 이를 해결하기 위한 수많은 시행착오로 인해 많은 시간과 비용이 발생하게 된다. 3D 프린팅을 수행하기 전 CAE(Computer Aided Engineering)를 이용해 가상으로 제조 공정을 시뮬레이션하면 적층 공정, 열처리(heat treatment), 커팅(cutting) 및 HIP(Hot Isostatic Press) 열처리 공정 등 3D 프린팅 전체 프로세스에서 발생 가능한 변형 및 잔류 응력을 예측하고, 이를 공정에 반영해 공정 및 설계 데이터를 수정할 수 있다. 즉, '처음부터 올바른(Print Right the First Time)' 3D 프린팅 결과값을 얻을 수 있다.

이 글에서는 PBF(Powder Bed Fusion) 방식의 금속 3D 프린팅으로 타이어 금형 제조 시 발생하는 금형의 열 변형에 대하여 실험과 해석을 통해 고찰해보려고 한다. 실제 3D 프린터 이용하여 제작된 타이어 금형 스캔(Scan) 데이터 및 시뮬팩트 애디티브(Simufact Additive) 소프트웨어의 시뮬레이션을 통해 얻은 해석 결과를 비교하여 검증하려고 한다. 그

PART 2

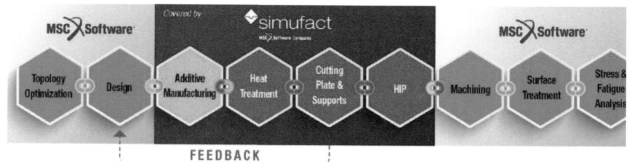

그림 1. 금속 3D 프린팅 공정 시뮬레이션 과정

리고 검증된 해석 결과를 이용하여, Compensation 기능에 따른 타이어 금형의 변형을 분석하여 최적화된 3D 프린팅 공정 방법을 제안하고자 한다.

금속 3D 프린팅 공정 시뮬레이션

〈그림 1〉은 일반적인 금속 3D 프린팅 공정 시뮬레이션 과정을 나타낸다. 3D 프린팅 공정 시뮬레이션의 종류는 〈그림 1〉과 같이 적층(Additive Manufacturing)해석, 잔류 응력을 제거하기 위한 열처리(heat treatment) 해석, 베이스 플레이트(base plate)로부터 서포트 절단(cutting) 및 제거(remove)하는 공정 해석, 출력물의 고밀도화를 위한 HIP 열처리 공정 해석 등 여러 가지 해석이 있다. 또한, 3D 프린팅 후 출력물의 응력 및 변형을 고려하여 강도 및 피로 해석을 수행할 수 있다.

금속 3D 프린팅 공정 시뮬레이션 프로세스

3D 프린팅 공정 시뮬레이션을 통해 타이어 금형의 변형을 예측하기 위한 프로세스는 〈그림 2〉와 같다.

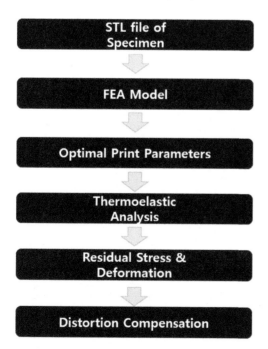

그림 2. Ansys Additive Print의 시뮬레이션 절차

먼저, 실제 동일한 크기의 타이어 금형 형상을 모델링한 후, 해석에 필요한 재질 및 3D 프린팅 조건을 넣어 해석을 수행한다. 다음으로 구현하고자 하는 금속 3D 프린팅 장비에 맞는 조건으로 출력한 보정(calibration) 시편의 고유 변형률을 측정하여 시뮬레이션에 적용한다. 최적의 공정 파라미터를 입력하여 시뮬레이션을 진행하며, 마지막으로 3D 프린팅 완료 후 타이어 금형에 발생하는 열 변형을 도출하는 순으로 해석을 진행하였다.

변형 보상 설계

실제 금속 3D 프린팅 과정에서는 높은 열원(레이저)으로 인해 수축&팽창 변형으로 실제 CAD 데이터와 다른 형상으로 출력물이 생성되는 경우가 많이 있다. 이를 해결하는 방법으로는 적층 방향, 서포터 변경 등 많은 공정 조건을 변경하는 방법을 사용할 수 있으나, 또 하나의 방법은 변형 보상(distortion compensation) 설계를 하는 것이다.

변형 보상 설계는 시뮬레이션을 이용하여 변형량을 예측하고, 변형된 제품을 반대 방향으로 인가하여 초기 형상을 변경 설계하는 방법이다. 시뮬팩트 애디티브에서는 변경된 CAD 파일을 STL 형태로 생성할 수 있다. 생성된 STL 파일을 이용하여 다시 시뮬레이션을 수행한 후, 변형량을 확인하고 실제 출력을 할 수 있다. 〈그림 3〉은 변형 보상 설계 개념을 나타낸 것이다.

그림 3. 변형 보상

타이어 금형 3D 프린팅 적층 해석 결과 및 고찰

타이어 금형 열 변형 해석 결과

타이어 금형 열 변형은 냉각 완료 후 서포터를 제거한 후 변형을 평가하였으며, 〈그림 4〉는 3D 프린팅 출력 전후의 타이어 금형 열 변형 해석 결과를 비교하였다. 실제 3D 프린팅 공정 조건을 이용하여 타이어 금형 열 변형 해석을 진행한 결과, 양쪽 끝 부분이 Z 방향으로 발생한 것을 확인하였다. 최대 변형은 +Z 방향으로 1.1mm, 최소 변형은 -Z 방향으로 0.7mm로 발생하였다. 해석 결과(1.1mm)와 실제 결과(1.5mm)를 비교할 경우 변형량은 약 0.4mm 정도 차이가 있으나, 전체적으로 실제 변형 동일한 위치에서 변형이 발생하는 것을 확인할 수 있었다.

3D 프린팅 적층가공으로 출력된 제품에 대하여 먼저 확인되어야 할 항목으로는 최초 STL 파일 원본 데이터와 적층가공된 제품을 후처리 공정 완료 후, 실제 설계된 원본 데이터와 최종 제품이 일치하는지 크기 및 형태를 확인해야 한다. 단순히 길이 및 높이를 측정하는 버니어 캘리퍼스를 이용하여 측정할 수 있지만, 3D 프린터를 이용해 적층된 대부분의 제품의 경우 기하학적인 구조를 이루고 있어 단순한 길이용 측정 도구가 아닌 3D 스캐너를 이용하여 치수 유효성을 검증한다. 실제 출력한 타이어 금형을 3D 스캐너로 측정한 결과, Z축 방향으로 약 1.5mm 정도 변형이 일어난 것을 확인하였다.(그림 4)

타이어 금형 변형 보상 해석 결과

타이어 금형의 정밀도를 높이기 위해 변형 보상 방법을 이용하여 열 변형 해석을 수행하였다. 타이어 금형 변형 보상 STL 파일을 생성하여 서포터 재배치 후 해석을 수행하였으며, 조건은 실제 3D 프린팅 가공 조건과 동일하게 적용하였다.

3D 프린팅 변형 보상에 따른 열 변형 해석을 수행한 결과, 타이어 금형에 서포터를 생성하여 빌드한 방법보다 변형 보상 기능을 이용한 방법이 0.04mm로 가장 적은 열 변형이 발생하는 것을 확인하였다. 실제 3D 프린팅 빌드 조건을 동일하게 하고 보상(compensation) 설계를 이용할 때 최대 3.6% 정도의 변형 감소 효과를 보였고, 변형을 최소화하기 위해서는 보상 설계 기능을 해야 한다는 것을 증명하였다. 〈그림 4〉와 같이 변형 보상 방법을 이용하여 출력한 타이어 금형을 스캔 측정한 결과, 최대 0.03mm로 허용 범위 안에 드는 것을 확인하였다.

맺음말

이 글에서는 타이어 금형을 3D 프린터로 제작할 때 높은 열 원(레이저)에 의한 변형을 적층 해석으로 예측하고, 변형을 최소화할 수 있는 보상 기능을 제안하기 위해 해석을 수행하였으며, 다음과 같은 결론을 도출하였다.

열 변형 해석 결과, 타이어 금형의 변형 위치와 변형량은 해석 결과(1.1mm)와 실제 변형 결과(1.5mm)를 비교하였을 때 약 0.4mm 정도 오차가 발생하였다.

이로 인해 실제 변형과 동일한 위치에서 변형이 발생하였다고 판단하였다. 실제 3D 프린팅 공정처럼 타이어 금형 파트에 서포터를 생성하여 바로 빌드를 진행하는 방법보다 보상 기능을 이용하는 방법이 최대 3.6% 정도의 변형 감소 효과를 보이는 것을 확인하였다.

변형 보상 방법을 이용하여 출력한 타이어 금형을 스캔 측정한 결과, 최대 0.03mm로 허용 범위($\pm 0.1 \ 0.2mm$) 안에 드는 것을 확인하였다.

향후 타이어 금형 변형을 최소화하기 위한 방법으로, 앞에서 제안한 보상 설계를 실제 현장에서 적용할 때 정교하고 복잡한 형상의 일체형 타이어 금형을 제작할 수 있으며, 일체형으로 출력된 금형은 타이어 생산의 불량률을 낮추면서 최적화 설계의 제조 구현이 가능할 것으로 판단된다.

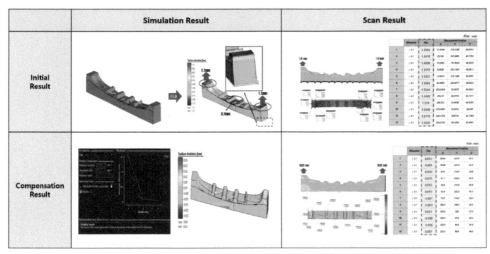

그림 4. 타이어 금형의 시뮬레이션 & 스캔 결과 비교

PART 2

Metalsys Melting Pool Tomography (MPT) 기술 개발

■ 자료제공 : 윈포시스, www.winforsys.com

금속 3D 프린팅 가공 시 발생하는 문제점

금속 3D 프린팅 시 주로 사용되는 적층(Layer) 두께는 매우 중요한 요소이다. 레이저 소결 시 표면에 금속 용융지(Melting Pool)가 형성되는데 두께가 일정하지 못하거나 매우 두껍게 형성될 경우 파트의 정밀도 및 표면 조도가 하락될 수 있으며, 제작 실패 가능성이 많아 주의가 필요하다.

주로 0.025~0.05mm 두께를 사용하며, 수치가 낮을수록 정밀하나 제작시간이 많이 소요된다. 수치가 높을 경우 제작 시간은 단축되지만 파트 정밀도가 하락할 수 있으므로 제작하고자 하는 제품의 특성에 따라 두께를 선정하여 적용해야 한다. 금속 3D 프린팅을 위해선 형상(Design), 분말(Powder), 서포터(Support)뿐만 아니라 많은 공정 조건을 고려해야 한다. 이러한 공정 조건 통해 발생되는 변형(Deformation), 잔류응력

(Residual Stress)은 출력물 품질에 영향을 주는 중요 사항이다. 프린팅 공정 중에 발생하는 출력물의 변형은 제품을 출력한 후에 변형으로 인해 다른 부품과 조립을 할 수 없을 뿐만 아니라, 리코터 블레이드(Recoater Blader)와 충돌을 유발할 수 있다. 또한 잔류응력으로 인해 출력물의 크랙(Crack)이 발생하여 프린팅 중단 등 출력물의 파손으로 이어질 수 있다.

Metalsys Melting Pool Tomography의 필요성

금속 3D 프린팅 시장은 무게 경량 설계, 부품 수 감소, 금속 제품 수리 등 3D 프린팅의 장점이 극대화되는 항공, 자동차, 발전 산업 분야를 중심으로 성장하고 있으나, 금속 3D 프린팅 공정 특성상 제품 성능 저하의 원인인 내부 기공 및 크랙과 같은 결함이 발생할 확률이 높아 공정 모니터링이 매우 중요하

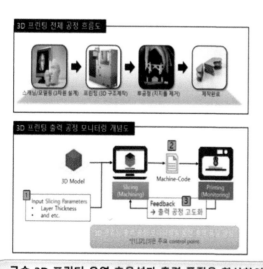
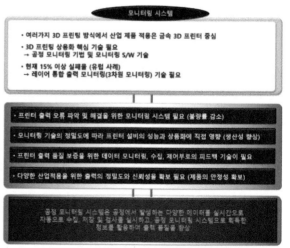

그림 1. Melting Pool Tomography 필요성

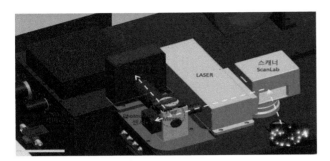

그림 2. Melting Pool Tomography 구성도

다. 현재는 품질 확인을 위해 제조품 중 무작위로 선별하여 파괴 검사를 진행한 후 합격, 불합격 여부를 판단하므로 품질 및 공정에 대한 신뢰도가 낮다. 제품의 합격, 불합격 여부 판단으로 제품 및 공정 신뢰도를 간접적으로 보장할 수 있는 합격 기준 공정 모니터링 데이터가 필요하다.

해외 선진 장비 업체(EOS, SLM Solution, Arcam 등)는 제품 및 공정의 신뢰도를 향상시키기 위해 실시간 공정 모니터링 기술을 탑재하고 있지만, 국내 장비 업체의 경우 관련 기술을 개발하고 있는 단계이다. 국내 금속 3D 프린팅 장비의 경쟁력 향상을 위해 공정 및 장비의 신뢰도를 높일 수 있는 공정 모니터링 솔루션 개발이 필요하다.(3D 프린터 공정 데이터 분석)

기존 상용화된 제품은 금속 3D 프린터로 만든 출력 가공 물의 형태, 밀도 등의 변수를 모니터링 하는 방법 중 대표적인 예는 X-ray(엑스레이) 검사 방법이다. X-ray 검사는 금속 합금의 원소 성분의 밀도 및 원자 번호가 증가함에 따라 에너지의 한도가 커서 수백만 볼트 이상으로 촬영하며, 검사시간이 느리고 복잡한 내부 기하학적인 구조를 가진 출력물을 완전히 검사하는 것이 어렵다.

Metalsys Melting Pool Tomography 기술 개발

윈포시스는 금속 3D 프린팅 공정에서 실시간으로 각 레이어마다 발생하는 빛을 모니터링하고 이를 3차원 형상 데이터로 변환하여 전체 적층 가공물의 결함을 확인할 수 있는 Metalsys Melting Pool Tomography(MPT)를 개발하였다. 즉, 실시간 모니터링과 동시에 결과물에 대한 품질 보증을 제공하는 시스템이다. MPT 방식은 레이저가 금속 분말을 용융시킬 때, 발생하는 빛을 포토다이오드와 고속카메라가 감지한 후, 빛의 밝기에 따라 용융지(Melting Pool)의 상태를 검사하는 방식이다. 가공 도중 데이터를 얻는 방식이기 때문에 검사에 관련된 시간을 단축시킬 수 있으며, 가공물의 두께, 구조, 재료 등에 영향을 받지 않는 것이 특징이다.(다양한 센서로 데이터 수집이 가능하다.) 이러한 MPT 시스템의 장점은 제작

시간 및 비용을 절감할 수 있으며, 품질에 대한 신뢰성을 확보할 수 있다.

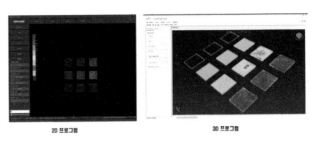

그림 3. Melting Pool Tomography 품질 보증

Metalsys Melting Pool Tomography 특징

- MPT는 비파괴적 분석 방법이며, 정밀하고 빠름
- 빠른 시간 안에 Melting Pool의 데이터를 수집하는 것은 레이저의 On/Off Delay 등의 가공 변수를 수정할 수 있도록 도움을 줌
- AM 가공과 동시에 데이터를 취득하기 때문에 이후 Data 정렬이나 샘플 절단 등의 불 필요한 요소들을 제거하여 시간을 단축할 수 있음
- 가공품의 두께 별 해상도의 한계가 없음
- 수십 μm 이내의 정밀도 가능

Metalsys Melting Pool Tomography 기능

가공변수 확인

- 레이On/Off Delay Scanner 속도 변수에 대한 최적화 기능
- 레이저 가공 Hatching의 전체적인 도포 면적을 시각적으로 확인 가능

적층 가공 검사

- 2D 검사 : 각 레이어(Layer)마다 수집된 필드(Field) 상 Melting Pool의 강약을 시각적으로 확인
- 3D 검사(시각적) : 취득된 Melting Pool의 데이터들을 3D 공간에서 표현하여 전체적인 형태 및 불량 가공 형태를 확인

품질 보증

적층 가공품의 센싱 데이터 모음 및 작업 기록 내역을 통한 품질 보증이 가능하다.

PART 2

3D 프린팅을 통한 산업별 혁신

양산 및 다양한 산업으로 활용 분야 확대

한국현 | 삼영기계의 사장이며 국가과학기술연구회 이사, 한국 주조공학회 이사이다. 삼성전자 수석연구원, 삼성북미UX센터 디렉터, MIT 미디어랩 방문연구원 등을 거쳤다. 2019년 3D 프린팅 기술사업화 공로로 산업통상자원부장관상을 수상하였고, 전국주조기술경기대회 단체1위로 국무총리상을 수상하였다.
이메일 | khhan@sym.co.kr
홈페이지 | www.sym.co.kr

3D 프린팅은 이제 누구나 쉽게 접할 수 있는 보편적인 기술이 되었고, 산업에서는 제조업을 중심으로 그 활용도가 증가하고 있다. 하지만, 3D 프린팅 기술의 부족한 점으로 인해 시제품 제작 단계 이상으로는 발전이 더딘 상태이다. 여기서 한 가지 짚어볼 사항은, 정말로 3D 프린팅의 한계가 시제품 제작 단계에 머무르게 될 것인가 하는 점이다. 필자의 경험에 따르면, 3D 프린팅 기술이 양산이나 또는 제조업 이외의 다른 다양한 산업에서 적극적으로 활용되지 못하고 있는 가장 큰 이유는 3D 프린팅 기술을 중심으로 활용처를 찾고 있기 때문이다.

양산 또는 다양한 산업에 적용이 되려면, 각 산업에서 해결하지 못하고 있는 난제를 해결하여 새로운 부가가치를 창출할 때 비로소 3D 프린팅을 통한 혁신이 가능하다고 본다. 이 글에서는 3D 프린팅을 통해 기존의 난제들을 해결한 실제 사례들을 소개하고, 산업별 혁신 가능성을 살펴본다.

제조 분야 혁신

제조 분야에서는 이미 시제품 제작에 3D 프린팅이 본격 활용되고 있다. 3D 프린팅을 적용하여 시제품을 제작할 경우 기존 방식 대비 목금형 제작이 필요 없고, 단기간에 고품질의 시제품을 제작할 수 있다는 장점이 있다. 기술의 발전 속도가 점차 빨라지고 있는 현시점에서 시제품 제작 기간을 획기적으로 줄여 제품의 개발 기간을 단축시키는 것은 제품 개발 경쟁력 향상에 큰 도움이 된다. 이미 3D 프린팅이 제조 분야에서 시제품 개발 혁신을 이루고 있다고 볼 수 있다.

최근에는 3D 프린팅을 양산품 제조에 활용하려는 시도가 증가하고 있다. 대부분 금속 3D 프린팅을 활용하는 접근인데, 아직까지는 금속 3D 프린팅의 고비용으로 인해 적용할 수 있는 분야가 매우 한정적인 것이 사실이다. 3D 프린팅을 활용하여 양산품 제조에 활용하는 접근 방법은 다음과 같이 3가지 유형으로 구분해볼 수 있다.

기존 제품을 동일한 재질로 그대로 제조하는 유형

첫 번째는 기존의 양산 제품을 그대로 동일한 재질을 이용하여 3D 프린팅으로 제조하는 유형이다. 가장 쉽게 생각할 수 있는 접근 방법이지만, 기존의 생산 방식 대비 3D 프린팅 제조 방식의 고비용 구조로 인해 항공, 우주, 방산 등과 같이 고가이면서 소량 생산을 필요로 하는 특정 산업으로 그 활용 분야가 한정된다. 또한, 3D 프린팅 비용이 낮아지기까지는 오랜 시간이 소요될 것으로 보인다.

DfAM 설계로 기존 제품 양산공정에 활용하는 유형

두 번째 접근 방법은 기존 제품을 제작하는데 3D 프린팅을 활용하되, 제품을 직접 3D 프린팅하는 것이 아니고 기존 제품의 양산 공정에 3D 프린팅을 적용하는 방법이다. 이 접근 방법은 첫 번째 접근 방법 대비 고비용 문제가 크지 않고, 제품에 따라 오히려 3D 프린팅을 접목하는 제조 방법이 더 우수한 생산성을 확보할 수 있다.

일례로, 금속 제품 양산 시 가장 보편적으로 활용되는 주조 공정에 샌드 3D 프린팅을 통한 주조용 몰드 또는 코어를 적용하는 방법이 현재 양산 생산성 수준까지 와 있다. 이때 제품의 형상이 복잡할수록 샌드 3D 프린팅을 적용한 방법의 생산성은 더욱 높아진다.

삼영기계의 실제 사례를 예로 들면, 철도/선박/발전용 엔진의 실린더 헤드나 프론트엔드 박스와 같이 내부 형상이 매우 복잡한 부품의 경우, 몰드 전체를 DfAM(Design for Additive Manufacturing) 일체화 설계로 3D 프린팅하거나 또는 내부의 중자를 DfAM 일체화 설계로 3D 프린팅하여 적용할 수 있다. 이와 같은 복잡도를 갖는 부품의 경우에는 오히려 기존의 목금형 방식 주조품 양산 공정보다 샌드 3D 프린팅을 적용한 양산 공정의 생산성이 더 높을 수 있다.

생산성 관점에서 보면, 제품의 크기가 작고 생산 수량이 적을수록 몰드 전체를 일체화 관점으로 DfAM 설계하는 것이 유리하고, 제품의 크기가 커지고 생산 수량이 많아질수록 외형 몰드는 기존의 목금형 방식을 그대로 적용한 상태에서 내부의 복잡한 코어를 일체화 관점으로 DfAM 설계하여 하이브리드 방식으로 적용하는 것이 양산 생산성 극대화에 유리하다.

직경 170mm 엔진 실린더 헤드 생산 사례

엔진 부품 중 하나인 실린더 헤드는 내부의 복잡한 형상으로 인해 주조용 몰드 제작 시 많은 수의 코어를 조립해야 하는 제작이 까다로운 제품이다. 직경 170mm 엔진의 실린더 헤드 제작 건에 대하여 검토한 결과, 목금형 제작비용을 제외한 실린더 헤드 생산비용과 샌드 3D 프린팅을 통한 일체화 몰드를 이용하여 실린더 헤드를 생산하는 비용은 거의 동일하였다. 하지만 오히려 기존 방식으로 생산할 경우, 목금형 제작비용과 제품당 생산 시간이 추가로 소요되었다. 또한, 기존 목금형 방식은 수작업 비중이 높아 양산 생산 CAPA도 더 낮았다. 즉, 제품

의 크기가 작고 생산 수량이 적은 실린더 헤드 제작의 경우에는 오히려 목금형 방식보다 샌드 3D 프린팅을 통한 일체화 몰드를 활용한 제품 생산이 모든 면에서 높은 생산성을 보였다.

직경 210mm 엔진 프론트엔드 박스 생산 사례

엔진 부품 중 내부 구조가 가장 복잡한 프론트엔드 박스 제품은 주조용 몰드 제작 시 조립에 필요한 코어의 개수만 약 40~50개에 이르고, 직경 210mm 엔진 프론트엔드 박스의 경우 코어 개수는 45개에 제품 크기는 길이 방향으로 2m나 되는 대형 제품이다.

기존 목금형 방식의 경우, 각각 중량물인 45개의 코어를 조립하는 합형 공정에만 숙련공 2명이 5일 동안 크레인을 이용한 수작업을 필요로 한다. 이는 생산성 혁신을 필요한 영역이다. 기존 목금형 방식의 코어 및 몰드를 분석한 결과, 총 45개의 내부 코어 중에서 특히 작업 시간이 오래 걸리는 코어 22개를 하나의 모듈로 일체화 설계하는 것이 가능하다는 결론을 도출하고 해당 코어를 일체화 설계하였다.

샌드 3D 프린팅을 통해 길이 1.2m의 일체화 코어를 제작하고, 나머지 코어 및 외형 몰드는 기존의 목금형 방식을 그대로 활용하였다. 일체화 코어의 적용을 통해 45개에서 23개 코어를 조립하는 합형 공정으로 바뀌었고, 그 결과 숙련공 2명의 합형 작업 시간도 3일로 단축되었다. 생산 실비용은 거의 유사하였으나 샌드 3D 프린팅 일체화 코어를 사용한 하이브리드 생산 방식의 CAPA가 크게 증가하고 작업자 실수에 의한 불량률 감소로 제품의 품질이 향상되었다.

(a)
(b)
(c)

그림 1. 직경 170mm 엔진 실린더 헤드 사례. (a) DfAM 몰드 일체화 설계 (b) 샌드 3D 프린팅 몰드 (c) 샌드 3D 프린팅 몰드로 제작한 실린더 헤드 완성품

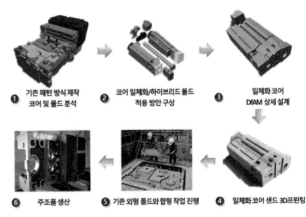

❶ 기존 패턴 방식제작 코어 및 몰드 분석   ❷ 코어 일체화/하이브리드 몰드 적용 방안 구상   ❸ 일체화 코어 DfAM 상세 설계
❻ 주조품 생산   ❺ 기존 외형 몰드와합형 작업 진행   ❹ 일체화 코어 샌드 3D프린팅

그림 2. 직경 210mm 엔진 프론트엔드 박스 사례

이와 같이 크기가 큰 제품의 경우에는 주조 시 전체 몰드를 일체화 설계하는 것보다는 외형 몰드는 기존의 목금형 방식을 활용하고, 내부의 코어 중 조립이 까다롭고 구조가 복잡한 다수 개의 코어를 일체화 설계하여 샌드 3D 프린팅으로 제작하

PART 2

는 하이브리드 몰드 생산 방식이 제품의 생산성과 품질을 모두 높일 수 있는 방법이라고 결론 내릴 수 있다.

직경 230mm 엔진 실린더 헤드 생산 사례

앞서 설명한 직경 170mm 엔진 실린더 헤드 생산 사례에서는 몰드와 코어를 동시에 고려하여 DfAM 일체화 설계한 몰드를 적용하는 것이 가장 생산성이 높다는 결과를 보여주었다. 이는 생산 수량이 적은 제품의 사례였으나, 직경 230mm 엔진 실린더 헤드의 경우는 생산 수량이 제법 많고 크기도 보다 큰 제품 사례이다.

그림 3. 직경 230mm 엔진 실린더 헤드 제품 사진

기존의 생산 방식을 분석한 결과, 전체 주조 공정의 약 60%를 22개의 코어 조립에 대한 합형 공정이 차지하였다. 또한, 코어 조립 시 휴먼 에러 및 합형 누적공차, 코어의 통기성 부족 등에 의한 품질 문제 비중이 높았다.

크기가 큰 외형 몰드까지 샌드 3D 프린팅을 할 경우에는 기존 생산 방식 대비 비용이 더 높아지는 것을 확인하여, 외형 몰드는 기존의 목금형 방식을 활용하고 내부 다수의 코어만을 DfAM 일체화 설계하는 방식을 적용하였다.

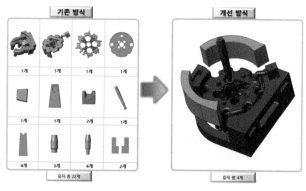

그림 4. 직경 230mm 엔진 실린더 헤드 코어 DfAM 일체화 설계 사례

총 22개였던 코어를 4개의 코어로 일체화 설계하여 개수를 84% 줄였고, 그 결과 코어 조립에 따른 합형 시간은 78%가 줄어드는 효과를 얻었다. 뿐만 아니라 합형 정밀도 개선으로 품질이 크게 향상되었으며, 수작업으로 진행하던 가스빼기 작업을 코어 설계 시 3D 모델에 반영하여 제로화하였다. 샌드 3D 프린팅의

고운 모래는 비가공면의 표면 거칠기를 향상시켰고, 일체화 코어의 누적공차 제로화로 주물 살 두께가 균일하게 보장되었다.

항목		기존 목금형 방식	샌드 3D프린팅 + 목금형 방식 외형 몰드 (하이브리드 방식)	비고
생산성	몰드 수량	코어 22개, 외형 몰드 2개	코어 4개, 외형 몰드 2개	코어 수 84% 줄어듦
	합형 시간	2.25 hr	0.5 hr	합형시간 78%이상 단축
	가스 빼기 홀 작업	40분 소요(수작업)	없음(일체화 코어 프린팅 생산)	일체화 코어에 포함
품질	표면조도	4S1(Ra 25~12.5)	2S1(Ra 12.5~10)	일체화 코어에 사용되는 주물사 입자 분포가 일정함
	제품 살 두께 편차	±3.0mm (합형 공차 발생)	±0.5mm (합형공차 없음)	일체화 코어는 합형 공차 제로

그림 5. 직경 230mm 엔진 실린더 헤드 양산 제조 혁신 결과

결과적으로 샌드 3D 프린팅을 적용한 하이브리드 방식이 재료비 및 인건비에 대한 생산 원가는 약 10%가 절감되었음에도 불구하고, 1일 몰드 합형 CAPA는 2.5배 증대되고 제품의 품질 또한 크게 향상되었다. 즉, 샌드 3D 프린팅 적용을 통한 양산품 제조 혁신을 이룬 사례로 이야기할 수 있다.

DfAM 설계로 새로운 형상의 제품을 제조하는 유형

3D 프린팅을 양산품 제조 혁신에 활용하는 세 번째 접근 방법은 제품 형상에 대한 DfAM 설계로 기존 제품과는 다른 새로운 제품을 제조하는 접근 방식이다. 이때 DfAM 설계 방향은 다음과 같이 다양한 관점으로 설정할 수 있다.

- 제품의 소형화, 경량화 설계
- 기존에는 생산이 불가능했던 형상의 제품 설계
- 제품의 소재 및 형상 최적 설계
- 여러 부품의 일체화 최적 설계
- 기타

이 가운데 제품의 소형화/경량화 사례를 살펴보자.

독일에서 열린 GIFA 2019 전시회에서 보쉬(Bosch)의 자회사인 렉스로스(Rexroth)는 유압 부품의 소형화, 경량화 혁신 사례를 발표하였다. 샌드 3D 프린팅을 통한 일체형 몰드로 복잡한 형상의 유압 부품을 주조 제작한 사례를 제시하였다. 특히, 부품의 설계 단계부터 DfAM 개념을 도입하여 부품의 크기를 대폭 줄였다. 결과적으로 부품의 체적 감소를 통해 전체 유압 시스템을 컴팩트하게 경량화 제작 가능하게 되었다.

참고로, 렉스로스는 유압 부품 분야에서 선두인 회사로 유압 부품의 사실상 표준을 이끈다고 한다. 즉, 렉스로스가 DfAM 설계 및 샌드 3D 프린팅을 통해 소형화, 경량화한 유압 부품을 생산한다면 유압 시스템 시장의 혁신을 주도하게 될 것이고, 해당 부품은 기존의 목금형 생산 방식을 갖는 업체에서는 제조조차 불가능해질 것이다.

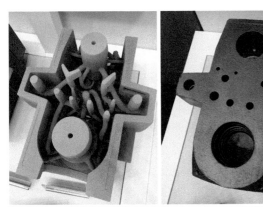

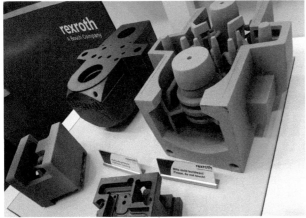

그림 6. 렉스로스의 유압 부품 소형화, 경량화 혁신 사례

건축 분야 혁신

건축 분야에서도 이미 3D 프린팅이 본격적으로 활용되고 있지만, 제조 분야와 마찬가지로 시범 건축물 시공에 적용되는 경우가 대부분이다. 단지 건물 시공 속도를 높이는 공법으로 3D 프린팅을 적용하는 접근 이외에 기존의 공법으로는 도저히 시공이 불가능한 건축 디자인에 적용이 가능하다면 건축 분야의 새로운 혁신이 가능할 것이다.

2020년 3월 오픈한 광교 갤러리아 백화점은 세계적인 건축가 렘 콜하스와 그가 이끄는 OMA에서 설계되었다. 특히, 건물 파사드의 자연 채광이 가능한 비정형 커튼월은 마치 건물 외벽에 다이아몬드가 박혀있는 형상이다.

그림 7. 광교 갤러리아 백화점 파사드 비정형 커튼월 혁신 사례

해당 디자인의 비정형 커튼월 시공을 위해서는 각기 다른 모양의 노드가 필요하다. 수백 개의 노드가 각기 다른 형상으로 설계되어 있어 기존 방식으로는 생산이 불가능하다. 형상이 각기 다른 수백 개의 노드를 절삭가공이나 목금형 주조 방식으로 제조하는 것은 공사기간 내에는 불가능하다. 하지만, 샌드 3D 프린팅 몰드를 이용할 경우에는 아무런 제약이 없다. 3D 프린팅 기반 주조 방식이 유일한 해법이었으며, 샌드 3D 프린팅 몰드를 통해 수백 개의 노드 주조품을 제작하여 건축 디자인 원안대로 시공이 될 수 있었다.

그림 8. 비정형 커튼월 노드 샌드 프린팅 몰드 및 주조품

화장품 분야 혁신

화장품 분야에서도 3D 프린팅 기술이 빠르게 확산 적용되고 있다. 이전까지 개인 맞춤형 마스크 팩 등 일부 제품에만 시험적으로 3D 프린팅이 활용되었지만, 이제는 대량 생산되는 화장품에도 본격적으로 적용되고 있다.

화장품 ODM 제조전문기업 한국콜마는 고점성 에센스 속에 고기능성 크림을 특수 노즐을 이용하여 정밀하게 쌓아 원하는 디자인을 구현할 수 있는 3D 프린팅 화장품을 발표했다. 이는 한국콜마와 삼영기계가 협력하여 3년간의 연구 끝에 개발한 제품으로, 두 가지 제형을 통한 화장품의 기능성뿐만 아니라 꽃이나 패턴, 로고 등의 자유로운 디자인을 통해 소비자들의 취향까지 만족시킨다.

그림 9. 한국콜마가 발표한 3D 프린팅 화장품

PART 2

게임, 콘텐츠 분야 혁신

3D그래픽 디자인이 기본인 게임이나 컨텐츠 시장은 바로 3D 프린팅과 연결될 수 있다. 주로 온라인에서 전개되는 속성이 강하지만, 최근에는 온오프라인 연계 행사 및 마케팅 활동을 강화하는 추세이다. 넥슨은 신규 게임을 런칭하면서 메인 캐릭터를 1:1 스케일로 3D 프린팅하여 홍보에 활용한 바 있다.

그림 10. 넥슨 NDC Art Exhibition에 전시된 듀랑고 K 1:1 등신대(높이 180cm, 샌드 3D 프린팅)

문화예술 분야 혁신

문화예술 분야에서도 점차 3D 프린터를 활용한 작품들이 빠르게 증가하고 있다. 삼영기계도 많은 작가 및 업체와의 협업으로 다양한 작품을 제작하였다. 일례로 영신특수강과의 협력을 통해 에밀레종 형상에 한글을 융합 디자인한 작품을 제작한 바 있다. 이 디자인은 3D 프린팅만으로 제작이 가능한 형상으로, 샌드 3D 프린팅 몰드에 주강 재질을 주조하여 완성하였다. GIFA 2019 영신특수강 부스에 전시되어 혁신성에 대한 좋은 반응을 얻었다고 한다.

그림 11. 영신특수강 조형물 및 일체형 샌드 3D 프린팅 몰드

문화재 복원 분야

문화재 분야 중 특히 복원 분야에 많은 기술이 적용되고 있으며, 3D 프린팅 기술 또한 활용도가 높아지고 있다. 문화재를 재질 관점에서 보면, 금속 주조품이나 석재, 목재 등이 있는데, 금속 주조품의 경우에는 샌드 3D 프린팅 몰드를 통한 주조품 제작이 가능하고, 석재는 표면 질감이 거의 흡사한 샌드 3D 프린팅 출력물 자체를 강도 강화 및 표면 후처리를 거쳐 제작할 수 있다. 〈그림 12〉는 공주대에서 한양도성 성돌 복원을 샌드 3D 프린팅 출력물을 이용하여 진행했던 결과물이다.

그림 12. 공주대에서 진행한 한양도성 성돌 복원(샌드 3D 프린팅 출력물)

맺음말

앞서 설명한 바와 같이 현재 시제품뿐만 아니라 양산품 생산에도 3D 프린팅이 적용되고 있으며, 건축, 화장품, 게임, 콘텐츠, 문화예술, 문화재 복원 등 다양한 분야에서 3D 프린팅이 적용되고 있다. 3D 프린팅은 문제 해결을 위한 수단이자 범용 툴임을 인식하고, 각 산업에서의 난제들을 3D 프린팅 기술로 해결해줄 수 있을 때 비로소 해당 분야의 혁신을 이끌어낼 수 있을 것이다.

PART 2

3D 프린팅을 활용한 수술 시뮬레이터 제작

선천소아심장병 수술을 위한 실리콘 시뮬레이터

신연선 | 글룩의 의료팀 총괄실장으로, 3D 프린팅과 특수분장을 융합하여 의료 3D 프린팅 콘텐츠를 개발하고 있다.
이메일 | sunsun@glucklab.com
홈페이지 | http://glucklab.com

3D 프린팅을 활용한 의료 시뮬레이터

의료분야에서 수술 및 시술, 그리고 의료인 양성 등 다양한 목적을 위한 시뮬레이터의 수요는 점점 늘어나고 있다. 특히 3D 프린팅을 활용한 시뮬레이터는 3D 프린터와 소재의 발전에 따라 그 영역을 점차 넓혀 나가고 있다. CT데이터를 직접 활용하여 제작할 수 있다는 장점 때문에 맞춤 제작이 가능하고, 구현 또한 보다 사실적이다. 때문에 의료 현장의 니즈를 반영한 다양한 시뮬레이터 제작이 늘고 있으며, 그에 따른 3D 프린터의 적절한 활용 방안에 대한 고민과 노력이 이어지고 있다.

3D 프린터 활용 방법

의료용 시뮬레이터 제작에 3D 프린터를 활용하는 방법에는 여러 가지가 있다.

첫 번째는 CT 데이터를 세그멘테이션(segmentation)하여 얻은 3D 데이터를 그대로 또는 모델링 수정을 거쳐 3D 프린터로 출력하여 사용하는 방법이다. 오브젯(Objet) 장비를 활용하여 병변이 포함된 장기를 출력하여 시뮬레이션해 보는 경우가 이에 해당한다.

두 번째는 시뮬레이터의 일부분을 출력하여 다른 소재와 혼용하여 사용하는 방법으로, 병변이나 신경, 혈관 등을 출력하여 투명한 소재의 연질 재료 안에 넣어 캐스팅하여 시뮬레이터를 제작하는 경우이다.

세 번째는 특정 소재로 제작하기 위한 몰드를 출력하여 제작하는 방법으로, 최종 결과물은 실리콘 소재의 장기이지만 제작 과정에서만 3D 프린터를 활용하는 예가 이에 속한다.

이외에도 3D 프린터를 활용하는 방법은 여러 가지가 있겠으나 각 방법에 따라 장단점이 있으므로, 이러한 제작 방식에

대한 이해도가 있다면 원하는 결과물에 가장 적합한 방법을 취하여 최적의 시뮬레이터를 만들 수 있을 것으로 생각한다.

3D 프린터를 활용한 실리콘 시뮬레이터

그림 1. TOF 모델

그림 2. SA VSD 모델

그림 3. PM VSD 모델

PART 2

선천소아심장병의 수술을 위한 시뮬레이터는 현재 아질러스와 같은 연질 소재로 출력하여 사용하는 경우가 대부분이다. 소재의 특성상 수처가 가능하고 세그멘테이션과 모델링 작업 후에 바로 출력하여 사용할 수 있다는 장점이 있어, 1:1 맞춤 수술 시뮬레이터로서 활용도가 높다. 그러나 소재의 단가가 높아 생산 비용이 높다는 점 때문에 한 번 사용하고 버리는 교육용으로 활용하기에는 부담이 있을 수밖에 없다.

이러한 문제를 해결하기 위하여 3D 프린팅 몰드를 사용하였다. 생산비를 절감하여 제품 단가를 낮출 수 있고, 더불어 내부 구현도와 촉감 등의 사실감을 높일 수 있는 실리콘 소재를 활용할 수 있어 이와 같은 제작 방식을 시도하게 되었다. 다만 캐스팅 과정을 거치자면 몰드를 제작하는 시간, 실리콘이 큐어되는 시간 등이 소요되므로 1:1 맞춤 시뮬레이터보다는 교육용 시뮬레이터로서 적합한 방법이다.

몰드는 한 번 설계하여 출력하면 수십 회 이상 사용이 가능하며, 소아심장수술의 경우 대략 10가지 정도의 질환 모델이면 교육에 필요한 케이스를 다룰 수 있으므로 충분히 생산성 있는 모델이라 할 수 있다.

실리콘 소아심장수술 시뮬레이터 제작

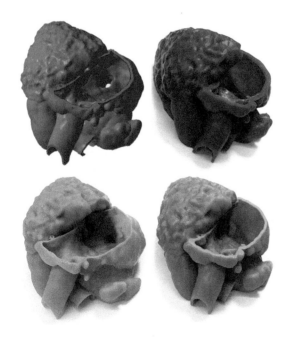

그림 4. 심장 데이터, 실리콘, 두께별 SLA 출력물

서울대학교병원 이활 교수 팀에서 작업한 CT 데이터를 통해 얻어진 파일에 모델링 작업을 더하여 목적에 맞게 수정한다. 이 모델링의 경우 지브러시(ZBrush)를 사용하여 판막을 모델링하였고, 몰드 제작이 가능하도록 부분적으로 두께 수정

을 하였다. 몰드 설계 전, 최종 결과물의 형태나 구조, 두께를 확인하기 위해 두세 차례 SLA로 출력하여 확인함으로써 제작 과정을 보다 효율적으로 줄일 수 있었다.

최초 데이터는 가장 얇은 부분의 두께가 0.5mm였으나, 출력물로 확인한 결과 제작에 적합하지 않아 두께를 1mm로 조정하여 출력 후 확인하였다. 출력물 확인 과정을 거친 모델링이 끝나고 몰드를 설계 및 출력 후에 실리콘 캐스팅을 하여 TOF, SA VSD, PM VSD 등 총 3종의 질환 소아심장 시뮬레이터를 제작하였다.

실리콘 시뮬레이터의 특징

기존의 아질러스 소재 출력물의 경우 사실상 반경질에 가까운 소재를 전체 1~2mm 정도로 두께를 조정하여 수처가 가능하도록 연질처럼 사용한 것에 반해, 이번에 사용한 실리콘의 경우는 경도 0.3의 매우 부드러운 소재로 약 9배 정도 늘어나는 높은 연신율이 특징이다.

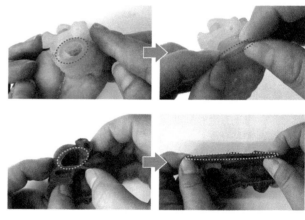

그림 5. 아질러스 와 실리콘의 탄성 비교

부드러운 소재감으로 두께가 두꺼워져도 수처가 가능하여, 부분별로 모두 다른 심장의 두께를 구현하는 것 또한 가능하다. 또한 출력물로 제작한 기존 심장은 내부 서포터가 생성되는 문제로 판막의 구현이 어려운데, 실리콘 심장의 경우 제작 노하우를 통해 시뮬레이션에 필요한 판막이 구현되어 있다.

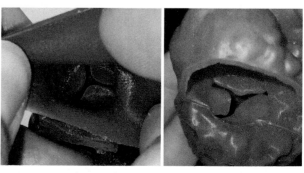

그림 6. 폐동맥과 삼첨판막(pulmonary valve, tricuspid valve)

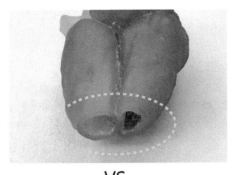

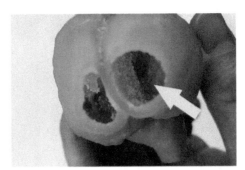

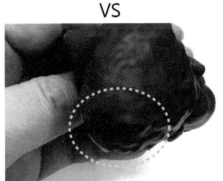

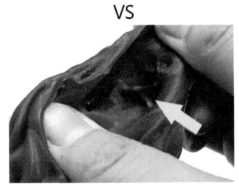

그림 7. 서포터 제거를 위해 제거된 부분 유무 및 내부 비교

그림 8. 대량 생산된 심장 모형

그림 9. 심장 시뮬레이터 완성품

기존 출력물은 서포터 제거를 위해 불필요한 부분을 절개하여 인위적으로 구멍을 만들고 서포터를 긁어내므로 내부에 실리콘 잔여물이 남는 경우가 많다. 그러나 실리콘 캐스팅을 통한 제작방법은 심장 하부 구멍 없이 제작이 가능하며, 내부 또한 잔여물 없이 제작된다.

실리콘 소아심장 수술 시뮬레이터 보급

현재 제작된 시뮬레이터 3종은 흉부외과 의료진의 교육을 목적으로 서울대학교병원 이활 교수 팀과 협업을 통해 제작된 것이며, 의료진의 요구사항을 그대로 반영하여 제작하였다. 전국 60명의 전공의를 대상으로 하는 대한흉부심장혈관외과학회의 핸즈온 교육에 사용하기 위해 심장 시뮬레이터를 대량 제작, 납품한 상태이다. 제작 공정을 더욱 개선하여 생산성을 높이고, 추후 개발하게 될 모델은 연구를 통해 보다 고도화할 계획이다.

발전 방향 및 기대 효과

이러한 제작 과정이 가능한 것은 이전보다 훨씬 높은 해상도로 출력 가능한 높은 퀄리티의 소재와 프린터가 개발되었기 때문이다. 따라서 새롭게 개발되고 출시되는 3D 프린터의 발전에 발맞춰 적절한 프린터의 활용 방안에 대한 연구도 계속되어야 할 것이다.

더불어 선천성 심장 질환을 가지고 태어나는 아이는 노산 등의 원인으로 계속해서 늘고 있으나, 소아심장 수술은 서울을 포함한 수도권의 대형 병원에 몰리는 경향 때문에 지방 병원의 경우는 이러한 케이스를 접할 수 있는 기회조차 드물다고 한다. 때문에 이러한 시뮬레이터의 보급을 통해 폭넓은 의료진 교육은 물론 수도권 쏠림 현상을 해결할 수 있는 방안으로도 그 가치를 찾을 수 있을 것으로 기대한다.

PART 2

적층제조 통합 소프트웨어 3D엑스퍼트의 활용

헬스케어를 위한 3D 프린팅 애플리케이션

3D엑스퍼트(3DXpert)는 적층제조(AM) 기법을 사용하여 3D CAD 모델을 준비, 최적화, 제조하는 올인원 통합 소프트웨어이다. 3D엑스퍼트는 디자인부터 후처리까지 적층 제조 워크플로 각 단계를 지원하기 때문에 3D 모델에서 완벽하게 프린팅된 부품으로 신속하고 효율적으로 전환하는 프로세스를 간소화하였다.

이 글에서는 외과 의료 분야에서 3D엑스퍼트를 통해 3D 프린팅을 활용할 수 있는 방법을 소개한다.

■ 자료 제공: 3D 시스템즈 코리아, www.3dsystems.com

외과 의료 분야의 3D 프린팅

외과 의료 산업에서 3D 프린팅으로 만든 티타늄 임플란트는 고관절 대치술(대규모 골반 뼈 골절 치료)에 있어 혁명이라고 부를 만큼 괄목할 만한 성과를 보여주었다.

대량 생산으로 기성품 임플란트를 제조하는 현재의 방식은 개인화된 3D 프린팅 제조 방식으로 전환되기 직전에 있다. 하지만 이러한 변화와 함께 3D 프린팅 임플란트의 성능과 안전성에 대한 예측 가능한 검증된 데이터들의 중요성이 대두되고 있다. 이를 위해 3D 프린팅 최적화 디자인과 함께 다양한 관련 변수들이 고려돼야 한다.

제조 측면에서 3D 프린팅은 다공성 구조(lattice)에 대한 제어가 어려운 기존의 제조 방식과 달리 복잡한 다공성 구조물까지 제조할 수 있다. 또한, 3D 프린팅으로 제조하여 임플란트의 사용자화를 보다 쉽게 할 수 있다.

기존에 대량 생산된 임플란트는 사람마다 다른 복잡한 골반 골절 형상 및 대사성 뼈 질환, 낮은 골밀도 등의 다양한 요소들로 인해 발생하는 임플란트의 뼈에 대한 약한 고정력이 지속해서 문제로 언급되어 왔다. 또한, 대퇴골두 하단부의 낮은 표면적으로 인해 적절한 혈액공급에 실패해 대퇴골두의 괴사를 발생시켜 고관절 골괴사증을 포함한 다양한 질병의 위험에 노출되어 있었다.

반면에 3D 프린팅 임플란트는 이러한 기존의 커다란 문제점을 극복할 수 있다.

3D 프린팅 임플란트는 강력한 고정력을 가지면서도 높은 다공성을 지닌 구조를 만들 수 있어서, 환자의 뼈 특성에 맞추어 탄성(영의 계수) 및 마찰 계수를 최적화하여 응력 차폐 효과를 최소화할 수 있다. 이러한 해면골과 유사한 구조와 특성은 임플란트의 안정성과 골 유착 및 성장에 긍정적인 영향을 이끌어낼 수 있다.

공학적인 측면으로는 소재 소비가 약 25% 이상 줄어든다는 장점이 있으며, 현재는 소량 생산에서만 생산성을 보여주지만 기술이 발전함에 따라 생산성은 비약적으로 증가할 예정이다.

설계 변경

기존의 외과용 기성품 임플란트와 3D 프린팅 임플란트의 가장 큰 차이점은, 기존의 공법으로는 제작이 거의 불가능했었던 다공성 구조를 제작할 수 있다는 점에 있다.

따라서 외과용 3D 프린팅 임플란트로 적용하기 위해서 가장 핵심적인 요소는 기존 모델에서 다공성 구조를 적용하기 위한 기존 모델 설계 변경에 있으며, 3D엑스퍼트의 CAD 설계 기능을 통해 이러한 다공성 구조 제작에 최적화된 형상으로 설계 변경을 손쉽게 할 수 있다. 또한, 3D엑스퍼트의 하이브리드 모델링(Hybrid Modeling) 기능은 복잡한 설계 과정을 거치지 않고도 메시, B-Rep 형상을 동시에 편집 및 수정할 수 있다.

위상 및 구조 최적화

다공성 구조물(lattice)에는 특정한 세포(cell) 형태가 규칙적으로 선형 및 다양한 방식으로 나열되는 방식과 불규칙하게 나열되는 방식이 있으며, 결과적으로는 150㎛ 이상의 미세한 움직임을 피하면서 뼈의 성장을 촉진하고 임플란트의 말기 풀림을 방지할 수 있는 다공성 구조를 얻는 것이 목표가 된다. 또한, 이미 외과용 임플란트 개발 회사들은 다양한 다공성 아키텍처를 개발하여 표준화를 하려는 노력을 기울이고 있다.

3D엑스퍼트의 볼륨 래티스(Volume Lattice) 및 서피스 래티스 스트럭처(Surface Lattice Structure) 모듈을 통해 이에 해당하는 다양한 래티스 구조를 설계할 수 있으며, 3D엑스퍼트의 래티스 디자인 프리덤(Lattice Design Freedom) 모듈을 사용하면 격자 구조와 텍스처를 필요한 경우 셀 단위로 커스터마이즈할 수 있다. 또한 볼륨 및 서피스, 컨포멀 서피스 래티스(Conformal Surface Lattice) 등 상황에 맞게 개별적으로 최적화할 수 있다.

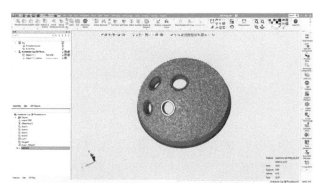

▲ 기존 모델   ▲ 다공성 구조를 위한 설계 변경

프린팅 준비 작업

설계가 마무리되면 이를 제조하기 위해 3D 프린팅에 최적화될 수 있도록 프린팅 준비 작업을 진행해야 하고, 이때 파트의 중요한 구속조건을 이해하고 알맞은 방법으로 오리엔테이션을 지정해야 한다.

절구컵의 경우 외부면은 래티스 구조로 제거가 쉬운 단단하지 않은 소재로 지지해주어야 하며, 타 부품과 조립을 하게 될 실린더 내부는 최대한 서포트 형상이 만들어지지 않게 하면서

표면 품질을 확보한다.

3D엑스퍼트의 프린팅 준비(Printing Preparation) 모듈을 통해 오리엔테이션의 실시간 피드백과 함께 잔류 응력 분석, 파트 특징에 맞는 서포트 생성 등 다양한 조건을 고려해 최적의 적층 제조 조건을 구축, 작업할 수 있다. 또한, 3D엑스퍼트의 파워 서포트 오토메이션(Power Support Automation) 기능은 프리셋과 파라미터 편집을 통해 자가지지(self-supporting) 가능한 격자형의 구조물을 자동으로 생성할 수 있다.

마지막으로 3D 프린터에 따른 레이저 파라미터를 최적화한 뒤 지원할 수 있는 파일 형식으로 슬라이싱을 하고 내보내면, 기계에서는 이를 불러들인 후 작업을 진행한다. 3D엑스퍼트의 래티스 퀵슬라이스(Lattice QuickSlice) 모듈은 다양한 다공성 구조물의 슬라이싱 작업을 효율적으로 수행하도록 특별히 설계되었다. 또한, 3D엑스퍼트에서는 EOS, SLM 등 메이저 제조업체들의 3D 프린터를 직접 지원하며 커스터마이즈를 통해 사용자 3D 프린터도 직접 추가해서 작업할 수 있다.

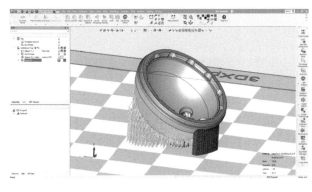

PART 2

트루뎁스 카메라, 라이다의 활용 확대

3D 스캐닝, AI, 5G 그리고 3D 프린팅

최동환(Eric Choi) | 에릭스코 대표이다. 호주의 멘사 정회원으로, 호주 엔지니어협회의 Engineering Technologist(엔지니어링 테크놀로지스트)이자 Product Design Engineer(제품디자인 엔지니어)이다. 코웨이 기술연구원에서 3D 프린터를 처음 접한 뒤 머티리얼라이즈에서 애플리케이션 엔지니어 및 컨설턴트를 담당했다.

홈페이지 | www.ericsco.com

어느 순간부터 우리는 스마트폰의 안면인식 기술을 사용하여 잠금을 풀거나 은행, 각종 사이트에 로그인을 하고 있다. 이것을 가능하게 만든 것은 바로 트루뎁스 카메라 시스템(The State of the Art TrueDepth Camera)이다. 애플뿐만 아니라 안면인식이 되는 대부분의 카메라에 들어가 있는 시스템이다. '아이폰X'부터 적용되었고 점점 그 성능은 지속적으로 개선되고 있다.

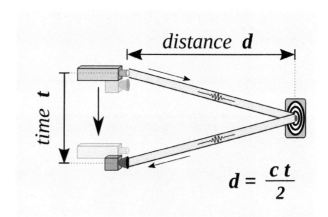

그림 2

그럼 아이폰으로 생성된 포인트 클라우드 데이터를 확인해 보도록 하겠다.

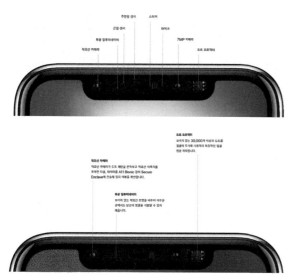

그림 1. 트루뎁스 카메라(이미지: 애플 웹사이트)

트루뎁스 카메라 시스템에는 ToF 센서(Time of Flight)의 원리가 적용되어 아이폰의 도트 프로젝터에서 나온 표식을 적외선 카메라가 인식하여 3D 포인트 클라우드 스캔 데이터를 생성할 수 있다.

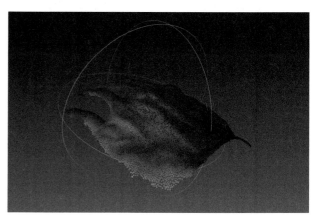

그림 3

〈그림 3〉은 손등을 회전 없이 스캔한 데이터지만, 보이는 것처럼 3D 스캔 데이터로 생성된다. 이렇게 생성된 데이터는 확대해 보면 〈그림 4〉와 같이 포인트로 이루어진 포인트 클라우드 데이터이다.

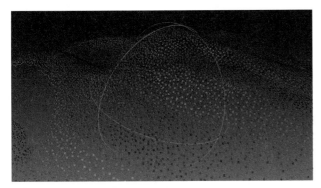
그림 4

생성된 포인트 클라우드 데이터는 각 포인트가 색을 포함하고 있어 컬러 스캔 데이터를 만들어 낼 수 있다. 이렇게 포인트로 만들어진 데이터는 간단한 수정을 통해 각 포인트를 연결하고 메시 데이터를 얻을 수 있다.

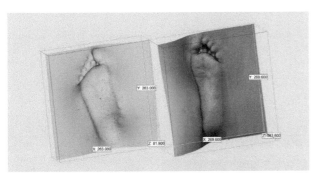
그림 5

〈그림 5〉의 발 스캔 데이터는 에릭스코에서 개발하고 있는 앱을 통해서 스캔한 데이터이다. 보이는 것처럼 매우 높은 수준의 컬러 스캔 데이터를 얻을 수 있다. 메시로 생성된 데이터는 약간만 수정하면 3D 프린터로 프린팅이 가능한 상태의 파일로 전환이 가능하다.

또한, 이렇게 생성된 3D 모델을 바로 AR에 적용하여 가상현실 구현에 사용도 가능하다. 애플의 안면 인식용으로 주로 사용하던 트루뎁스 카메라를 후면에도 장착하여 폭넓은 활용을 위해 계획을 하고 있다는 이야기도 있다.

그 다음으로 주목해야 할 센서는 바로 라이다(LiDAR) 센서이다. 앞서 설명한 트루뎁스 카메라가 근거리를 3D로 스캔할 수 있다면, 라이다는 원거리를 3D로 측정할 수 있는 기술이다. 이 기술의 경우 때때로 3D 레이저 스캐닝 기술이라고 불리는 기술이다. 군사목적으로 많이 사용했던 기술로 현재 자율주행 자동차에 있어서 없어서는 안 되는 센서 중 하나이다. 또한, 군사용으로만 가능했던 항공 매핑을 개인 혹은 작은 회사가 드론을 통해 하늘에서 지도를 3D 매핑할 수 있고 얻어진 3D 스캔 데이터를 통해 3D 가상현실의 공간을 구현하고 또한 3D 프린

팅 기술을 이용해 3D 모형으로 제작하여 각종 실험을 위한 모형으로 만들 수 있다. 이러한 센서 기술은 상상을 현실로 만들 수 있는 무한한 활용성을 가지고 있다.

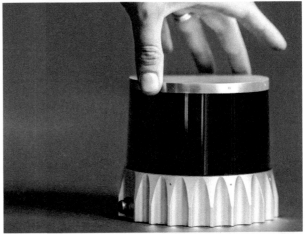

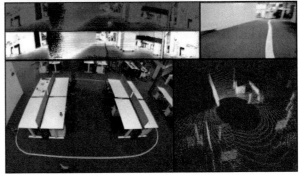
RC Car Lidar-based ML Model Deployment
그림 6

일반적으로 라이다 센서를 봤다면 길거리에서 자동차에 장착되어 있는 대형 라이다 센서를 보았을 것이다. 이러한 라이다 센서가 아이패드 프로에 들어가 있다. 이러한 3D 스캔 데이터는 미래를 매우 빠르게 앞당기는 기술이다.

그림 7. 라이다 스캐너(이미지: 애플 사이트)

앞서 설명한 트루뎁스 카메라와 라이다 기술은 모든 사람이 개인용 3D 스캐너를 보유할 수 있다는 것을 의미한다. 이렇게 얻어진 대용량의 3D 데이터를 모바일 기기로 보내고 받기 위해서 5G 기술과 클라우드 기술은 없어서는 안 되는 기술이다.

이렇게 다양한 센서 기술은 향후 더 다양한 맞춤형 제품의 세계를 열어줄 것이고 3D 프린팅 기술이 더 많이 사용될 것이라는 것을 의미한다. 일부 디자인 소프트웨어 회사 및 캐드 소프트웨어 회사는 AI 기술을 통한 디자인 설계로 소프트웨어를 이미 개발하기 시작하였고, 이렇게 디자인된 제품은 3D 프린터로 생산될 것으로 보인다.

다가오는 미래를 위해서는 3D 프린터를 시제품 제작을 위한 목적이 아닌 최종 제품으로 사용할 수 있는 단계의 후처리 기술도 함께 연구하고 개발하는 것이 필요할 것이다. 뿐만 아니라 3D 프린팅 재료의 가격도 더 저렴해지고, 프린팅 속도도 더 빨라져야 할 것이다. 이미 나일론 재료와 SLA 재료는 다양한 공급자들에 의해서 가격이 내려가고 있는 것을 새삼 느끼고 있다.

필자는 지난 10년간의 긴 외국생활을 접고 새로운 비즈니스를 위해 2020년 1월 한국에 복귀하여 스타트업인 에릭스코(ericsco)를 창업하였다. 한국에서 3D 프린팅 기술은 어쩌다 보니 선도하는 기술이 아닌 저물어가는 기술이 되어버린 느낌이다. 그것은 아무래도 외국의 비싼 3D 프린터를 수입해서 사용하고 외국의 비싼 소프트웨어를 구매하여 사용하는데 급급하여 그것을 한국화하고 응용하여 보다 뛰어난 기술을 개발하는데 소홀했기 때문으로 생각된다.

현재 에릭스코는 청년창업사관학교라는 중소벤처기업부와 중소벤처기업진흥공단에서 지원을 하고 있는 창업지원사업을 통해 3D 스캔 및 커스텀 제품 생산 앱을 개발하고 있다. 향후 애플 앱스토어에서 다운로드 받아 사용자의 발을 스캔하여 사용자의 맞춤형 깔창을 집에서 제품으로 받아볼 수 있을 것이다. 이런 스캔 기능은 더 넓은 영역으로 확대되어 더욱 다양한

제품을 고가의 스캐너가 없이 개인의 모바일 기기로 제작할 수 있도록 할 것이다.

■ Leanfeet 시연 동영상: https://vimeo.com/428914446

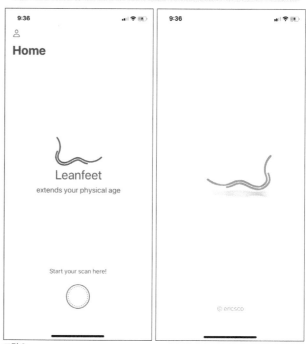

그림 8

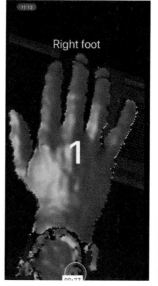

그림 9

에릭스코를 통해 필자가 그동안 하고 싶었던 기술들을 현실화하고 다양한 해외 기술을 합리적인 가격으로 국내에서도 구매가 가능하게 해 더 넓은 층이 새로운 기술들을 이용할 수 있도록 만들고자 한다. 또한 필자는 언제나 새로운 정보의 교환을 환영하고 다양한 기술 분야에 조언이 필요한 모든 분들과 공유하고자 한다.

PART 3

프로토텍 신상묵 부사장

3D 프린팅 토털 솔루션 업체로 역량 확장 … 신뢰를 바탕으로 고객과 함께 성장한다

프로토텍에 대해 소개한다면

프로토텍은 20년 넘게 3D프린팅 기술에만 집중하여 전문 역량을 길러온 회사로서, 국내 제조업체가 3D프린팅 기술을 적용하고 최적화하는데 기여해 왔다는 자부심을 갖고 있다. 90년대 말~2000년대 초 현대자동차, 삼성전자, LG전자 등 국내 주요 대기업들이 처음으로 3D프린팅 장비와 기술을 도입할 때 프로토텍이 서비스와 컨설팅을 제공했으며, 그 후 1000여개가 넘는 중소기업과 기관, 학교를 고객으로 두고 있다.

폴리머 분야 세계 1위 3D프린터 제조사인 스트라타시스 (Stratasys)의 아시아에 위치한 3개 프리미엄 파트너 중의 하나이며, 트럼프(TRUMPF), 데스크톱 메탈(Desktop Metal) 등의 금속 3D프린터, 그 외 3D스캐너, 3D 소프트웨어를 다루고 있다.

또한 3D프린팅 서비스를 2000년대 중반부터 시작하여, 현재는 전문 설계, 역설계, 후처리, 양산 매니징, 3D프린팅 교육 서비스를 함께 제공하고 있다.

3D프린팅 기술 도입 파트너로서 프로토텍의 장점은 무엇인지
전문적인 컨설팅 역량

3D프린팅 기술을 도입하기 위해서는 3D프린팅 기술에 대한 이해도, 3D프린터가 제조 프로세스를 혁신하는 방법에 대한 이해, 공급망 및 3D프린터 운용 전략, 전체 사업과의 관계 이해, 구체적인 용도 파악 및 수량화, 그리고 3D프린팅 전략 수립 및 실행 계획이 필요하다. 또한 3D프린팅 기술은 점진적으로 발전하며 새로운 재료, 새로운 애플리케이션이 계속해서 시도되고 업그레이드되고 있다. 따라서 수요 기업은 자신에게 최적화된 컨설팅이 필수적으로 요구되는데 프로토텍은 오랜 경험으로 다져진 내부 역량으로 기업의 변화와 혁신을 도모하는데 필요한 도움을 주고 있다. 그 경험에는 1000여개가 넘는 고객과 함께하며 3D프린팅 기술로 어떻게 부가가치를 창출했는지에 대한 노하우뿐 아니라, 전 사원이 3D프린팅 전문가로서 다각도의 컨설팅을 할 수 있는 역량을 갖추기 위한 자체적인 노력도 포함된다.

안정적인 애프터서비스

3D프린터는 제조 장비의 하나로서, 다른 모든 기계, 도구들과 마찬가지로 유지보수를 필요로 한다. 프로토텍은 10명 가까이 되는 서비스 엔지니어가 서울 본점과 대구 지사에서 고객의 장비가 안정적으로 운영되기 위해 노력하고 있다. 많은 서비스 엔지니어는 비단 빠르게 대응할 수 있다는 장점뿐 아니라, 서로의 노하우를 공유하면서 시너지를 내기 때문에 한 차원 높은 수준의 장비 운용 역량을 갖추고 있다.

또한 고객이 더 많은 부가가치를 만들기 위해, 지속적으로 3D프린팅 활용 노하우를 제공하는 것 역시 중요한 부분이다. 프로토텍의 고객지원팀은 정기적인 방문, 온/오프라인 컨설팅을 통해 고객이 3D프린터를 더 원활하고 적극적으로 활용할 수 있도록 서비스를 제공하고 있다.

PART 3

3D프린팅 토털 솔루션 역량

3D프린팅 기술을 도입한 기업, 기관은 1단계 효율성 확보, 2단계 성장, 3단계 변혁을 통해 부가가치와 앞서가는 경쟁력을 만들 수 있다. 효율성 확보 단계에서는 비용 절감, 재고 및 물류비 감소, 효과적인 제조 프로세스가 관련되고, 성장 단계에서는 맞춤형 제조, 기능통합, 새로운 제조 구조와 관련이 있으며, 마지막으로 변혁 단계에서는 새로운 비즈니스 모델, 가치사슬의 재구성 등이 연계된다.

수요기업의 점진적인 발전 과정에서 컨설팅 파트너로서 제 구실을 하기 위해서는 단순히 한 두 브랜드의 제품에 대한 이해도가 아니라 3D프린팅과 관련된 다양한 컨설팅이 필요하다. 프로토텍은 스트라타시스로 대표되는 폴리머 3D프린터 뿐 아니라 금속3D프린터, 3D스캐너, 3D 소프트웨어 등 3D프린터와 관계된 전 방면의 기술/제품 노하우와 토털 솔루션 제공 역량을 갖추고 있다. 또한 자체적인 3D프린팅 서비스, 설계/양산 서비스, 교육 프로그램은 이러한 역량을 강화하는 역할을 한다.

서비스뷰로(3D프린팅 서비스 등) 역량

국내 굴지의 대기업들 그리고 수많은 중소기업이 3D프린팅 기술을 적용하는데 도움을 줄 수 있었던 것은 자체적인 서비스뷰로 역량이 큰 역할을 하였다. 2000년대 초부터 이어진 프로토텍의 자체 서비스뷰로 역량은 초기 도입 시 ROI 확보에 어려움을 겪을 수 밖에 없는 수요기업들에 기술 도입의 명분과 자신감을 심어주었다. 단순히 3D프린터로 부품을 만든다는 차원을 넘어서 문제점과 한계를 인식하고 그것을 극복하기 위한 디테일이 무엇인지 정확하게 알고 스스로 경험한 후 컨설팅을 하는 것은 프로토텍의 큰 장점이라고 할 수 있다.

한 가지 예를 들어, 프로토텍은 일찌감치 2016년에 AS9100 인증을 받고, 현재까지도 폴리머 3D프린팅 업체로서는 유일하게 AS9100 인증을 받은 업체로서, 3D프린터를 활용할 때의 품질 관리 노하우, 부품 생산 프로세스, 양산 노하우를 제대로 컨설팅할 수 있는 역량을 갖추었다. 이는 수요업체가 3D프린터를 검토하는 단계에서부터, 산업용 3D프린터를 구축하며 프로세스를 정립하는 단계, 그 후 다방면으로 사업/프로젝트와 연계하는 단계에 이르기까지 전 과정에 컨설팅을 할 수 있다는 것을 의미하며, 특히 3D프린팅 기술을 이미 도입하여 잘 활용하고 있는 기업에게도 계속해서 전문적인 팁과 어드바이스를 제공할 수 있다는 것은 프로토텍의 큰 경쟁력일 것이다.

▲ 현대자동차 3D프린팅 엠블럼 지그 프로젝트

신뢰할 만한 업체로서의 자부심

결론적으로 프로토텍은 고객에게 신뢰감을 주기 위해 노력하고 있다. 20년 넘게 3D프린팅 산업에서 활동하며, 수많은 업체의 부침, 단발성 서비스에의 치중, 짧은 경험과 역량을 과대 포장하는 사례 등 많은 부작용을 보아왔다. 프로토텍은 3D프린팅 기술을 통해 국내 제조업 발전에 기여한다는 자부심을 갖고, 수요기업이 제대로 부가가치 창출과 생산성 향상, 혁신을 이뤄낼 수 있도록 부단히 노력하고 있다.

프로토텍의 향후 계획에 대해 소개한다면

프로토텍은 2000년대 초 스트라타시스 공식 총판으로 시작하여, 3D프린팅 토털 솔루션 업체로서의 역량을 조금씩 확장시켜 왔다. 3D 스캐너, 금속 3D프린터, 3D 소프트웨어로 취급 품목과 컨설팅 영역을 다각화하였고, 시제품 서비스 역시 2000년대 초부터 꾸준히 이어졌다. 현재 의료, 소비재, 전자제품, 자동차, 교육 등 전 산업 영역에서 설계/시제품/3D프린팅 서비스를 제공하며 이는 이제 프로토텍의 기본 역량이다. 2010년대 중반 이후에는 메이커스페이스와 같은 전국의 제조지원 기관/기업에 전문적으로 서비스 제공과 협력 관계를 갖춰 왔다. 2016년부터는 AS9100 인증을 받고 3D프린팅 부품 개발, 준양산 부품 납품, 항공 부품 납품 등 3D프린팅 기술을 적용하기 위한 최전선에서 직접 시도와 투자를 하며 역량을 구축해 왔다.

향후 3D프린팅 기술은 더 고도화되고 더 전문화될 것으로 예상된다. 이에 맞추어 프로토텍은 더 깊이 있는 기술 이해와 선도적인 적용, 디테일한 전문성을 갖추기 위한 시도를 통해 전문적인 컨설팅과 솔루션 제공을 할 수 있는 업체로 남기 위해 정진할 예정이다.

PART 3

3D 시스템즈 프린터 사업부 백소령 본부장

형상 목업에서 기능성 부품의 자동화 및 대량 생산 시스템으로 진화하는 적층제조

3D 시스템즈의 최근 주요 활동에 대해

3D 시스템즈는(ko.3dsystems.com) 글로벌 팬데믹 상황에서 '위기의 의료 분야에 대한 신속 현장 생산 대응' 및 '새로운 제조 환경 재편에 따라 제조산업을 위한 유연 생산 시스템 및 다양한 신소재 라인업'을 활발하게 추진하였다. 코로나 팬데믹의 상황에서 3D 시스템즈가 보유한 다수의 의료 인증 소재와 프린팅 시스템을 동원하여 진단 의료 디바이스, 호흡기, 보호 마스크 등 50여종이 넘는 긴급 의료 부품 지원 프로젝트를 추진하고 있다. 이와 더불어 제조 현장에서 기능성 검증이 가능한 물성의 산업용 소재들을 대거 출시하고, 하이브리드 제조 공정을 지원하는 시스템 및 모듈을 개발 출시하고 있다.

최근에 발표한 제품이나 기술에 대해 소개한다면

과거 2년여간 3D 프린터 기술은 형상 검토를 위한 시제품 제작 수준에서 기능성 시제품 제작 및 현장 생산 툴 제작 등으로 그 활용성이 확장되었다. 또한, 부분적으로 구조 기능 부품의 양산을 위한 맞춤형 양산 프로젝트들이 시작되고 있다.

이러한 수요 시장의 적층제조 양산 요구에 부응하기 위해 2020년 상반기 3D 시스템즈에서는 Figure 4, MJP, SLA 및 SLS의 플라스틱 프린터용으로 의료 소재, 고온 내열성, 고강성, 내마모성 및 고탄성 소재 그리고 타이타늄 캐스팅이 가능한 신규 주조 소재를 신규 론칭하여 고기능성 시제품 제작, 생산툴 제작 및 부품 양산을 지원하고 있다. 올해 산업 현장의 상용화 양산 부품을 생산할 수 있는 다양한 엔지니어링 플라스틱 신소재를 론칭하고 있다.(그림 1)

또한, 2020년 3D 시스템즈에서는 적층제조 관리모듈, 적층 가공과 절삭가공을 연계한 하이브리드 제조 솔루션, 품질 검수 모듈을 업그레이드 강화하여 적층제조를 위한 전공정 토털 솔루션 구축을 추진하고 있다. 금속 부품의 공정 관리 지원을 위한 DMP 컨트롤, 빌드 시뮬레이션을 통한 열변형 형상 보상 설계지원,(그림 2) 기존에 출시된 실시간 금속 부품 품질검사 시스템인 DMP 모니터링 데이터를 기반으로 금속 제품 단층 영상 및 3D 형상 분석 솔루션인 DMP 인스팩션, 적층가공과 절삭가공을 융합한 하이브리드 생산의 자동화를 지원하는 AM 엑셀러레이터 등의 베타 버전을 출시하였다.(그림 3) 주요 고객의 현장 피드백을 반영하여 하반기에 공식 출시를 준비 중이다.

그림 1. 3D 시스템즈의 기능성 플라스틱 소재

PART 3

3D 프린팅 시장의 변화에 대해 어떻게 전망하는지

2020년은 전세계적으로 큰 변화가 진행되고 있다. 코로나로 유발된 위기는 그동안 수 많은 담론과 도전에 답보하던 4차 산업혁명의 요소기술을 상용화 기술의 장으로 응급 호출하고 있다. 컨택트에서 언택트로, 내연기관 에너지 시스템을 그린 에너지 시스템으로, 공급-생산-소비의 글로벌 분산 제조 생산 환경을 보다 유연한 근거리 생산 환경으로 신속하게 재편성해 나가고 있다.

최근 3D 프린팅 분야의 주요한 동향은 어떤 것인지

올해는 기술 동향보다는 산업 동향이 더욱 부각되는 한 해라고 할 수 있을 것 같다. 코로나19 상황에서 글로벌 제조산업 및 공급망이 셧다운되었을 때 의료뿐만 아니라 산업 부문에서도 3D 프린터를 이용한 부품 생산 서비스 요구가 증가하였다. 신속한 부품 공급을 위한 적층제조 부품 서비스의 경험은 글로벌 제조기업 내부에서 적층제조에 대한 새로운 경험의 확장을 가져 왔다. 제조 산업의 구조 재편, 그린 에너지 모빌리티 그리고 5G 시대를 맞이하는 ICT 융합형 신제품을 위한 신속하고 유연한 제품 개발을 가능하게 하는 적층제조의 요구와 수요가 새롭게 재조명되고 있다.

금속 3D 프린터는 고도 부가가치 부품에 대한 생산 연구 및 의료 디바이스 양산화 작업이 활발하게 진행되고 있다. 이러한 동향으로 과거 2년동안 글로벌 시장 기준으로 금속 3D 프린터는 연간 30%의 성장률을 보이고 있으며, 특히 정밀 형상 성형이 가능한 PBF 프린터의 비중이 80%를 차지하며 급속한 성장을 보이고 있다.

한편, 글로벌 시장 조사기관의 2019년 보고서에 따르면 플라스틱 프린터의 경우 이미 72%의 기업에서 사용하고 있으며, 최근에는 SLA(Stereolithography) 및 DLP(Digital Light Processing) 프린팅 기술이 시제품 제작을 넘어 의료, 전자, 소비재 등 다양한 양산 라인에 도입이 증가하고 있다고 보고되었다. 이와 더불어 생산성 향상을 위한 후처리 장비의 전문화가 활발하게 진행되고 있다는 점을 확인할 수 있다. 향후 후처리 장비의 전문화는 스마트 공장과 연계하여 새로운 사업군으로 자리매김해 나갈 것으로 기대된다.

향후 3D 프린팅 분야의 발전을 위해 필요한 것은 무엇이라고 보는지

3D 프린팅의 궁극적 목표인 '양산이 가능한 생산 설비'로서 위상 정립이 필요한 단계이다. 이를 위해 과거 5년간 위상 최적화 및 공정 연구에 대한 폭넓은 도전과 응용사례들이 많이 배출되었다. 이제 진정한 양산 부품 생산, 실제 양산 제품과 동급의 고기능성 시제품 제작, 생산 현장에서 실시간 생산 툴 제작과 활용을 위한 고속 주행이 필요한 시기이다. 이를 위해 양산급 슈퍼 엔지니어링 소재의 공급과 검증, 적층제조 양산 관리 및 품질 관리를 위한 시스템화, 후처리/표면 마감 등 후공정 자동화를 통한 생산성 향상을 완성해야 하는 단계이다.

3D 시스템즈의 향후 계획에 대해

2020년 3D 시스템즈는 양산급 소재와 물성 데이터 공급, 품질 제어와 관리 그리고 적층제조의 생산성 검증이라는 세 가지 측면에서 향상된 신기술로 적층제조의 다음 단계를 추진하고 있다.

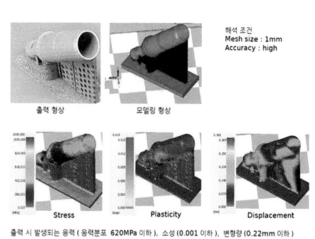

그림 2. 3D 시스템즈의 열변형 해석기반 보상설계

첫째, 제조 기업 고객들과 함께 올해 신규 론칭한 슈퍼 엔지니어링 플라스틱 소재의 적용 검증을 위한 솔루션 제공을 목표로 하고 있다.

둘째, 품질 제어 및 관리를 위해 사전 품질 관리 기술인 빌드 시뮬레이션, 실시간 품질 관리를 위한 모니터링 솔루션, 실시간 및 사후 품질 관리를 위한 인스펙션 솔루션이라는 전주기 품질 관리 솔루션의 공급과 지원을 계획하고 있다.

셋째, 생산성 향상을 위해 레이어링이 없는 연속 성형 기술, 멀티 레이저 및 양방향 적층기술을 장착한 프린터 기술의 공급을 통해 속도 향상을 도모하고 있다. 또한, 금속 부품 제작에 있어서 절삭가공과 적층제조를 융합한 하이브리드 제조 공정의 테스트베드 구축을 통한 생산 타당성 검증을 계획 추진하고 있다. 추가로, 제조 현장에서 3D 프린팅 적층제조 솔루션을 보다 쾌적하게 사용하고 생산성을 높일 수 있도록 국내 장비 제조 기업들과 협력을 통해 후처리 전문화, 자동화 설비 개발 작업을 계획 및 추진하고 있다.

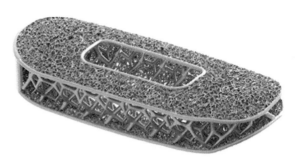

그림 4. 3D 시스템즈의 금속 프린팅 솔루션으로 임플란트 생산 라인을 구축한 의료기기 업체 누바시브(NuVasive)

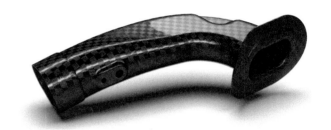

그림 5. 카본 파이버 부품 성형

그림 7. 의료인증 생체 적합 폴리머, 엘라스토머 및 고내열성 소재

그림 8. 실리콘 몰딩을 지원하는 Eggshell 소재

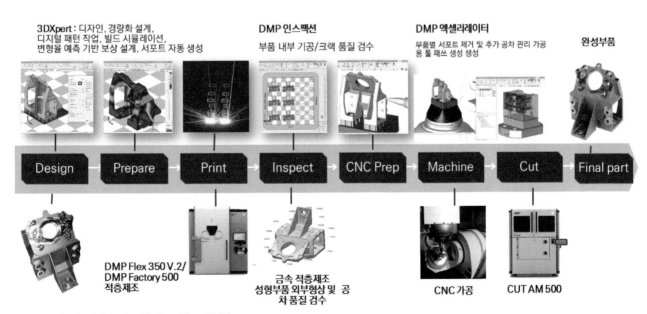

그림 3. 3D 시스템즈의 하이브리드 적층제조: 적층 + 절삭가공

PART 3

3D프린팅연구조합 강민철 상임이사

프로토타입에서 대량생산으로, 3D 프린팅의 성공 모델 발굴한다

3D프린팅연구조합에 대해

3D프린팅연구조합(www.3dpro.or.kr)은 지난 2014년 설립인가를 받아 6년째 활동하고 있다. ICT 디바이스팹과 랩을 판교와 송도에서 위탁운영 중이며 3D 프린팅 보급확산 사업, 표준화 포럼 등 비 R&D 사업과 대형 금속 장비를 개발하기 위한 민간과제 등을 수행 중에 있다. 회원사는 38개사이며 연구원은 총 14명으로 구성되어 있다.

3D 프린팅 시장의 변화와 전망에 대해 어떻게 보는지

많은 사람들은 3D 프린팅에 대한 초창기의 열기가 많이 식었다고 이야기한다. 그러나 3D 프린팅은 기술 출현기와 기술 기대 정점을 넘어서, 이제는 다품종 소량생산이 아니라 대량생산을 위한 전환기에 있다. 전세계 3D 프린팅 시장 규모는 2019년 120억 달러(14조원)로 전년 대비하여 22.3% 성장하였으며, 2024년까지 400억 달러에 이를 것으로 전망하고 있다. 전체 제조업과 대비하면 산업 규모가 아직까지는 미흡한 수준이나 매년 고성장을 하고 있으며, 새로운 적용 분야 개척에 따라 시장 규모는 급속히 성장할 수 있다고 본다.

그림 1. 3D프린팅연구조합에서 위탁 운영 중인 ICT 디바이스팹에서는 6종의 산업용 장비를 구축하여 연간 700건 이상의 시제품 등을 개발 지원하고 있다.

향후 3D 프린팅 분야의 발전을 위해 필요한 것이 있다면 무엇이라고 보는지

3D 프린팅 산업의 환경 변화, 정책추진 성과 및 한계의 점검, 산업의 도약 및 활용 확대를 위한 '제2차 3D 프린팅 산업진흥 기본계획'이 최근에 발표되었다. 이 계획서에도 나와 있지만 인력양성, 소재개발, 민간수요 증대 등이 중요한 핵심 내용이다. 특히 공공부분의 수요를 민간분야에 확산하여 3D 프린팅 기술을 생산공정에 적용하고, 이를 통한 사업화 및 성공모델 발굴 등이 중요하다고 본다.

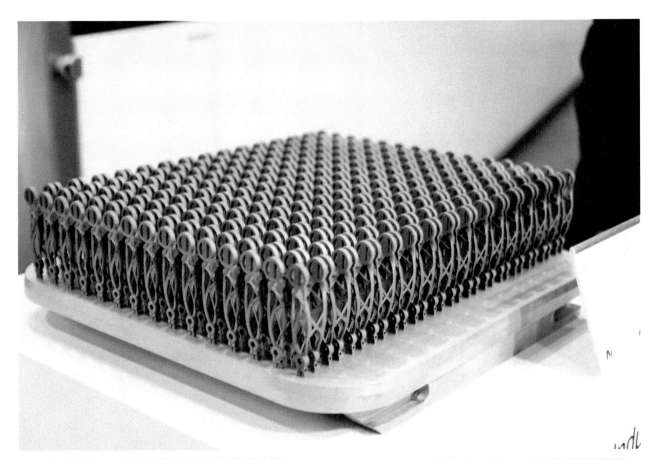

그림 2. 자동차용 힌지. 프로토타입에서 벗어나 양산의 개념으로 추진되고 있다.

3D프린팅연구조합의 향후 계획에 대해

대기업 등 수요기업에서도 3D 프린팅 장비 구입이 확산되고 있으며, 프로토타입에서 벗어나 양산 공정에 활용되는 사례가 늘어나고 있다. 3D프린팅연구조합은 적층제조(AM)를 통해 성공한 우수한 제품을 소개하여 국내 산업을 활성화하는데 기여할 예정이다. 한편으로 소재 분야에서는 국산화가 미진하여 대량생산을 위한 걸림돌이 되고 있는데, 3D프린팅연구조합은 이와 관련된 기술을 조사하고, 민간기업에서 이를 사업화할 수 있는 방안 등을 모색하고자 한다.

그림 3. Inconel 718 소재로 적층된 일체형 로켓엔진 챔버(SLM Solutions)

PART 3

더블에이엠 황혜영 대표

적층제조 전문 서비스로 3D 프린팅 생태계 확장 노력

더블에이엠에 대해

더블에이엠(www.aamkorea.co.kr)은 3D 프린팅 솔루션 글로벌 선도 기업 스트라타시스의 국내 공인 리셀러로서, 스트라타시스의 산업용 전문 프린터를 다수 보유하고 국내 각 산업 분야에서 필요로 하는 3D 프린팅 시제품 제작 및 제조용 툴, 최종 사용 파트 제작을 전문적으로 수행하고 있다. 스트라타시스 시스템 및 솔루션을 제공하는 전문 파트너로, 국내 매뉴팩처링 분야에서 필요로 하는 전문 적층가공 기술의 응용에 대한 고객 지원을 우선으로 하고 있다. 더블에이엠에서 판매하는 적층가공기술 적용 브랜드는 AMFit, MIFit, MediFit, SurgiFit이 있으며 보다 자세한 정보는 더블에이엠 웹사이트에서 확인할 수 있다.

더블에이엠에서 제공하는 전문 제조 서비스에 대해 소개한다면

더블에이엠에서는 글로벌 적층제조의 선도 기업인 스트라타시스의 전문 생산 장비 F900을 비롯하여 Fortus 450MC, F370, J750, J750DAP, Objet30Prime 등의 장비를 보유하고 있다. 여기에 더블에이엠만의 생산 브랜드를 출시해 고객에게 맞춤형 서비스를 제공하고 있는데, 더블에이엠에서 제공되는 전문 제조 서비스는 다음과 같은 제품명으로 공급되고 있다.

AMFit(Applied Manufacturing Fit)

적층가공 시제품 제작 서비스로서, 고객이 원하는 다양한 응용 솔루션에 대하여 전문적인 3D 프린팅 서비스를 제공하는 제품이다. 고객사에서 직접 디자인한 파일을 전달 받고 적용 애플리케이션을 확인한 후, 가장 적합한 3D 프린팅 재료 및 제작 방식 등을 컨설팅하여 최종적으로 최적화된 3D 프린팅으로 파트를 제조하는 서비스이다. 보통 형상, 조립성, 기능성 테스트를 위해 필요로 하는 제조 기업의 시제품 제작 파트로서, 고객사에서 원하는 파트의 디자인을 직접 진행하여 디자인 파일을 더블에이엠에 보내 주면, 전문적인 3D 프린팅 시제품으로 제작되는 서비스를 말한다.

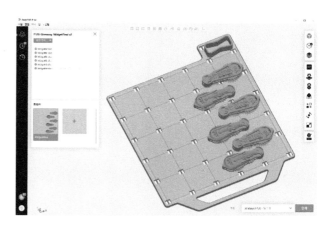

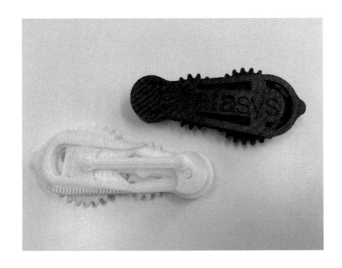

MIFit(Make It Fit)

단순 아이디어나 스케치만 있는 제품의 파트 또는 DfAM
(Design for Additive Manufacturing: 적층제조를 위한
디자인)이 필요한 전문적인 적층가공 응용 서비스가 필요한 제
조 툴링(치공구 및 3D 프린팅 몰드, 로봇 암 & 그리퍼) 및 다
품종 소량 생산이 필요한 직접 제조 파트 등을 더블에이엠에서
직접 디자인 및 설계 작업을 진행하고, 최적의 적층가공 솔루
션을 접목하여 최종 3D 프린팅으로 파트 제작까지 진행하는
제조 서비스이다.

MediFit(Medical Fit)

3D 프린팅된 정형화된 메디컬 모델로 교육 현장에서 실질
적인 모델을 활용한 교육 교구재로 활용되거나, 병원에서 환
자들과 커뮤니케이션 용도로 활용될 수 있는 모델이다. 더블
에이엠에서는 현재 정형화된 다양한 교육용 인체 모델 공급
확장을 위해 의료 영상 데이터 활용 소프트웨어 개발사인 시
안솔루션과 업무협약을 통해 다양한 메디컬 모델을 개발하고
있다.

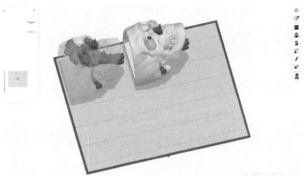

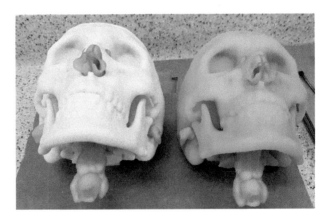

SurgiFit(Surgical Fit)

3D 프린팅된 환자 맞춤형 의료 모델로 환자의 영상 데이터
(CT, MRI 등)를 3D 모델로 변환하여 환자 맞춤형 모델을 3D
프린터로 가장 인체와 비슷한 환경의 모델로 제작하는 서비스
이다. 수술에 대한 정확한 계획 및 시뮬레이션을 진행하여 수
술 성공률을 높이고 수술 시간을 줄일 수 있도록 돕는 의료용
모델을 제작하고 있다. 시안솔루션과 업무 협약을 통해 개인
환자의 영상 데이터를 3D로 전환하고, 인체 환경과 유사한 맞
춤형 모델 제작을 실현하기 위해 더욱 세밀한 제작 서비스를
제공하고 있다.

시장에서 차별화된 더블에이엠의 전문 적층가공 응용 서비
스는 다양한 브랜드를 통해 3D 프린팅을 활용한 적층 제조를
실현하고 있다.

PART 3

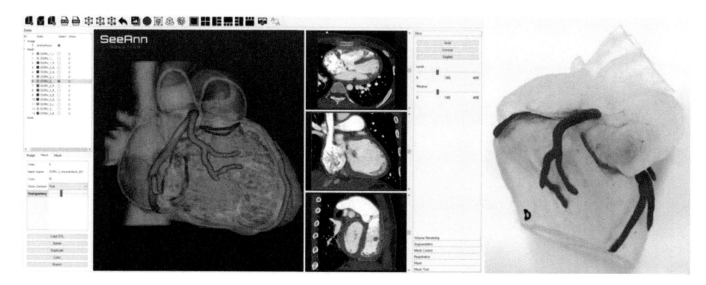

3D 프린팅 시장의 변화와 전망에 대해 어떻게 보는지

중소기업기술정보진흥원의 '중소기업 전략기술 로드맵(2019~2021)'에 따르면 3D 적층제조 시스템 관련 국내 시장은 2017년 3366억 원에서 2022년까지 9434억 원 규모로 연평균 22.9% 성장할 전망이라고 한다. 국내 시장은 제조업에서 활용 수요 부족 및 시장 미성숙 등으로 세계 시장 성장률(CAGR 28%)보다 낮은 상황이다. 아직은 전문적인 생산 보조도구의 생산이나 직접 제조에 대한 활용도가 글로벌 적층제조 선진국들에 비해 현저하게 낮은 편이고, 제품 개발이나 프로세스 개선, 생산 혁신 등에 대한 적극 도입이 더디게 진행되는 국내의 경우 상대적으로 시장 자체의 성장이 더딜 수 밖에 없을 것으로 생각한다.

이에 제조 관련 3D 프린팅의 응용 분야 생태계 확장을 위해 국내 3D 프린팅 업계의 다양한 협업이 요구되고 있다고 생각한다. 더블에이엠은 국내 적층가공응용 부분의 생태계 확장을 위해 협업을 요구하는 다양한 회사 및 고객사들과 더욱 긴밀히 협조하여 생태계 확장에 이바지하고자 한다.

최근 3D 프린팅 분야의 주요한 기술 동향은 어떤지

적층가공 기술 솔루션 및 응용 서비스 전문 기업으로서 고객의 프로세스 개선 및 혁신 적층 기술을 활용한 생산을 위해 다양한 지원을 아끼지 않을 생각이다. 국내 제조업에서 당면한 이슈를 함께 고민하고, 솔루션을 찾고, 다양한 애플리케이션 개발에 앞장서겠다.

적층제조 기술의 적용에 관한 어떤 이슈든 고객이 필요로 하는 부분을 가장 열심히 돕는 기업으로 성장하고자 하는 바람이다. 이에 따라 적층가공 기술을 응용한 제조 부분에서 열심히 그 발자취를 늘려 가기 위한 방안으로 더블에이엠이 자체 제조하여 판매 및 서비스하고 있는 4가지 브랜드에 대한 상표 출원을 진행 중이다. 적층가공 기술을 적극 도입/활용하여 생산량을 늘리는 것이 전체 3D 프린팅 산업의 생태계를 확대할 수 있는 방법이 될 것이다.

AMFit — Additive Manufacturing Fit
디자인 된 3D CAD 파일이 준비 되어 있으면 **필요한 재료와 기술을 접목하여 전문적인 적층 가공 파트로** 만들어 드립니다.

MIFit — Make It Fit
기본 컨셉 모델과 제작 사이즈만 주시면 **역설계 또는 3D CAD 디자인을 직접 진행하고** 적층 가공하여 제작된 파트로 만들어 드립니다.

MediFit — Medical Fit
정형화된 기본 의료 모델로 교육 및 기본 커뮤니케이션을 위한 **3D 프린팅된 인체 모델입니다.** 필요한 모델을 주문하시면 제작하여 드립니다.

SurgiFit — Surgical Fit
환자 맞춤형 의료 모델로 환자의 영상 데이터(CT, MRI)를 주시면 3D 모델로 변환하여 환자 **맞춤형 모델을 제작하여 드리는 서비스** 입니다. 수술 전 시뮬레이션을 위해 필요한 의료 모델입니다.

향후 3D 프린팅 분야의 발전을 위해 필요한 것이 있다면 무엇이라고 보는지

가장 중요한 것은, 개인화되고 많은 커스터마이제이션을 필요로 하는 시장에 직접 제조를 확산시키는 일일 것이다. 더 많은 제조 기업들이 적층제조에 대한 관심과 이해를 높이고, 이를 통해 전체 생태계가 확대되기를 바란다.

더블에이엠은 중소기업 위주로 생산 프로세스 개선을 희망하는 고객사들과 함께 솔루션을 함께 고민하고, 적용 가능한 애플리케이션을 확대하는 일에 가장 중점을 둘 예정이다. 시장 발전을 위해 필요한 일이라면 적용 가능 애플리케이션의 확대 및 그를 통한 제조 프로세스의 개선일 것이다. 적용 가능 애플리케이션이 계속 확장되어야 그에 맞춰 3D 프린팅 기술 또한 더 진보되고 확장될 수 있을 것이다.

향후 더블에이엠의 계획에 대해 소개한다면

더블에이엠에서 주력하고 있는 부분은 적층가공 기술 솔루션 및 응용 서비스 부분에 있어서 모든 고객사에게 국내에서 가장 믿을 만한 파트너가 되는 일이다. 3D CAD를 이미 도입하여 3D 설계를 진행하고 있는 다양한 중소 제조기업을 대상으로 적층가공 기술에 대한 안목과 이해를 높이고, 적용 가능 분야를 함께 확장하여 전통적인 생산방법을 통해 해결하지 못했거나 ROI를 높이지 못했던 부분의 이슈를 해결하는 솔루션 및 애플리케이션을 개발하고 확장하고자 한다.

PART 3

머티리얼라이즈 권순효 팀장

미래 공장을 위해 지속 가능한 3D 프린팅이 필요

머티리얼라이즈의 활동에 대해 소개한다면

1990년 머티리얼라이즈(www.materialise.com/ko)가 설립되었을 때의 목표는 '3D 프린팅이 제공하는 놀라운 잠재력을 새로운 용도로 활용할 수 있도록 하는 것'이었다. 그 이후로 전문적인 경험을 살려 다양한 3D 프린팅을 위한 소프트웨어 솔루션과 3D 프린팅 서비스를 만들었고, 이는 3D 프린팅 산업의 근간을 이루게 되었다. 머티리얼라이즈의 개방적이고 유연한 플랫폼을 통해 의료, 자동차, 항공우주, 예술 및 디자인, 소비재와 같은 산업 분야에서 세상을 더 좋고 건강한 곳으로 만드는 혁신적인 3D 프린팅 사례를 구축할 수 있게 되었다.

벨기에에 본사를 두고 전 세계에 지점을 두고 있는 머티리얼라이즈는 업계에서 가장 큰 소프트웨어 개발자 그룹과 세계에서 가장 큰 3D 프린팅 시설 중 하나인 미래의 공장을 운영하고 있다.

그림 1. 마인드웨어 서비스

최근 발표한 제품이나 기술로는 어떤 것이 있는지

설립 초기부터 머티리얼라이즈는 다양한 기업과 협력하면서 기존의 익숙한 제조방식에서 벗어나 더 나은 방법에 대한 아이디어, 업계 판도를 바꾸는 아이디어를 생각해왔다. 그리고 최근에 이런 업무를 전담하는 마인드웨어(Materialise Mindware)라는 자문 서비스를 시작했다.

마인드웨어는 기업들의 구체적인 목표, 도전, 아이디어에 초점을 맞춰 3D 프린팅 세계를 이해할 수 있도록 돕는 것이다. AM(적층제조)의 이점에 대해 이해하고 비즈니스 전략과의 괴리를 메워서 부가가치는 높고 위험은 낮은 계획을 함께 구축하는 것이 목표이다. 머티리얼라이즈는 기업과 함께 AM 여정을 안내하여 기업이 비즈니스 과제를 해결하고, 혁신을 더욱 촉진하며, 장기적인 AM 채택을 성공적으로 구축할 수 있도록 한다.

또한, 2020년 가을에는 전문 3D 프린팅이 필요한 모든 기업과 산업을 위한 소프트웨어 백본인 매직스(Materialise Magics) 소프트웨어의 최신 버전을 출시할 예정이다. 매직스 소프트웨어는 AM 활동을 관리, 능률화 및 연결하기 위한 스트리믹스(Materialise Streamics) 소프트웨어와 원활하게 작동한다. 스트리믹스 소프트웨어는 자동차, 항공우주, 의료 등 다양한 산업의 AM을 통한 서비스 조직과 소량/맞춤 양산 제조업체 모두가 생산성과 연결성을 높일 수 있도록 만들어졌다.

EOS, GE 애디티브, HP 등 주요 글로벌 3D 프린터 제조사뿐만 아니라 대건테크, 캐리마 등 국내 장비 제조사와 지속적으로 협업한데 이어, 최근에는 다기능 프린터, 복사기, 3D 프린터 등을 만드는 신도리코와 파트너십을 체결하였다. 신도리코와 협약을 통해 머티리얼라이즈의 소프트웨어는 신도리코의 하드웨어 플랫폼에 결합될 예정이다.

그림 2. 매직스 소프트웨어

그림 3. 스트리믹스 소프트웨어

3D 프린팅 시장의 변화에 대해 어떻게 전망하는지

머티리얼라이즈는 기초적인 모양을 만드는데 쓰이던 초창기 기술에서 혁명적인 기술로 성장하여 산업 전반을 변화시키고, 전통적인 제조 공정에 도전하는 3D 프린팅의 변화를 지난 30년 동안 보아왔다. 오늘날 3D 프린팅 산업에서 우리는 더 널리 퍼질 것으로 예상되는 몇 가지 트렌드를 볼 수 있다.

3D 프린팅의 지속가능성 향상

다국적 기업들은 점점 더 영향력이 커지고 있으며, 그 영향과 함께 책임도 뒤따른다. 3D 프린팅 산업 역시 이런 흐름에서 벗어나지 않으며 기술의 사회적, 환경적 영향을 고려할 필요가 있다. 고객이 혁신적이고 의미 있는 사례를 만들 수 있도록 새로운 제품과 기술을 개발하면서, 지속가능성이 최우선으로 고려되어야 한다는 의미이다. 머티리얼라이즈가 제5회 'Factory of the Future' 수상을 했던 이유도 미래의 기술을 사람과 환경에 맞춘 작업으로 가장 잘 조화시키는데 성공한 기

업이며, 동시에 번영하고 지속 가능한 사회에 대한 기술 산업의 기여도가 높았기 때문이다. 이러한 경험과 기술이 들어간 소프트웨어 개발과 서비스 제공을 통해, 고객이 함께 AM 을 통해 지속가능한 비즈니스를 해나갈 수 있도록 노력하고 있다.

기회가 되는 불확실성

경제 상황이 불확실해짐에 따라 제조업체는 비용을 줄이고 위험을 낮추는데 더욱 중점을 둘 것이다. 특히 수요 변동에 민감한 산업에서 운영되는 제조업체는 더욱 그렇다. 오늘날 3D 프린팅은 시제품뿐만 아니라 시장 테스트 및 최종 제품 제작을 위한 보완 기술이 되었다. 동시에 기술 자체가 발전하고 신뢰가 높아짐에 따라, 더 많은 제조업체들이 3D 프린팅을 통해 특정 설계 및 제조 이점을 제공한다. 따라서, 불확실한 시기에 3D 프린팅은 더이상 비용과 위험이 아니라 기회가 된다. 머티리얼라이즈의 마인드웨어 자문 서비스는 이러한 기회를 실현할 수 있도록 시작했다.

그림 4. 머티리얼라이즈는 2019년 Factory of the Future 상을 수상했다.

향후 3D 프린팅 분야의 발전을 위해 필요한 것은 무엇이라고 보는지

3D 프린팅 분야에서 지속가능성은 앞으로 몇 년 동안 주요한 초점이 될 것이다. 여러 가지 면에서 3D 프린팅은 더 지속 가능한 제조 방법이지만, 우리는 더 나은 사회적, 환경적 영향 개선을 위해 여전히 산업 내부를 살펴볼 필요가 있다. 우리는 앞으로 몇 년 안에 밝혀질 두 개의 추가 영역을 다음과 같이 볼 수 있다.

3D 프린팅의 생산성 향상을 위한 핵심 요소인 소프트웨어

3D 프린팅이 새로운 성숙기에 접어들고 있다는 데에 전문가들의 공감대가 형성되고 있다. 3D 프린팅은 30년 전 신속한 시제품 제작 기술로 시작되어 맞춤생산 기술로 발전하며, 현재

는 맞춤/소량 양산에 채택되고 있다. 산업계가 3D 프린팅을 자사의 생산 믹스에 통합하는 작업을 진행함에 따라, 이들의 과제는 기술보다 경제성이 더 중요해졌다. 즉, 비용을 절감하고 효율성을 높이는 것이 목표이다.

소프트웨어는 비용을 줄이면서 생산성과 수익성을 높이는데 중요한 역할을 한다. 이를 위한 한 가지 방법은 향상된 자동화이다. 생산 도중 그리고 생산 후 준비 단계에서 수동 작업을 자동화함으로써 3D 프린팅의 확장성, 효율성 및 비용 절감에 이미 큰 도움이 되고 있다. 3D 프린팅이 이러한 잠재력을 발휘하고 수조 달러의 세계 제조 시장에서 더 많은 점유율을 차지하기 위해서, 3D 프린팅 산업은 상호운용성과 기술 중립적인 솔루션을 제공해야 한다.

산업 제조업체가 3D 프린팅을 최종 제품의 보완적 제조 기술로 채택하는 것에 대해 진지하게 생각하기를 원한다면, 그들은 그들의 유연성과 선택을 제한하는 독점적 솔루션에 갇혀 있을 수 없다. 지난 2018년 머티리얼라이즈가 세계 최대 화학 생산업체인 BASF(바스프)와 전략적 제휴를 맺은 것도 같은 맥락으로, 보다 개방적인 시장 모델을 내세워 3D 프린팅 산업의 성장을 견인하고자 한 것이었다. 머티리얼라이즈의 소프트웨어와 화학 물질에 대한 BASF의 전문지식을 결합함으로써, 새로운 사례 개발을 가속화하고 새로운 비즈니스 기회를 창출할 것이다.

정부의 더 많은 참여

우리는 3D 프린팅이 제조에 더 많이 관여함에 따라 우리 사회에서 중요성이 커지는 것을 보아왔다. 이로 인해 3D 프린팅은 지적 재산과 제품 책임에 대한 규제를 중심으로 정부 환경에서 논의 시점으로 부상하고 있다. 근본적인 우려는 인터넷이 음악과 영화를 바꿔놓은 것처럼, 3D 프린팅이 실제 물체(object)를 바꿀 수 있다는 것이다. 즉, 비즈니스 모델을 바꾸고 모든 가치를 디지털 파일로 이동시키는 가능성을 말한다. 이를 위해 정부는 더 많은 참여를 하게 될 것이다.

머티리얼라이즈의 향후 계획에 대해

머티리얼라이즈는 지속 가능한 3D 프린팅을 만들 것이다. 머티리얼라이즈는 3D 프린팅 산업이 기술의 사회적, 환경적 영향을 고려하고 지속가능성을 최우선 순위로 삼아야 한다고 믿고 있다. 3D 프린팅은 우리가 상호작용하는 사회와 우리가 운영 중인 환경에 미치는 영향을 줄이기 위한 새롭고 혁신적인 방법을 개발하였다. 이를 통해 이미 많은 회사에게 더 지속 가

능한 방법으로 제조할 수 있는 도구를 제공하지만, 우리 산업은 더 많은 것을 할 수 있고 또 필요로 한다. 한 발 더 나아가서, "3D 프린팅이 더 지속 가능한 제조 기술인가"가 문제가 아니라 "3D 프린팅을 보다 지속 가능하게 만들기 위해 무엇을 할 수 있는가"가 중요한 과제이다.

머티리얼라이즈는 지속적인 혁신 기반을 구축해 나갈 것이다. 지속적인 기술 혁신과 3D 프린팅을 통해 구현되는 설계 최적화에 대한 더 나은 이해를 통해, 최종 제품의 제조 기술로서 3D 프린팅의 채택을 촉진해 나갈 것이다. 그리고 원활한 워크플로를 제공하고자 한다. 기업은 3D 프린팅 작업을 확장하고, 이러한 작업을 기존 및 검증된 생산 프로세스와 통합함에 따라 복잡성의 증가에 직면하게 된다. 머티리얼라이즈는 AM 제조 공정을 최적화 및 통합할 수 있는 기술과 솔루션을 제공하고, 보다 원활하고 더 나은 통합 워크플로를 만들 수 있도록 지속적으로 도울 것이다.

머티리얼라이즈는 의료 분야에도 꾸준히 관심을 기울이고 있다. 헬스케어의 미래는 환자 맞춤 계획에 있다. 지능적인 수술 계획으로 보다 예측 가능한 결과가 나오고, 환자의 만족도가 높아질 수 있다. 선도적인 병원들은 3D 프린팅의 실습을 통합하고 있으며, 개인 맞춤화된 환자 진료를 위해 의료 실무의 일환으로 Point-of-Care 3D 프린팅 시설을 만들고 있다. 머티리얼라이즈는 개인 맞춤 의료를 향상시키고 병원이 3D 기술 도입을 촉진할 수 있도록 지원하고자 한다. 또한, 근거 기반의 접근 방식이 주도해 온 의료 산업에서 3D 프린팅의 채택을 위한 엄격한 품질 표준이 만들어지면, 의료의 질을 높이며 궁극적으로는 비용 절감으로 이어질 것이다.

PART 3

HP 알렉스 랄루미에르 아시아태평양지역
3D프린팅·디지털 제조 총괄

3D 프린팅의 기술 발전과 비용 하락이 디지털 제조를 확산시킬 것

3D 프린팅 분야에서 HP의 활동과 제품, 기술에 대해 소개한다면

HP(www8.hp.com)는 워크스테이션에서 3D 프린팅에 이르기까지 제조의 미래를 가능하게 하는 기술과 솔루션을 보유하고 있다. HP는 엔지니어, 디자이너 및 개발자들이 초기 설계부터 신속한 시제품 제작, 그리고 최종 부품 제조에 이르기까지 자신의 아이디어를 끊임없이 구현할 수 있도록 돕고 있다.

한국 정부가 3D 프린팅 분야와 기술력을 키우려고 하는 가운데, HP는 강력한 제품 포트폴리오와 튼튼한 기술생태계를 구축하여 기술에 대한 접근폭을 확대하면서 변화에 기여하고 있다. 특히, HP는 2017년에 획기적인 속도와 낮은 비용으로 부품을 프린팅할 수 있는 젯 퓨전 4200 프린팅 솔루션을 한국에 출시했다.

■ **HP 젯 퓨전 500 시리즈:** 엔지니어링 등급의 기능성 프로토타입 부품을 타 3D 프린터보다 빠르고 우수하고 저렴하게 제작할 수 있는 최초의 3D 프린팅 솔루션으로, 중소 제품개발팀과 디자인 회사, 대학 및 연구기관에서 보다 쉽게 접근할 수 있다.
■ **HP 젯 퓨전 5200 시리즈:** 경제성, 성능 및 품질을 개선하고 새로운 시스템, 데이터 인텔리전스, 소프트웨어, 서비스 및 재료 혁신을 통합하여 고객이 3D 생산을 확대할 수 있도록 도와주는 HP의 첨단 3D 플라스틱 인쇄 솔루션이다.
■ 새로운 애플리케이션을 가능하게 하는 BASF, Lubrizol의 TPU 및 최근에는 PP 등의 새로운 재료가 등장했다.

HP의 젯 퓨전 3D 프린팅 솔루션은 HP의 고유 기술인 멀티 젯 퓨전 기술을 기반으로 한다. HP 멀티 젯 퓨전 기술은 다른 열가소성 플라스틱 3D 프린팅 기술과 달리, 두 층이 완전히 융합되도록 용해된 이전 층 위에 새로운 재료와 작용제를 인쇄한다. 이를 통해 강력하고, 세밀하고, 기능적이며 고품질의 3D 프린팅 부품을 인쇄할 수 있다.

HP는 제조업체와 혁신적인 기업들이 효과적으로 생산성을 높일 수 있는 신기술로 3D 프린팅 포트폴리오를 지속적으로 확장하고 있다. HP는 고객들이 제조를 디지털화하고 비즈니스 모델을 혁신할 수 있는 전체적인 포트폴리오를 갖추고 있으며 이는 기능성 프로토타이핑에서 대량생산까지 아우른다.

3D 프린팅 시장의 변화와 전망에 대해 어떻게 보는지

이번 코로나19 사태로 인해 여실히 드러난 것처럼, 점점 더 많은 기업이 공급망 장애를 완화하는데 3D 프린팅이 중요한 역할을 할 수 있다는 사실을 알게 되었다. 이로 인해 3D 프린팅 시장의 전망은 밝다고 생각한다.

다음은 3D 프린팅 시장의 긍정적인 전망을 뒷받침해주는 자료이다.

■ 한국의 3D 프린팅 시장은 2023년에 1조원을 돌파할 예상이다.(연평균 21.5% 성장)

PART 3

- 과학기술정보통신부는 2019년에 593억원(2018년 예산대비 16.8% 증가)를 투입해 빠르게 성장하는 산업 육성을 위한 3D 프린팅 전문지식을 개발하겠다고 밝혔다.
- 한국에서 3D 프린팅 기술은 주로 교육, 기계, 전기/전자기기, 건축 자동차, 의료/치과 분야에 활용된다.
- 현재 3D 프린팅 기술은 시제품 제작, 전시 모델, 디자인 검증, 교육, 연구 등에 활용되고 있다.
- ■ 전 세계적으로 제조 분야의 3D 프린팅은 기술, 성숙도, 비용 절감을 위한 노력으로 인해 다양한 산업 분야에서 계속 확장될 것이다.
- IDC는 2022년까지 전 세계 3D 프린팅 관련 지출이 227억 달러에 이르고, 5년간 연평균 성장률은 19.1%에 이를 것으로 예상하고 있다.
- 순위별 상위 업종은 이산형 제조(전세계 지출 절반 이상), 헬스케어(18억 달러), 교육(12억 달러), 전문 서비스(9억 달러) 등의 순서이다.
- 가장 빠른 속도로 성장하는 산업은 헬스케어(연평균 29.8% 성장)와 교통(연평균 28.3% 성장) 산업이다.

출시 이후엔 3D 프린터 제품 포트폴리오가 다양해진 것처럼, 고객층도 교육 분야부터 전자기기 생산, 자동차 산업에 이르기까지 굉장히 다양해졌다.

최근 3D 프린팅 분야의 주요한 기술 동향은

오늘날 3D 프린팅은 대부분 3D 프린팅 비용보다 그로 인해 얻는 혜택이 더 큰 소규모, 고비용 업계 혹은 애플리케이션에서 사용되거나 주문제작을 목적으로 사용된다. 기술의 발전을 통해 3D 프린팅을 대량생산에 적용할 수 있게 되었다. HP는 더 많은 회사가 3D 프린팅 시장에 진입함에 따라 더욱 뛰어난 재료를 선보일 것으로 기대하고 있다.

제조업에서 3D 프린팅은 앞으로 기술의 진보와 성숙도와 가격 절감을 통하여 더 넓은 영역에서 사용될 것이며, 다양한 가격대의 제품이 업계에 선보일 것이다. 향후 5년에서 7년 사이에 외부 의료기기, 맞춤형 소비자 제품, 개선된 연비를 위해 설계된 항공우주 및 자동차 부품 업계에 3D 프린팅이 사용될 것으로 예상된다.

장기적으로 볼 때, 3D 프린팅은 전통적 프로세스와 어깨를 나란히 할 정도로 일반적인 생산 기술이 될 것이다. HP는 3D 프린팅 기술, 생산성, 그리고 경제성의 한계를 넓혀 나가면서 3D 프린팅의 접근성을 높이고, 더 많은 부분에서 이를 채택하는데 도움을 주고 있다.

- ■ HP는 젯 퓨전 300/500 3D 프린터를 선보이며 수백만 명의 혁신 가들에게 개선된 3D 프린팅 접근성을 제공하였다.
- ■ 생산용 금속 파트 대규모 생산에 HP 메탈 젯(Metal Jet)이 사용되었다.

- ■ 새로운 젯 퓨전 5200 시리즈는 새로운 시스템, 데이터 인텔리전스, 소프트웨어, 서비스, 재료의 혁신(TPU)을 이끌어내 고객이 3D 생산을 늘리는데 도움을 주었다.
- ■ 또한, HP는 아시아 태평양 지역의 리셀러 및 서비스 제공자와 컬래버레이션을 진행하였다.

HP의 주요한 3D 프린팅 성공 사례를 소개한다면

코로나19 사태에 대한 대응은 중요한 분수령이 되었다. HP는 파트너와 함께 3D 프린팅을 이용하여 330만 개의 파트를 생산해냈다. 이를 통해 서플라이 체인의 갭(gap)을 메울 수 있었으며, 로컬 프로덕션이 가능하게 하였고, 의료보건 종사자분을 도울 수 있었다.

HP와 전세계 30여 개 파트너 및 고객사로 이루어진 글로벌 네트워크는 파트 설계 및 생산 분야를 이끌어 왔다. 이러한 역량을 기반으로 긴급한 니즈를 충족하며 새로운 생태계를 이끌어 지역 생산 및 유통을 가능하게 하였다. 이와 관련된 세부 내용은 다음과 같다.

- ■ 54만 개의 얼굴보호 마스크를 캐나다 정부에 전달
- ■ 10만 개의 얼굴보호 마스크를 HP 파트너인 Avid와 함께 미국 네바다 주에 전달
- ■ 4만 5000 개의 얼굴보호 마스크를 SmileDirectClub과 함께 의료기관에 전달
- ■ 4만 5000 개의 전동식 호흡 보호구(PAPR 후드)를 Superfeet과 함께 의료기관에 전달
- ■ 수십만개의 비강용 면봉을 Abiogenix/Fathom과 생산 파트너인 Forecast 3D, ZiggZagg와 함께 제작
- ■ 5만 개 이상의 PPE 실드와 마스크 조정장치를 영국 기반의 생산 파트너와 함께 제작
- ■ 유럽에서 세계 최초 3D 프린팅을 통해 생산한 FFP2 승인을 얻어냄

교통/자동차 산업의 성공 사례는 다음과 같다.

- ■ BMW 그룹은 HP의 기술을 사용하여 BMW i8 로드스터(i8 Roadster)용 창문 가이드레일을 생산하였다. 24시간 내에 최대 100개의 레일 생산이 가능하며, BMW의 경우 올해 초 3D 프린팅을 사용하여 생산한 부품의 개수가 100만 개를 돌파하였다.
- ■ 폭스바겐 그룹은 HP의 3D 프린팅 기술을 메탈 및 플라스틱 자재에 사용하기로 결정했다. 신형 T-Cross SUV 생산에 사용된 모든 툴은 HP의 멀티 젯 퓨전 기술을 사용하여 프린트된다.
- ■ 이에 더하여, 폭스바겐은 그동안 오랫동안 사용해 온 설계 및 생산 로드맵에 HP의 메탈 젯을 접목하고 있다. 이를 통해 일단 개인 키링이나 외장 네임 플레이트와 같은 대량 커스터마이징이 가능한 파츠를 생산하고 있다.

또한, HP는 보건산업에서도 다양한 성공 사례를 만들고 있다. 미국에서 멀티 젯 퓨전 3D 프린팅을 기반으로 가장 많은

제품을 생산하는SmileDirectClub은 하루 각기 다른 마우스 몰드를 최대 5만 개 생산할 수 있다. 이를 통해 환자의 교정 부담비가 최대 60%까지 줄어든다. 이에 더해 HP와 함께 재활용 프로그램도 실시 중인데, 여분의 3D 자재와 이미 사용된 플라스틱 몰드를 재활용하여 전통적 인젝팅 몰딩용 팔레트를 제작한다. 즉, 더욱 지속가능한 생산을 가능하게 하고 있다.

향후 3D 프린팅 분야의 발전을 위해 필요한 것은 무엇이라고 보는지

기술과 지식은 미래에 새로운 돌파구를 제공하며 서로를 더욱 발전시킬 것이다. 3D 프린팅 기술은 더욱 빠르게 발전하고 있다. HP는 3년만에 3D 프린팅의 속도, 총 비용, 부품 품질과 관련하여 엄청난 발전을 이루어냈다. 그리고 소프트웨어와 머신러닝을 통하여 생산성과 반복성을 더욱 증진시키고 있다. 이를 통해 적층가공(AM) 업계가 더욱 발전하고 있으며, HP는 앞으로도 기술의 한계를 넓혀 나가며 더 많은 영역에 우리의 기술을 접목시킬 것이다.

그와 반대로, 오늘날 기술의 한계에 대한 적절한 이해 없이는 제대로 된 테스트가 이루어질 수 없다. 그래서 HP는 지속적으로 HP의 고객뿐만 아니라 더 넓은 시장과 지식을 공유하고 있으며, 이를 통해 새로운 가능성을 탄생시키고 있다. 고객으로부터 피드백을 전달받아 HP의 기술을 향상시키고 앞으로도 멀티 젯 퓨전 기술의 새로운 적용을 이끌어내도록 노력할 것이다.

HP의 향후 계획에 대해 소개한다면

HP는 디지털 제조를 현실화하기 위해 멀티 젯 퓨전 기술을 접목하고자 노력하고 있다. HP는 앞으로도 업무의 자동화를 통한 생산성 향상 및 소프트웨어와 머신러닝을 통해 수익성 향상, 새로운 재료를 사용한 응용확대를 위해 꾸준히 투자할 것이다. 거기에 더해 HP는 앞으로 전문 서비스와 관련해 더욱 강력한 포트폴리오를 구축하여, HP의 고객분들이 설계 능력을 최대한 발휘하고 더 많은 응용을 실현할 수 있도록 도울 것이다. HP는 앞으로 다가올 미래를 기대한다.

PART 3

캐리마 이병극 대표이사

고속 대형 3D 프린팅 기술 및 기능성 소재 개발 노력

최근 캐리마가 선보인 제품이나 기술에 대해 소개한다면

캐리마(www.carima.co.kr)는 고해상도 및 대면적의 전문가용 3D 프린터인 DM250K와 DM400A를 출시했다. 이 제품들은 덴탈, 주얼리 및 다양한 산업군에서 요구되는 고정밀의 부품 및 시제품과 현장에서 바로 사용이 가능한 직접 생산 제품 등을 제작할 수 있다. 이를 통해 대량생산이 불가능했던 기존 3D 프린터와 달리 제조업에서 3D 프린팅을 활용한 새로운 제조 환경을 만들어 준다.

DM250K는 고해상도 4K UHD(3840×2160)를 이용하여 대형 조형이 가능하도록 광균질화 알고리즘, 이미지 처리 알고리즘 등을 탑재한 산업용 3D 프린터이다. 대형 조형에 최적화된 이형 메커니즘을 사용하여 안정적인 출력 및 균일한 품질을 제공하여 높은 정밀도가 요구되는 모델의 반복 재현 생산이 가능하다. 대형의 정밀 부품뿐 아니라 주얼리 시장에서 활용할 경우 대형 액세서리를 한번에 출력할 수 있다.

DM400A는 400×338×500mm 급의 대형 빌드 크기를 갖춘 DLP 방식 3D 프린터로서 직접 대량 생산을 계획하는 제조업체에 특화된 장비이다. 하향식 방식 구조로 안정적인 출력을 보장하며 우수한 표면 조도를 보장한다. 또한 산업 분야에서 요구되는 다양한 물성의 소재를 활용하면 실사용 부품을 직접 대량 생산할 수 있다. 사용자 편의를 위해 손쉬운 레진 탱크 교체가 가능하며, 멀티 엔진 화면 제어 기술 등 이미지 중첩 처리 제어기술이 탑재된 것이 주요 특징이다.

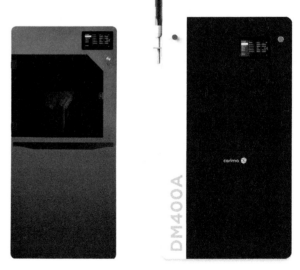

그림 1. DM250K(왼쪽)와 DM400A(오른쪽) 3D 프린터

소개할 만한 성공 사례가 있다면

캐리마의 대표 제품군인 IM2는 의료, 덴탈, 주얼리, 산업군 등 여러 전문 분야로 특화된 제품들이 출시되면서 그 명성을 얻고 있다. 덴탈 전문 3D 프린터는 국내 대표 임플란트 업체인 디오와 ODM 방식으로 500대를 계약해, 캐리마의 연 매출 중 30% 이상을 차지하고 있다. 현재까지 국내 덴탈 시장에서 단기간 내 가장 많이 판매된 3D 프린터로 기록되어 Digital Dentistry(디지털과 치과의료 산업의 융합)가 도입되던 덴탈 시장에서 일찌감치 명성을 알리는 초석이 되었다.

캐리마의 기술력은 품질을 까다롭게 검토하는 일본 시장에서도 인정받았다. 일본 기업들과 거래를 통해 고정밀, 고속출력, 반복 재현성 등 캐리마의 기술력과 품질관리 능력이 합쳐져 시너지가 극대화되었고, 일본의 파트너사로 100여 대 이상 꾸준히 거래 중이다. 이러한 성과를 바탕으로 북미의 북미 세라믹 소재 전문 기업과는 다른 전세계 수많은 광중합 방식의 3D 프린터 제조사들과 경쟁 끝에 단독으로 100만불 규모의 수출계약을 체결하는 쾌거까지 이루었다. 캐리마는 앞으로도 지속적인 소재 및 장비 개발을 통해 수출 규모가 더욱 커질 것으로 예상한다.

그림 2. DM250K 3D 프린터의 출력물

향후 3D 프린팅 분야의 발전을 위해 필요한 것이 있다면 무엇이라고 보는지

앞으로 캐리마가 넘어야 할 과제는 고속 및 대형 출력의 한계를 뛰어넘는 것뿐 아니라 기능성 엔지니어링 광중합 3D 프린팅용 소재의 개발이다. 이를 활용하여 제조 분야가 3D 프린팅을 활용하는데 있어 단순히 시제품 제작에만 머무르지 않고, 직접디지털생산(DDM: Direct Digital Manufacturing)이 가능하도록 그 길을 열어줄 것으로 기대한다.

캐리마는 기존의 제조 공법과 협업하는 하이브리드 3D 프린팅 기술과 같은 다양한 실험도 진행하고 있다. 캐리마는 2019년 국방부 및 서울교통공사와 함께 단종 및 예비 부품에 대한 주조용 3D 프린팅 솔루션을 사업화하여, 형상이 복잡하고 제조 비용이 비싼 노후 철도차량의 부품을 출력하고 몰드를 제작했다. 그 결과 부품 조달 기간이 1/3 축소되고 복잡한 형상도 간단하게 제작할 수 있었다. 가격도 기존보다 40% 절감하였으며, 무엇보다 외산에 의존해야 했던 특정 부품의 국산화라는 성공을 거뒀다.

한편 캐리마는 다양한 광중합 3D 프린팅 기술(DLP, SLA, LCD)뿐 아니라 메탈 프린팅 등을 구비하였고, 일선 현장에 도입하여 실질적으로 생산성을 극대화를 할 수 있도록 '3D 프린팅을 도입한 스마트 팩토리 공정'에 대해서도 새롭게 연구하고 있다.

캐리마의 향후 계획에 대해

캐리마가 가장 집중하고 있는 3D 프린팅 기술은 C-CAT(연속적층기술)의 고속화이다. 캐리마는 이미 2014년 해당 기술을 발표하여 외신으로부터 호평을 받은 바 있으며, 2016년에는 시간당 600mm의 고속 출력을 시연하는데 성공하였다. 올해는 C-CAT 기술을 상용화할 수 있도록 개발을 마무리하고, 2021년에는 C-CAT 기술이 적용된 3D 프린터 제품을 출시할 계획이다.

그림 3. DM400A 3D 프린터로 출력한 지그 픽스처

PART 3

메탈쓰리디 주승환 CTO

금속 3D 프린팅 기반의 대량생산 시스템 기술 개발

현재 어떤 활동을 하고 있는지 소개한다면

메탈쓰리디(metal3d.co.kr)는 국내 공정 자동화 시스템 전문업체인 원포시스와 주승환 CTO의 합작으로 지난 2018년 설립됐다. 국내 최초의 메탈 3D 프린터 개발 경험을 바탕으로 산업용 메탈 3D 프린터를 개발 완료하여, 중공업 등 산업 현장에 생산용으로 납품을 시작했다.

메탈쓰리디는 2020년 양산 시스템 구축을 시작으로 100대의 금속 3D 프린터를 보급하는 것을 목표로 하고 있다. 2019년까지는 3D 금속 프린팅의 물성 및 피로 강도 문제 해결과 소프트웨어 완비 등에 주력했다면, 올해부터는 납품을 통해 인프라를 구축하고, 2021년부터는 본격적인 판매와 확산 등으로 가격 경쟁력을 갖춰나가는 3단계 전략을 추진하고 있다. 현재는 두 번째 단계의 막바지이며, 앞으로는 인공지능(AI)을 활용한 3D 프린팅 공정도 추진하고자 한다.

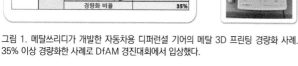

No	소재	비중		7.3
1	주철	본제품 부피(mm^3)		568,311.31
		본제품 무게(kg)		4.1
		라틱스제품 부피(mm^3)		363,355.10
		라틱스제품 무게(kg)		2.7
		경량화 비율		34%

No	소재	비중		7.98
2	SUS316L	본제품 부피(mm^3)		568,311.31
		본제품 무게(kg)		4.5
		라틱스제품 부피(mm^3)		363,355.10
		라틱스제품 무게(kg)		2.9
		경량화 비율		35%

그림 1. 메탈쓰리디가 개발한 자동차용 디퍼런셜 기어의 메탈 3D 프린팅 경량화 사례. 35% 이상 경량화한 사례로 DfAM 경진대회에서 입상했다.

메탈쓰리디는 고른 품질과 물성이 나오는 3D 금속 프린팅 기술력을 위해 울산에 국내 최초로 3D 프린팅 스마트 공장을 갖추고 양산을 위한 시제품 개발에도 매진하고 있다. 이 스마트 공장은 기존 부품을 3D 스캔하고 CAD 데이터를 생성해 역설계를 진행한다. 이후 CAD 및 CAM으로 시뮬레이션한 뒤, 3D 금속 프린터로 적층가공(AM)을 진행한다. 이후 와이어 커팅과 열처리 등 후처리를 거친 뒤 3D 검사 및 물성 검사를 거쳐 최종 품질을 확인한다.

3D 프린팅 시장의 변화에 대해 어떻게 보고 있는지

금속 3D 프린팅 기술은 현장에 적용하기 어렵다는 인식이 팽배할 정도로 난제 중 하나로 받아들여진다. 해외에서는 이미 자동차는 물론 항공사와 조선소 등에서 활용될 만큼 기술이 발전하고 있지만, 한국에서는 이 정도의 기술력을 갖추기가 만만치 않은 실정이기 때문이다. 메탈쓰리디는 기술 개발을 통해 이런 한계를 극복하고, 제조업의 양산 시스템에 금속 3D 프린터를 적용하는데 성공했다. 이러한 성공을 바탕으로 2020년은 국내 3D 프린팅 산업에도 지각변동이 일어나는 원년이 될 것으로 기대한다.

메탈쓰리디가 주목하고 있는 3D 프린팅 기술 동향은 무엇인지

메탈쓰리디 개발팀은 $250 \times 250 \times 250mm$ 사이즈의 MetalSys 250에 이어서, $500 \times 330 \times 330mm$ 사이즈의 듀얼 레이저를 갖춘 MetalSys 500을 개발했다. 향후에는 중공

업 , 자동차 회사 등에 납품을 하기 위해 대량 생산 시스템을 자체적으로 갖출 예정이다. 이를 위한 물성 검증도 완료된 상태이며, 타이타늄과 알루미늄, 인코넬, 구리, 코발트크로 합금 등 다양한 소재들도 활용이 가능하다.

외산 3D 금속 프린터와 비교할 때 성형속도가 거의 비슷하게 나타나는 것을 확인하고 한국에서의 프린터 개발 가능성을 발견했다. 이번에 MetalSys 500이 구축되면 국내에서는 최초로 3D 금속 프린터를 이용한 대량양산 시스템이 이뤄지는 셈이다.

이 프린터의 PBF(Powder Bed Fusion) 방식은 금속 분말을 한 층씩 적층한 뒤 레이저로 용융해 결합시키고 다시 적층을 반복하는 방식으로, 공정이 간단하고 정확하며 별도의 절삭을 요구하지 않아서 기존 절삭 가공 방식보다 80% 정도의 재료비 절감이 가능하다. 또한 다양한 아이디어 제품을 한 번에 빠른 방법으로 제작하는 것이 가능하다. 메탈쓰리디의 듀얼 레이저 오버랩 기술은 레이저를 사용할 때 나타나는 경계면을 최소화해 최고의 품질을 보장한다.

아울러 MetalSys 시리즈를 지원하는 MPT 품질관리 소프트웨어는 레이저로 금속을 녹이고 붙이는 과정을 하나하나 기록할 수 있어서 품질을 꼼꼼하게 체크할 수 있다. 또한 이 프린터는 국내외 시중에 나와 있는 프린터 소재들을 거의 다 사용할 수 있도록 제작됐다. 최근에는 고등기술원과 함께 국산 프린터 외에 독일 오알레이저 제품에도 장착되도록 기술을 개발하여, 국내외에 알려지게 되었다.

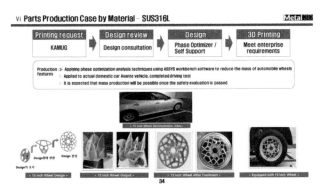

그림 2. 국산 메탈 3D 프린팅 장비를 이용해 3 피스의 대형 자동차 휠을 제작한 사례

향후 계획에 대해 소개한다면

메탈쓰리디가 제작한 500×330×330mm 사이즈의 듀얼 레이저를 갖춘 MetalSys 500 3D 프린터는 중공업 부품을 양산하기 위한 시스템 라인에 구축되어 생산을 진행할 예정이다. 이를 시작으로 메탈쓰리디는 3D 금속 프린터를 활용한 다양한 양산 체제를 발굴하고, 영남권에 3D 프린팅 대응전략 기지

를 수립할 계획이다. 아울러 앞으로는 지금보다 더욱 대형 성형이 가능한 MetalSys 800의 개발도 진행할 예정이다.

중공업 현장만 둘러봐도 부품이 수만 가지가 넘는다. 이 가운데 3D 프린팅으로 단가를 맞출 수 있는 부품들이 많지만 아직 찾지 못했을 뿐이다. MetalSys 시리즈의 출시로 가능성이 알려지면 양산 체제의 큰 변화가 올 것으로 기대한다. 특히 울산은 그렇게 될 수 있는 최적의 환경이라고 볼 수 있다.

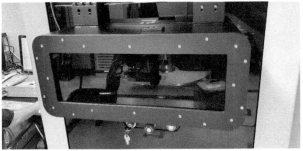

그림 3. 고등기술원과 공동 개발한 메탈 3D 프린팅 부품 품질 관리 시스템을 독일 오알레이저 장비에 장착했다.

PART 3

HS하이테크 김윤현 부사장

3D 프린팅 기술을 활용한 비정형 건축물 제작

HS하이테크 내에 새롭게 구성된 '건설 3D프린팅랩'에 대해 소개한다면

HS하이테크는 반도체 세정장비의 핵심부품을 개발·제조하는 회사이다. 반도체 산업에서 쌓은 정밀가공 기술을 기반으로 한 신사업 일환으로 3D 프린팅 사업을 2016년부터 추진했다.

메탈 3D 프린팅 외에 건축 분야에도 3D 프린팅 기술을 접목하였고, 건설기술을 혁신하고자 먼저 제주도에서 자회사 3DPRIYOL을 설립하여 건축 3D 프린팅 사업을 진행했다. 이후 인재 확보와 고객발굴을 효율적으로 진행하기 위해 경기도 동탄에 건설 3D프린팅랩이라는 연구소를 신설하게 되었다.

건설 3D프린팅랩에서 진행하고 있는 프로젝트 또는 제작 사례가 있다면

건설 3D프린팅랩에서는 최근 어댑티브 조인트(Adaptive Joint)를 개발하고 이를 접목해 3D 프린팅 다목적 건축물인 블로비(Blobee)를 제작했다.

조인트는 기계류나 가구, 건축물을 결합 또는 접합시키는 부품이다. 건설 3D프린팅랩에서 자체적으로 개발한 어댑티브 조인트는 곡면 구조물의 기하학적 난제를 효과적으로 해결한 조인트 시스템으로, 기존 방식에서는 기대할 수 없는 높은 형상자유도와 신뢰성 있는 정밀도를 통해 비정형 건축물을 빠르고 쉽게 제작할 수 있다.

그림 1. 3D 프린팅 다목적 건축물인 블로비

그림 2. 건설 3D프린팅랩에서 자체개발한 어댑티브 조인트

그림 3. 플랜트와 가드닝 용품으로 꾸며진 블로비 내부 이미지

또한 어댑티브 조인트 기술을 통해 제작된 블로비는 지난 7월 앨리웨이 광교에서 라이프스타일 편집숍인 '식물원(SIKMUL1)'과의 콜라보를 통해 초여름의 정취에 어울리는 싱그러운 가드닝 공간으로 변신하기도 했다. 블로비 내부에는 식물원의 전문 가드너가 선별한 다양한 품종의 플랜트와 가드닝 용품으로 꾸며졌다.

블로비는 다양한 색상 및 소재 패널 활용을 통해 원하는 분위기를 자유롭게 연출할 수 있는 건축물로 향후 가드닝 스페이스, 팝업 스토어, 글램핑, 티하우스 등 사용자의 특성에 맞게 다양하게 활용될 수 있다.

건설산업에 3D 프린팅 기술을 활용했을 때 이점이 있다면

건설산업에 3D 프린팅 기술을 활용하면 건물의 시공속도를 높이는 것뿐 아니라 기존 공법으로는 시공이 불가능했던 건축물을 제작할 수 있다. 하나의 예로 비정형 건축물을 이야기할 수 있는데, 비정형 건축물을 시공하기 위해서는 각기 다른 조인트가 필요하기 때문에 공사기간 내에 제작하는데 어려움이 있다. 그러나 3D 프린팅 기술을 활용하면 공사기간 내에 각기 다른 디자인의 조인트를 제작할 수 있을 뿐 아니라 공사기간을 줄여 주기 때문에 사업 비용 또한 절감할 수 있다.

3D 프린팅 분야의 최근 주요 트렌드가 있다면

3D 프린팅 기술은 4차 산업혁명의 화두였지만, 양산이 제대로 이루어지지 않아 시제품을 만드는 기술로 머물러 있었던 것이 현실이다. 하지만 산업 전 분야에서 디지털화가 급속도로 증가하고 소비의 요구가 다양화되면서 제조 분야의 다양한 니즈를 반영한 3D 프린팅 제품이 등장하고 있다. 특히 복잡한 구조, 1:1 맞춤형 등 기존 제조공정으로 제작이 어려웠던 제품의 생산이 증가하고 있으며, 메탈 3D 프린팅의 경우 부가가치가 높은 예술품, 의료/덴탈 분야에서 활용도가 높아지고 있다.

향후 건설 3D프린팅랩의 기술 개발 및 비즈니스 방향에 대해 소개한다면

향후 건설 3D프린팅랩에서는 제주도에 '3D 프린팅 테마파크'를 만들 계획이다. 건물 자체를 3D 프린팅 기술을 이용해 디자인을 구현해내고, 이를 통해 3D 프린팅 기술이 비용 절감에 어떠한 효과를 가져오는지를 보여주고자 한다. 또한 블로비는 사용자들의 특성에 맞게 제작해 계속해서 판매를 이어갈 계획이다.

그림 4. 광교 갤러리아 백화점 파사드 비정형 커튼월 사례

PART 3

그래피 심운섭 대표이사

글로벌 3D 프린팅
소재 전문 기업으로
도약 목표

그래피(http://itgraphy.com)는 산업용 3D 프린팅 소재를 개발하고 있다. 프로토타입이 아닌 최종 제품을 생산할 수 있도록 강성과 내충격성을 강화한 소재를 비롯해 의료, 덴탈 등 다양한 분야를 겨냥한 소재 기술력을 갖추고 있는 그래피는 소재 전문 기업으로서 국내뿐 아니라 해외 시장에도 진출할 계획이다.

제조를 위한 3D 프린팅 소재의 필요성 절감

3D 프린팅 기술이 제조산업에서 생산 기술로 자리잡기 위해서 해결해야 할 과제 중 하나로 소재가 꼽힌다. 실제 부품 또는 제품을 만들어 무리없이 사용할 수 있을 만큼 튼튼하고 충격을 견딜 수 있는 소재가 필요하다는 목소리가 꾸준히 나오고 있다.

그래피는 광경화성 수지를 중심으로 3D 프린팅 소재를 개발하는 전문 기업이다. 3D 프린터 공급업체와 덴탈업체를 거치며 3D 프린팅을 생산에 활용하고자 고민해 온 그래피의 심운섭 대표이사는 "3D 프린터를 이용해 생산을 시도할 때 가장 한계를 느낀 것이 소재였다. 시제품이나 목업에 머무르지 않고 실제 최종 부품이나 제품을 생산할 수 있는 소재를 개발하기 위해 그래피를 창업하게 되었다"고 소개했다.

산업 분야에 활용 가능한 소재 개발에 주력

2017년 설립 이후 그래피는 소재 관련 원천 기술을 확보하기 위해 노력했고, ABS보다 강도를 2~3배 높이고 내충격성도 높은 소재를 개발했다. 이 소재는 3D 프린팅할 때 레이어가 강하게 접착해서 강도를 높일 수 있게 했다. 또한 그래피는 고분자체의 광경화성 수지를 비롯해 탄성, 내충격, 내열 소재 등 다양한 3D 프린팅 소재를 개발하고 있다.

심운섭 대표이사는 "메디컬, 덴탈, 제조 등 여러 분야에서

활용할 수 있도록 강성 및 탄성을 갖춘 소재 개발을 꾸준히 진행하고 있다"고 소개했다. 덴탈 분야에서는 소재의 강도를 높여서 임시 치아가 아니라 임플란트에 사용할 수 있는 소재를 개발해 식약처 인증을 진행 중에 있다. 또한 와이어와 투명한 3D 프린팅 소재를 결합한 투명 치아 교정장치도 개발하고 있다.

그래피는 해외 소재와 비교해 가격 경쟁력에 강점이 있다고 밝혔다. 한편 3D 프린팅의 친환경성이나 안전성도 중요한 이슈인데, 그래피의 소재는 솔벤트와 같은 유기용매를 쓰지 않으면서 세포독성, 유전독성 등에서 안전성을 입증받았다. 체내에 들어가도 안전한 소재를 통해 의료 시장에 진출할 수 있게 된 것"이라고 설명했다.

해외 시장에 본격 진출 모색

심운섭 대표이사는 3D 프린팅 소재 시장의 진입장벽이 높다면서 기술뿐 아니라 과학적 노하우 및 3D 프린터와 솔루션에 대한 노하우가 절대적으로 필요하다고 전했다. 그래피의 경우에도 연구개발 인력 비중이 40%에 이른다.

이러한 기술 개발 노력을 바탕으로 그래피는 다수의 특허 출원 및 특허 등록을 진행하고 있으며, 제약회사와 벤처 캐피탈 등의 투자 유치 및 크라우드 펀딩을 진행하고 있다고 밝혔다.

또한 국내뿐 아니라 글로벌 시장에 진출한다는 목표를 세웠

다. 이를 위해 해외 소재 기업과 파트너십을 맺고 해외 진출을 협의 중이라는 것이 심운섭 대표이사의 설명이다.

심운섭 대표이사는 "3D 프린터 시장이 성장을 지속하면서 데스크톱 등 대중화로 가는 추세다. 이와 함께 장비 업체의 소재 독점이 깨지고 있는데, 국내 소재 기업 수는 3D 프린터 기업에 비해 매우 적은 상황"이라고 전했다. 3D 프린터 시장에서 중국이 우리나라를 앞지르고 있지만 소재 시장에서는 아직 기회가 있다는 판단이다.

그래피는 매출 30억 원을 넘어 100억 원 매출을 이루고, 글로벌 3D 프린팅 소재 시장에서 표준으로 자리잡겠다는 목표를 세웠다. 이를 위해 기존 공법과 소재의 한계를 넘고 새로운 정의를 만든다는 것이 심운섭 대표이사가 밝히는 그래피의 포부이다.

▲ 그래피가 개발한 3D 프린팅 소재는 제조에 사용할 수 있는 물성을 특징으로 한다. (이미지: 그래피 웹사이트)

▲ 그래피의 심운섭 대표이사는 "3D 프린팅 소재와 공법의 한계를 넘고 글로벌 시장의 표준이 되는 소재 기업으로 자리매김하는 것이 목표"라고 전했다.

▲ 그래피의 3D 프린팅 소재 및 이를 사용한 출력물

PART 3

인텔리코리아 3D사업본부 한명기 이사

메이커 문화 및
스마트 제조를 위한
3D 프린팅 교육 강화

인텔리코리아의 주요한 활동에 대해

인텔리코리아(www.cadian3d.com)는 3D 프린팅을 활용해 메이커 시장을 활성화하고, 산업별 3D 프린팅 도입을 실현시킬 인력을 양성하여 국가 제조업의 발전에 이바지하고자 지난 2013년 3D 프린팅 인력양성 교육을 시작하였다. 벌써 8년이라는 시간이 지나 약 2만명의 3D 프린팅 전문인력을 양성하게 되었다.

인텔리코리아의 3D사업본부는 3D 프린팅 인력 양성 교육을 진행하고 있다. 초·중·고교 및 대학생이나 일반인을 대상으로, 3D 프린팅 전반에 관한 일반과정부터 각 산업군에 접목 가능한 산업용 3D 프린팅 교육을 주로 하고 있다. 특히 산업용 3D 프린팅 교육의 경우 기계 제조·설계 분야, 디자인 분야, 의료 분야의 관계자들이 관심을 많이 보이고 있다. 교육 수료 후에는 3D 프린팅을 각 업무에 접목하고자 노력하는 모습을 보면서 뿌듯함을 느낀다.

두 번째로, 3D 프린팅을 활용한 시제품 제작을 진행하고 있다. 국산 CAD 대표 개발사로 자리잡고 있는 인텔리코리아의 실무진은 보다 전문적이고 실용적인 디자인·설계와 결과물의 품질 향상을 극대화할 수 있는 3D 프린팅 노하우를 바탕으로 고객에게 서비스를 제공하고 있다. 이는 설계 전문가 및 강사진으로 구성된 시제품 제작 전문인력으로 팀을 구성하였기 때문에 나타낼 수 있었던 성과라고 생각한다. 이렇게 봤을 때 인텔리코리아는 제품 개발을 위한 토털 솔루션을 제공하고 있다고 볼 수 있다.

국내 3D 프린팅 시장에 대한 전망은

'포스트 코로나' 시대의 개막은 아마 제조 분야에도 상당한 변화를 요구할 것으로 보인다. 우리는 상당 기간 동안 전세계를 돌아다니며 값싼 노동력을 기반으로 대량생산 체제를 구축하였고, 강력한 물류와 유통의 인프라에 힘입어 눈부신 발전을 거듭해온 제조의 세계화(globalization) 속에 살아왔던 것이 사실이다.

그러나 코로나19를 겪으면서 더 이상 자유로운 유통이 어려워짐으로써, 이제는 세계에서 생산하여 다시 세계로 공급한다는 개념은 어려움이 따를 것으로 보인다. 나아가 프랑스나 유럽의 마스크 공급 부족 사례에서 볼 수 있듯이, 자국이 생산 체제를 가지고 있지 않다는 것이 불편을 넘어 국민의 생존을 위협할 수 있다는 것을 알게 된 이상, 아마도 제조 분야에서 국수주의가 다시 생길 가능성도 예상된다.

이런 문제의 대안은 역시 제조의 세계화에 대응하는 지역(localization) 생산 체제의 구축이라고 할 수 있는데, 지역 생산 체제 구축의 핵심은 CPS(Cyber Physical System: 사이버 물리 시스템) 기반의 스마트 제조 공장의 지역화라고 할 수 있다. 3D 프린팅 기술은 이 스마트 제조의 핵심 요소 기술로서 그 전망이 더욱 밝다고 본다. 우리는 언젠가 지금의 '빨래방'처럼 맞춤형 제품을 만들어 주는 3D 프린터, 로봇 등이 AI(인공지능) 기술로 컨트롤되는 '제조방'을 집 주변에서 흔히 만날 수 있을 것이다.

최근 3D 프린팅 분야의 기술 동향에 대해 어떻게 보는지

현재 3D 프린팅 기술 분야의 가장 큰 흐름은, 3D 프린팅의 보편 기술이 각 산업 분야로 접목되어 산업의 특수성에 맞게 변화하고 있는 것과 동조하고 있는 현상으로 보인다. 대표적인 산업이 의료·바이오 부분이다. 의료·바이오 부분의 3D 프린팅은 의료 현장으로 들어가 다양한 케이스의 임상이 진행되고 있으며, 그에 발맞추어 실감형 소재 등 필요 소재의 개발도 가속화되고 있는 것으로 보인다. 이런 현상은 의료, 바이오 부분에서만 있는 것이 아니라, 다양한 산업에서 동시 다발적으로 발생할 것으로 보인다.

또 하나의 기류는 앞서 언급한 것처럼 포스트 코로나 시대의 대안으로 3D 프린터, 로봇, 컨베이어 벨트 등으로 구성된 단위 생산 유닛의 개발이라고 할 수 있겠다. 세계 각국에서 다양한 방법으로 스마트 제조의 대안을 개발하고 적용하려는 움직임을 보이고 있다.

향후 인텔리코리아의 활동 계획에 대해

전세계가 코로나19로 침체기를 겪고 있다. 3D 프린팅 관련 업체들 역시 영향이 없다고는 볼 수 없을 것이다. 대체적으로 생각해 보았을 때 이러한 경험이 전무했기 때문이라고 생각하는데, 앞으로는 코로나19를 넘어 '포스트 코로나'에 대비할 필요가 있을 것이다. 인텔리코리아가 지금껏 진행해 온 시제품 제작 서비스에서도, 특히 3D 프린팅 인력 양성을 위한 교육 측면에서 틀을 깰 수 있는 변화가 필요하다고 생각한다.

온-오프라인 연계교육

포스트 코로나에 대비하여 오프라인 강의만이 아닌 온라인 강의를 진행하려고 한다. 하지만 3D 프린팅 교육 특성상 온라인 교육의 경우 장비를 직접 사용해야 하는 문제가 있는데, 이는 장비 대여 방식을 통해 실습 과정을 대체하고자 추진 중에 있다. 쉽게 말해서 3D 프린팅을 위한 전반적인 과정은 온라인 교육으로 대체하고, 장비 운용 방법에 대한 교육만 오프라인으로 진행하는 방식이다. 이러한 교육방식은 교육생에게 시간, 비용 측면의 절감 효과와 실습 시간 증대의 효과가 발생할 것으로 보인다.

분야별 맞춤형 메이커 교육

초급자나 3D 프린팅 지식이 다소 부족한 교육생의 경우에는 3D 프린팅의 활용도를 크게 깨닫지 못하고 있다는 느낌을 받았다. 초·중·고교 학생의 경우에는 이러한 경우가 더욱 많을 것이다. 자신이 속해 있는 단체에서 3D 프린팅을 어떻게 접목할 것인지 깨닫는 것이 가장 중요한 문제라고 생각한다.

교육체계도 특색에 따라 특성화 중·고등학교로 분류하고 있듯이, 3D 프린팅 교육도 각 분야별 특색에 따른 맞춤형 교육이 필요할 때라고 생각한다. 예를 들자면, 기계공고의 경우 3D 스캐닝과 3D 모델링, 3D 프린팅을 활용하여 기계 부품을 제작하고 대체하는 방식의 교육 또는 기계 요소를 접목한 오토마타나 전차, 드론 등의 제품을 직접 제작하고 시험해볼 수 있도록 말이다. 교육생들이 소속되어 있는 분야에서 관련된 결과물이 나타나야 흥미가 발생하고, 나아가 파생된 아이디어와 제품들이 많이 등장할 수 있다.

때문에 국내 메이커 문화를 확산시킬 수 있는 흥미 유발 위주의 메이커 교육을 지속적으로 진행할 예정이다.

실무진 대상 산업용 3D 프린팅 교육

CNC 밀링, 선반 등 기존 장비들이 현존하는 제품들을 만들었다면 이제는 3D 프린터만이 만들 수 있는 부분을 발견하여 접목시킬 필요가 있다. 그 중 가장 접근 필요성이 크다고 볼 수 있는 분야를 들자면 바이오·의료 분야, 기계 제조 분야를 들 수 있다. 이러한 분야의 실무진을 대상으로 산업용 3D 프린팅 교육은 물론, 해당 공정 과정에서 3D 프린팅만이 할 수 있는 부분들을 소개하고 접근을 도울 수 있도록 안내하고자 한다.

시제품 제작 서비스 지원

제품이라는 것은 한정짓기 어려울 정도로 광범위한 것 같다. 기존에는 전자제품 개발을 위한 목적으로 3D 프린팅에 관해 문의하는 경우가 많았으나 이제는 예술품, 생활용품, 의료용품 등의 제작 요청도 꾸준히 증가하고 있다. 최근에는 철원군청에서 의뢰받은 두루미 옥외 전시 조형물을 제작하게 되었는데, 대형 옥외 조형물 제작이었던만큼 다수의 전문인력이 투입하여 콘셉트 구상부터 디자인, 뼈대 제작, 완성 단계까지 협업으로 진행하였다. 처음부터 끝까지 제품 제작 과정에 있어서 고객이 만족할 수 있는 통합 솔루션을 제공할 수 있었던 이유는 인텔리코리아의 전문 인력이 많다는 증거가 아닐까 생각한다.

인간에게는 누구나 배우거나 만들고자 하는 욕구가 있다고 생각한다. 코로나19 및 이후 발생할 수 있는 포스트 코로나 때문에 이러한 욕구가 제한된다는 것은 인류적 문제의 접근에 있어서 굉장히 개탄할 문제일 것이다. 인텔리코리아 3D사업본부는 앞으로도 여러 상황에 대비해 쾌적한 교육과 서비스를 제공할 수 있도록 연구하고 노력할 예정이다. 다양한 업계 종사자가 어려운 시기를 굳건히 견뎌내기를 바란다.

PART 3

문영래정형외과병원 문영래 원장

정확도와 만족도 높아지는 의료용 3D 프린팅

의학 분야에서 3D 프린팅의 활용 본격화

21세기에 들어 고정밀 3D 프린터가 상업화되고 생체 친화성 또는 생분해성 고분자를 이용한 프린팅이 가능해짐에 따라서 3D 프린팅의 의학 분야 활용이 본격적으로 연구되기 시작했다. 더불어 인체 내에 삽입할 수 있는 재료를 이용해 환자의 신체 일부 및 장기를 만들어내는 '의료용 3D 프린팅' 시대가 본격적으로 개막되고 있다.

나이 들어 약해진 뼈는 쉽게 부러지고 심한 변형이 생긴다. 이 때 3D 프린팅 기술을 이용해 수술을 위한 가이드 시스템을 적용하면 효과적으로 수술을 마칠 수 있다. 즉 3D 프린터를 활용하여 환자의 실제 골 모형을 만드는 것은 물론, 수술에 필요한 도구를 제작하여 정확한 수술을 시행할 수 있다. 도구까지도 별도로 제작하는 이유는, 수술해야 할 고령 환자의 골 형태가 모든 사람이 일정한 것이 아니라 개인차가 상당하기 때문이다. 수술 부위의 각도와 관절 회전축 등 여러 구조를 감안한 환자 맞춤형 수술 도구로 최상의 수술 효과를 거두기 위한 것이다.

먼저 환자의 의료 영상자료를 이용해 환자의 데이터를 분석하고, 필요한 부분만을 추출하여 3D 영상 프로그램을 활용하여 설계한다. 그리고 3D 출력 후에 진단/시술/수술용으로 활용하는 것이다.

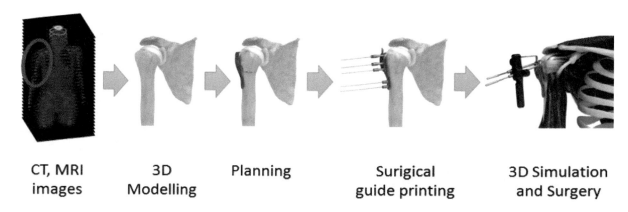

| CT, MRI images | 3D Modelling | Planning | Surigical guide printing | 3D Simulation and Surgery |

그림 1. 의료 영상을 통한 환자 맞춤형 수술 도구와 임플란트를 제작하여 수술

3D 영상과 3D 프린팅을 결합해 진단부터 수술까지

일련의 과정은 다음과 같다. 수술 전 어깨 골절 및 골격 기형 교정 수술이 필요한 환자의 의료 영상을 통해 해부학적 형태를 파악한 후, 실제 수술 부위의 주변 연부조직(골막, 인대 연골 및 근육 조직)까지 고려하여 요구되는 시술이나 수술용 도구의 모델을 디자인한다. 이후 3D 프린팅 기술을 이용하여 가장 적

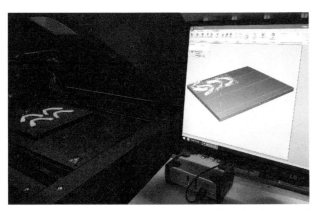

그림 2. 병원에서 환자의 MRI와 CT 영상을 통하여 실제 필요한 3차원 모델를 만들고, 이를 정확하게 3D 프린팅하여 정밀 의료를 실현하고 있다.

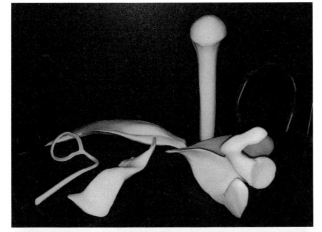

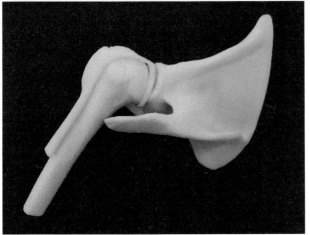

그림 3. 얻어진 영상을 통하여 3D 프린팅하면 실제 어깨와 같은 실물을 확인하고 이에 맞는 수술 계획, 수술용 도구, 임플란트를 제작하여 맞춤형 정밀 진료와 치료를 제공할 수 있게 된다.

합한 출력 품질, 재료, 위치 등의 적정값을 설정해 3D 프린터로 출력하게 된다.

수술환부의 해부학 구조에 최적화된 형태와 사이즈를 해당 수술에 필요한 정확한 정렬 및 회전을 적용한 수술 가이드를 설계하고 국내 3D 프린팅 업체에서 적합한 재질로 제작한 후, 집도의와 조정 작업을 거쳐 실제 수술에 활용하게 된다.

개인 맞춤형 의료를 위한 패러다임 전환

이제 의료용 3D 프린팅 기술은 기존의 뼈 조직의 손상과 변형을 출력하는 수준에서 나아가 근육, 인대, 신경과 혈관 등의 출력이 가능해진 완벽한 개인 맞춤형 의료 보형물 제작 기술이다.

의료 3D 영상과 프린팅 기술을 통해 바이오 메디컬 분야, 즉 의료 영상, 임플란트 그리고 의료 기술 분야에 활용되는 최적의 기술로 새로운 패러다임을 제시할 수 있다.

PART 3

울산의대/서울아산병원 융합의학과
김남국 부교수

의료 현장을 위한 3D 프린팅 기술 연구에 매진

현재 어떤 활동을 하고 있는지 소개한다면

울산의대/서울아산병원 융합의학과에 속해 있는 MI2RL (Medical Imaging & Intelligent Reality Lab) 연구실에서 외과, 내과, 영상의학과, 응급의학과, 신경과, 마취과, 병리과 등 다양한 임상의들과 함께 의료 현장의 미충족 수요(clinical unmet needs)를 의료 영상을 이용한 3D 프린팅 기술로 해결하고 있다.

특히, 4차 산업혁명의 핵심 기술을 이용하여 의료 딥러닝(인공지능) 적용, 환자 맞춤형 의료기기 및 재료 보편화 등에 대한 연구와 함께 다양한 3D 프린팅 중개(translational) 연구를 수행하고 있다.

최근에는 3D 프린팅을 이용한 선천성 심기형증 모델이 한국보건의료연구원의 신의료기술평가를 통과하여 세계 최초로 수가가 되기도 했다. 애니메디 솔루션과 협업한 소아 심장 시뮬레이터는 3D 프린팅을 활용한 의료 기술로는 처음으로 신의료기기 기술로 선정되었다. 이 시뮬레이터는 심방과 심실의 연결, 심실과 대동맥의 연결이 바뀐 선천성 심장 기형 질환을 가진 소아의 심장을 수술 전에 시뮬레이션하기 위해 제작되었다.

그림 1. 선천성 심기형증 수술 리허설 모델

최근에 진행한 3D 프린팅 관련 연구는 어떤 것이 있는지

최근에는 갑상선 암 수술 모형, 어려운 기도 훈련 모델과 같이 임상 현장의 미충족 수요를 발굴해서 적용하는 교육용 모델이나 암의 영역을 표시하고 제거를 위한 피부암 가이드, 복강경 포트에 말려 들어갈 수 있는 현상을 방지하면서 정확하게 가이드할 수 있는 신장암 가이드, 4D 프린팅을 이용한 수술 가이드, 인공 혈관 재건을 위한 대동맥 가이드, 어깨 뼈 수술 가이드 등을 연구하고 있다. 또한, 몸 속에 넣을 수 있는 발포 실리콘이나 금속 임플란트 등의 다양한 연구도 진행하고 있다.

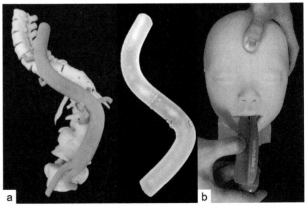

그림 2. (a) 대동맥 가이드 (b) 어려운 기도(difficult airway) 기관 내 삽관 시뮬레이터

향후 의료 분야에서 3D 프린팅이 어떻게 쓰일 것으로 전망하는지

의료 산업에서는 맞춤형 수술 가이드, 수술 계획용 혹은 교육용 시뮬레이터, 의료 맞춤형 보형물, 바이오 프린팅 등 다양

한 요구를 충족시키는 방향으로 발전할 것으로 보인다. 의료 분야에서 3D 프린팅을 응용하는데 있어서 초기의 거품이 꺼지면, 진짜 적용할 수 있는 기술만 시장에 남을 것이라고 예상된다.

또한, 실제로 적용하는데 있어 문제가 되는 정확도나 생체 적합성에 대한 검증뿐 아니라, 모델링이나 생산의 효율을 높일 수 있는 딥러닝 기술을 접목하는 등 다양한 기술과 융합할 수 있어야만 살아남을 수 있을 것이다. 맞춤형 수술 도구나 임플란트 등은 실제 의료보험 수가나 의료기기 허가 등을 통과하는 기술이 앞으로 더 늘어날 것으로 기대한다.

최근 의료 분야에서 주목할 만한 3D 프린팅 기술 동향을 소개한다면

대표적인 인공지능 기술인 딥러닝을 3D 프린팅과 접목해서 생산 효율을 올리는 연구가 활발하다. 또한 4D 프린팅용 재료를 이용하여 다양한 기술이 발전하고 접목될 것으로 전망된다. 단층을 적층하는 기존 방식 외에도 로봇과 익스트루더(extruder)를 접목하는 3D 프린터가 개발되어 쓰일 것으로 보인다. 금속 3D 프린터도 좀 더 생산조건을 잡아서 뼈와 elastic modulus를 같게 하는 임플란트 등이 제조될 것이다. 어떤 기술이든 빠른 속도와 다양한 소재에 대한 요구는 꾸준하다.

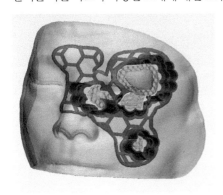

그림 3. 피부암 수술 가이드

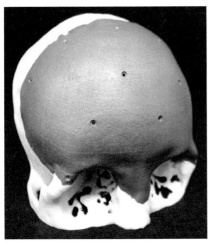

그림 4. 중공형 두개골 임플란트

향후 의료 분야에서 3D 프린팅의 활용을 위해 필요한 것이 있다면 무엇이라고 보는지

의료 3D 프린팅은 대부분 수술에 도움을 주는 용도로 쓰이지만, 결국에는 맞춤형 수술 도구나 수술 재료, 인공 장기 제작 등 바이오 3D 프린팅에 대한 연구 및 개발이 궁극적인 목표이다. 이를 위해서는 다양한 생체 재료와 이 생체 재료를 안전하게 적층할 수 있는 기술이 필요하다. 그리고, 생체 재료로 출력된 세포나 조직의 생존 유무 그리고 장기의 기능을 충분히 소화시킬 만큼 충분한 강도 등도 필요하다.

앞으로 연구 계획에 대해 소개한다면

서울아산병원의 다양한 미충족수요를 발굴해서 실제 임상 현장에서 쓸수 있는 3D 프린팅 응용, 3D 프린팅 로봇, 재료 등을 개발 및 적용하고자 한다. 향후에는 PCL 기반 바이오 3D 프린팅과 인체에 삽입할 수 있는 메탈 3D 프린팅 등의 연구에 중심을 두고 있다.

최근 코로나19와 관련해 많은 일이 있었는데, 전염병을 대비한 서울아산병원의 미충족 수요를 기반으로 개인 맞춤형 마스크나 휴대용 문고리, 손세정제 하우징 등의 3D 프린팅 모델링 데이터를 깃허브(Github)에 공개했다. 많은 사람들이 이 내용을 응용해서, 3D 프린팅으로 전염병 위기 대응력을 높이는데 모두가 힘을 합칠 수 있기를 바란다.

■ https://github.com/mi2rl/3DP-COVID19

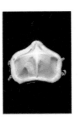

그림 5. 깃허브에 공개한 개인 얼굴 맞춤형 마스크

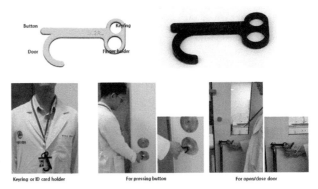

그림 6. 깃허브에 공개한 휴대용 문고리

PART 3

에릭스코 최동환 대표

센서 , AI, 5G 등 기술과 결합한 맞춤형 제조 시대 열린다

3D 프린팅 분야에서 어떤 활동을 해 왔는지 소개한다면

국내에 처음으로 적층제조(Additive Manufacturing)라는 용어를 소개하고, 10년 동안 3D 프린팅 분야에서 다양한 국내외 프로젝트에 참여해 왔다. 현재는 에릭스코의 대표로 아이폰의 센서와 AI(인공지능) 기술을 이용한 통한 앱 개발 및 커스텀 의료보조기구 개발을 진행하고 있으며, 3D 프린팅을 활용한 제품 생산도 기획하고 있다.

에릭스코는 9월 중 아이폰용 스마트 스캐닝 앱의 출시를 계획하고 있다. 또한, 3D 스캐닝 데이터를 통한 커스텀 제품과 AI 제품군 개발을 기획하고 있다.

3D 프린팅 시장의 변화에 대해 어떻게 보는지

지난 10년간 한국의 3D 프린팅 산업 분야는 진보가 아니라 후퇴하였다고 생각한다. 국내와 해외의 다양한 컨설팅을 진행하면서 느낀 점은, 한국 시장은 해외의 고가 3D 프린터와 소프트웨어를 구매하여 보여주는 것에만 집중하고, 새로운 3D 프린팅 기술을 개발하거나 새로운 재료를 개발하는 것에는 상대적으로 소홀했다는 점이다. 이에 비해 중국은 다양한 외국의 3D 프린팅기술을 흡수하고 자체 프린터를 개발하거나, 외국의 3D 프린터 회사와 MOU를 맺어 높은 수준의 3D 프린터 제품을 꾸준히 소개 및 공급하고 있다.

국내 3D 프린팅 분야의 발전을 위해 필요한 것이 있다면

전문 3D 프린팅 기술 인력을 위한 높은 수준의 교육과 다양한 활용 영역의 확대가 필요하다고 본다. 기존에 정부의 지원금이 고가의 3D 프린터와 소프트웨어를 구매하는 것에만 초점을 맞췄다면, 이제는 의료공학과 커스텀 제품 개발에 관한 3D 프린팅 활용 방법을 다양하게 소개하고 3D 프린팅 분야에서 새로운 도약을 준비하는 것이 필요하다고 생각한다.

이미 구매한 3D 프린터와 소프트웨어의 활용 방안을 찾고, 또한 같은 성능에 가성비가 높은 기계와 소프트웨어의 활용도 고려하여 다양한 회사가 진입하기 쉬운 환경을 마련해야 할 것이다. AI와 함께 ToF, LiDAR 등 다양한 센서 기술에 일반인이 쉽게 접근할 수 있는 시대가 열렸기 때문에, 이러한 기술과 접목할 수 있는 활용 방안을 다양하게 소개하고 새로운 스타트업에 대한 지원도 풍부해져야 할 것으로 본다.

향후 활동 계획에 대해 소개한다면

현재 에릭스코는 개인 모바일 기기의 센서를 활용하는 기술을 개발하고, 일반인들이 쉽게 접근하고 사용할 수 있도록 다양한 소스를 제공할 예정이다. 5G와 AI의 다각화된 공급으로 개인이 사용할 수 없었던 기술 영역에 대한 접근성이 높아지고, 더욱 풍부한 제품이 개발될 것으로 보고 있다.

에릭스코의 첫 제품인 Leanfeet을 시작으로 개인용 3D 스캔 앱을 제공하고, 이것을 바탕으로 맞춤형 제품을 장소와 시간의 제약이 없이 주문할 수 있는 시대를 열어나가고자 한다.

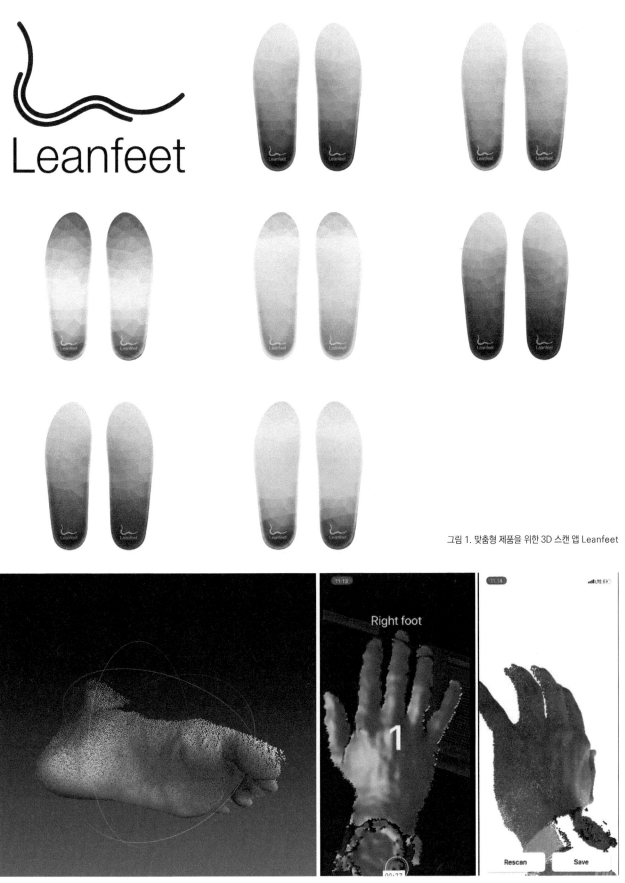

그림 1. 맞춤형 제품을 위한 3D 스캔 앱 Leanfeet

그림 2. Leanfeet의 테스트 화면

PART 4

디자인 생산성과 공간 효율 높인 3D 프린터

J55

개발 Stratasys, www.stratasys.com

주요 특징 사무실 등 업무 공간에서 사용 가능한 경량 디자인 및 냄새 방지 시스템, 직관적인 3D 프린팅 작업 프로세스, 출력 파트의 후처리 감소, 고해상도의 풀 컬러 출력 가능, CMYK 색상을 3D 프린팅 색상에 맞게 조정 가능

자료 제공 프로토텍, 02-6959-4113, www.prototech.co.kr

스트라타시스의 J55 3D 프린터는 사무실 환경에 어울리면서 신속한 콘셉트 모델 구현에서 고품질 모델 제작까지 합리적인 비용으로 최대의 디자인 생산성을 제공한다.

J55는 제품의 최종 마무리 작업부터 강의실에서 학습한 콘셉트의 실습에 이르기까지 수많은 디자인 아이디어를 실현할 수 있다. 뛰어난 표면 마감 및 프린트 품질을 위해 회전 프린트 플랫폼이 도입되었으며, 산업 및 기계 디자인 모두에 적합한 복합 재료 기능 및 재료 구성을 갖추고 있다. 기계적인 보정을 필요로 하지 않고 '레디 투 프린트(ready-to-print)' 모드를 갖추고 있기 때문에 중단 없이 아이디어를 실현할 수 있다.

최적의 공간 효율성

사무실, 강의실 또는 스튜디오 환경에 적합한 J55 오피스 솔루션은 업무 공간에 적합하도록 설계되었다.

경량 디자인

J55는 사무실 공간을 적게 차지하면서 생산성은 높였다. 동급의 3D 프린터와 비교했을 때 장비 설치 공간은 더 적고, 모델을 생산할 수 있는 트레이 크기는 늘렸다.

냄새 방지

스튜디오, 사무실, 강의실은 생산시설이 아니다. 이러한 공간에서 사용할 수 있도록 J55의 냄새 방지 시스템은 ProAero 공기 추출 시스템을 사용하여 프린팅 작업에서 냄새를 방지하고, 연기를 효과적으로 포집 및 제거한다.

저소음

J55는 가정용 냉장고의 소음 수준인 53데시벨 이하에서 작동한다.

비용 효율

J55는 J826 숍 솔루션 비용의 약 절반 가격으로 워크플로의 변화를 가져온다.

사용 편의성

J55는 디자인 - 불러오기 - 프린트의 직관적인 3단계 3D 프린트 작업 흐름을 제공한다. 그랩캐드 프린트(GrabCAD Print) 소프트웨어를 사용하여 기본 CAD 파일 또는 3MF 파일 형식의 디자인을 불러온 뒤 J55로 모델을 프린트할 수 있다.

높은 품질

J55는 고해상도, 고속 프린트, 풀 컬러가 통합된 저전력 오피스 솔루션으로서 디자인 프로세스를 업그레이드하고 작업 공간 내에서 워크플로를 혁신할 수 있다.

디자인 주기 간소화

초기 단계: 콘셉트 모델

J55는 수작업 모델링에 소요되는 시간을 줄이고, 초기 디자인을 신속하게 여러 번 반복할 수 있다. 경제적인 드래프트그레이(DraftGrey) 재료를 사용하면 콘셉트 모델을 간편하고 저렴하게 제작할 수 있다. J55 3D 프린터를 프로토타입 제작에 사용하면 기존 방식보다 5배 많은 디자인 반복을 수행할 수 있다.

준비 단계: 세부 디자인

CMF 디자인은 기존 방식보다 몇 주 빠르게 출시될 수 있으며, 여기에는 복합 재료 기능을 통해 여러 가지의 색상과 질감으로 프린트된 파트 등이 포함된다. J55에서 프린트된 파트는 후처리가 거의 또는 전혀 필요하지 않으므로, 인건비를 줄이고 디자인 프로세스를 더 원활하게 진행할 수 있다.

프린트 단계: 정밀도 높은 프로토타입

J55를 사용하면 고품질 풀 컬러 재료와 사실적인 표면 마감 처리를 통해 실제와 같은 느낌의 파트를 제작할 수 있다. 아웃소싱에 시간과 비용을 낭비하지 않고 사내에서 제작이 가능하다. 사실적인 프로토타입을 사용하면 실수를 수정하고 디자인을 보다 효율적으로 검증할 수 있으므로 빠른 의사 결정과 승인이 가능하다.

실물을 활용한 의사 소통

J55 시리즈는 풀 컬러 및 질감 리얼리즘을 갖춘 프로토타입을 제작할 수 있다. 50만 가지 이상의 서로 다른 색 조합을 구현하고, 5개의 레진을 동시에 프린트할 수 있으며, 복합 재료 기능을 제공하므로 공정 초기에 보다 정확한 디자인 의사 결정을 내릴 수 있다.

컬러를 활용한 강력한 디자인

팬톤(PANTONE) 색상을 사용한 3D 프린팅은 프로토타입의 속도, 효율성 및 색상 정확도를 향상시킬 수 있다. J55 3D 프린터는 CMYK 색상을 팬톤 컬러, 솔리드 코트(Solid Coated) 및 스킨톤(SkinTones)에서 지원하는 1900개가 넘는 프린팅 색상에 맞게 조정할 수 있다.

J55의 제품 사양

모델 재료	VeroCyanV, VeroMagentaV, VeroYellowV, VeroPureWhite, VeroBlackPlus, VeroClear, DraftGrey
서포트 재료	SUP710
빌드 크기/ 프린팅 영역	최대 1174㎠
레이어 두께	최소 18.75미크론의 수평 빌드 레이어
네트워크 연결성	LAN – TCP/IP
시스템 크기 및 무게	651×661×1511mm, 228kg
작동 조건	온도 18~25℃, 상대 습도 30~70%(불응축식)
전원 요구 사항	220-240VAC, 50-60Hz, 3A, 단상
규정 준수	CE, FCC, EAC
소프트웨어	GrabCAD Print
빌드 모드	HQS(High Quality Speed) 모드 – 18.75㎛
정확도	STL 치수 기준 ■ 표준 편차 범위(67%): 100mm 이하의 경우 ±150㎛ 미만, 100mm 초과 시 길이의 ±0.15% ■ 표준 편차 범위(95%): 100mm 이하의 경우 ±180㎛ 미만, 100mm 초과 시 길이의 ±0.2%

PART 4

고성능의 정밀 금속 부품 생산용 3D 프린터

DMP 프린터 시리즈

개발 및 공급 3D SYSTEMS, www.3dsystems.com

주요 특징 다품종 대량 생산을 위한 모듈화 설계(DMP Factory 500 솔루션), 연중무휴 부품 제작을 위한 강력하고 유연한 금속 3D 프린팅(DMP Flex 350), 통합 파우더 관리 기능을 갖춘 강력한 고품질 금속 프린터(DMP Factory 350), 우수한 기능과 미세한 부품 제작을 위한 합리적인 비용의 정밀 금속 3D 프린터(DMP Flex 100)

자료 제공 3D시스템즈코리아, www.ko.3dsystems.com

DMP Factory 500 솔루션

그림 1

확장 가능한 공장 솔루션의 모듈성

DMP Factory 500 솔루션은 활용도를 최적화하여 효율성을 극대화하기 위해 설계된 기능별 모듈로 구성된다. 공장 솔루션 내의 각 모듈은 이동식 프린트 모듈(RPM)과 완전 통합되어 제어 가능한 프린트 환경을 위해 진공 밀폐가 가능하며, 지속적인 생산 워크플로를 위해 프린터와 파우더 모듈 사이를 이동하도록 설계되었다.

프린터 모듈은 24시간 7일 내내 연중무휴 파트 프린팅을 위해 고안되었다. 파우더 관리 모듈(PMM)은 제작 플랫폼의 파트에 묻은 파우더를 효과적으로 제거하고, 사용하지 않은 파우더 소재를 자동으로 재활용하여 RPM을 다음 제작용으로 준비하도록 설계되었다.

높은 생산성

복수 레이저를 통한 대형 제작 용적(500×500×500mm) 및 높은 처리량으로 DMP Factory 500 솔루션은 금속 적층 제조의 높은 생산성을 제공한다. 모듈형 설계와 결합된 생산 확장은 금속 프린터와 파우더 모듈의 추가 설치로 간단히 수행된다.

완전한 대형 파트 생산

그림 2

DMP Factory 500 솔루션의 지능형 레이저 구성 및 3DXpert 소프트웨어 구동 스캔 기술은 전체 제작 용적 크기의 완벽한 대형 부품 생산을 가능케 한다. 고품질 소재를 사용하여 금속 3D 프린팅 부품에 최고 표면 품질을 얻을 수 있다.

균일하고 재현 가능한 품질

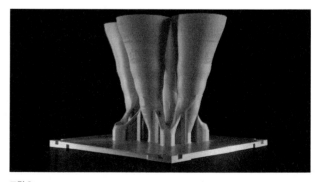

그림 3

반복 가능한 부품 품질은 생산의 필수요건이다. DMP Factory 500의 RPM은 배치별로 일정한 파우더 제어를 제공하여 확장 가능한 금속 적층 제조를 실현한다. 최소 산소(O_2) 함량을 보장하는 진공 챔버를 특징으로 하는 DMP Factory 500 프린터 모듈은 고품질 3D 프린팅 금속 부품을 제공한다. 진공 챔버가 일관된 고품질을 소재 물성을 보장하여 반복 사용이 가능하므로 파우더 폐기물이 제거된다.

낮은 파트 비용의 금속 3D 프린팅

DMP Factory 500 솔루션의 모듈형 설계를 사용하면 모든 금속 3D 프린팅과 파우더 관리 모듈의 지속적인 기능 지원을 통해 가동시간, 처리량 및 운영 가치를 극대화할 수 있다. 생산 워크플로에 필요한 모듈의 수와 유형을 매칭시키는 능력은 투자의 최적화와 수동 공정의 최소화를 통해 소유비용과 운영비용을 한층 절감하는데 도움이 된다.

DMP Flex 350

그림 4

365일 연중무휴 생산

DMP Flex 350은 주 7일/하루 24시간의 파트 생산을 위한 강력하고 유연한 금속 3D 프린터로 R&D 프로젝트, 응용 프로그램 개발 또는 연속 생산용으로 유연한 응용 프로그램 사용을 위해 고안되었다. 또한 부품 대량 생산을 위해 쉽게 확장할 수 있다. 신속한 제작과 모듈 교체 및 빠른 파우더 재활용을 통해 생산 속도를 가속화한다. 중앙 서버는 주 7일/하루 24시간의 생산성 유지를 위해 프린트 작업, 재료, 설정 및 유지 보수를 관리한다. 금속 적층 제조 소프트웨어인 3DXpert는 부품 데이터를 빠르게 준비 및 최적화하기 위한 강력한 도구로 금속

그림 5. 척추 임플란트 제조업체는 이 프린터의 높은 반복성과 주 7일/하루 24시간의 생산성을 실현한다.

적층 제조를 위한 빠른 설계를 가능케 하여 생산 시간을 단축하고 부품 정밀도를 향상시킨다.

반복 가능한 고품질을 위한 진공 챔버 사용

DMP Flex 350의 고유 진공 챔버 개념으로 인해 아르곤 가스 소모량이 크게 감소하는 동시에 높은 산소 순도(<25 ppm)를 유지한다. 그 결과, 높은 화학적 순도를 지닌 견고한 고품질 파트를 제작할 수 있다.

그림 6

고품질, 고밀도 부품

DMP Flex 350 고성능 금속 적층 제조 시스템은 기존의 금속 제조 공정을 대체할 수 있는 강력한 대안이다. 275×275×420mm(10.82×10.82×16.54인치)의 제작 용적을 통해 폐기물 감소, 생산 속도 향상, 설치 시간 단축 및 뛰어난 기계적 특성의 매우 밀도가 높은 금속 부품을 제공한다.

DMP Factory 350

그림 7

고품질 파우더 관리

DMP Factory 350는 강력한 고품질 금속 적층 제조를 위해 고성능 시빙기 및 자동 파우더 운송 기능의 통합 파우더 관리 시스템을 갖추고 있다. 파우더 워크플로의 O_2가 없는 대기(일정하게 25ppm 미만 유지)는 최상의 부품 품질과 최대 파우더 사용을 보장한다.

PART 3

그림 8. 특수 프린터 구조의 DMP 350 및 500 시리즈는 복잡한 격자 및 까다로운 금속 합금을 처리할 때도 높은 부품 품질을 반복적으로 구현한다.

그림 9. 정지궤도 통신 안테나 반사판을 장착하기 위한 브래킷 토폴로지 최적화 스트러트로 무게와 비용을 절감할 수 있다.

통합형 소재 관리

파우더의 최대 활용을 위해 고품질 통합 소재 관리를 통해 가장 까다로운 소재로 고품질의 정밀 파트를 생산하는 높은 처리량 및 반복성의 금속 3D 프린터. 금속 적층형 생산 규모를 확장하는 기업에 적합하다.

높은 품질, 높은 처리량, 낮은 TCO

DMP Factory 350 고성능 금속 적층 제조 시스템은 기존의 금속 제조 공정을 대체할 수 있는 강력한 대안이다. 제작 용적이 275×275×420mm(10.82×10.82×16.54인치)인 이 시스템은 통합형 고품질 파우더 및 공정 관리를 통해 반복 가능한 고품질 부품과 저렴한 부품 비용을 위한 낮은 총 운영비용(TCO)을 제공한다.

DMP Flex 100

그림 10

최고의 표면 마무리, 최소화된 서포트

DMP Flex 100은 빠르고 합리적인 비용의 정밀 금속 3D 프린터이다. 최대 5Ra μm(200Ra 마이크로인치)의 뛰어난 표면 마감 처리 품질을 제공하여 후처리가 간단하며, 가장 정교한 모서리 반경을 얻을 수 있다. 독점적인 파우더 융착 시스템으로 DMP Flex 100은 서포트 없이 20° 각도까지 제작 가능하다.

그림 11. DMP Flex 100으로 프린트된 부품은 초박형 벽과 복잡한 채널을 구현할 수 있다.

뛰어난 정밀도와 반복성, 가장 세밀한 디테일, 얇은 벽 두께

3D시스템즈의 특허 레이어 소형화 기술을 통해 더 작은 입자를 사용할 수 있으므로 출시된 제품 중 가장 정밀한 피처 디테일과 초박형 벽 두께를 생성할 수 있다. 소형 금속 부품의 일반 정확도는 +/-50μm(+/-0.002 인치)이고 대형 부품의 경우 +/-0.2%이다. 부품 간 반복성은 약 20μm(0.0008 인치)이다. DfAM(적층 제조용 설계)을 위한 3D시스템즈의 올인원 소프트웨어 솔루션인 3DXpert는 DMP Flex 100에 포함되어 우수한 품질의 최적화된 프린트를 위한 간소화되고 반복 가능한 공정을 보장한다.

그림 12. Laserform 316L(B) 스테인레스 스틸로 3D 프린트된 라멜라 열 교환기

소재 선택 기능으로 지원되는 폭넓은 응용 분야

DMP Flex 100 금속 프린터는 여러 등급의 티타늄을 포함한 다양한 소재 선택 스펙트럼을 처리할 만한 충분한 역량을 갖추고 있다. 3D시스템즈는 광범위하게 개발, 테스트 및 최적화된 프린트 데이터베이스를 LaserForm CoCr(B) 및 LaserForm 17-4PH(B)에 제공한다. 또한 DMP Flex 100에 사용할 LaserForm 소재가 개발 중에 있다.

DMP Flex 100 솔루션은 제작 용적 100×100×90mm(3.94 ×3.94×3.54인치), 100W 레이저, 금속 적층 제조를 위한 3DXpert 올인원 소프트웨어 솔루션 및 인증된 LaserForm 금속 파우더 포트폴리오를 특징으로한다. DMP Flex 100 금속 프린터는 수동으로 재료를 로드하는 유연성을 제공한다.

작은 점유 공간

DMP 제품군 중 가장 소형인 DMP Flex 100은 DMP(Direct Metal Printing)를 사용하여 복잡한 소형 정밀 금속 부품을 뛰어난 품질로 3D 프린트하는 엔트리급 프린터로 설계되었다.

금속 3D 프린팅을 위한 전문 소프트웨어 제공

3D시스템즈는 산업용 적층제조를 위한 올인원 통합 소프트웨어 3DXpert와 혁신적인 수준의 3D 생산 관리를 위한 3D Connect 등 전문 소프트웨어를 제공한다.

그림 13. 3DXpert   그림 14. 3D Connect

DMP 검사

금속 AM에서 검증되고 자동화된 분석으로 2차 검사 최소화, 자동화된 알고리즘이 결함 및 관심 영역을 감지

그림 15

프린트 공정 직후 DMP 검사를 하면 비용이 많이 드는 2차 검사가 감소한다.

- 비용 최적화
- 설계 반복 감소
- 프린트된 부품 100% 검사
- 결함이 있는 부품의 2차 후처리 없음
- 폐기물 감소
- 장비 사용 극대화

DMP 모니터링

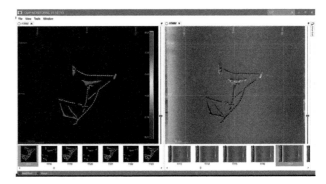

그림 16

DMP 모니터링은 제품 품질에 대한 현명한 결정을 위한 실시간 공정 모니터링을 지원한다. DMP Factory 500, DMP Flex 350, DMP Factory 350 금속 프린터를 위한 툴셋으로 고객은 이를 사용하여 그 어느 때보다 높은 수준으로 DMP 공정을 확인, 분석, 이해 및 미세 조정할 수 있다. 또한 개선된 DMLS 공정 품질 모니터링 및 보장을 통해 고품질 출력을 달성할 수 있다. 효율적이고 직관적인 DMP 모니터링 소프트웨어 사용자 인터페이스는 벨기에 루뱅과 미국 덴버에 위치한 금속 프린팅 시설에서 매년 금속 부품 50만 개를 프린트한 경험에 기반해 개발되었다.

DMP 검사로 데이터 분석 자동화

비파괴 분석과 금속 3D 프린팅 제작 품질의 이해에 관한 풍부한 공정 데이터, 가속화된 공정 매개변수 최적화 및 향상된 공정 결과를 이해한다.

실시간 제작 분석

향상된 품질 관리를 위한 DMP 모니터링 툴셋에는 실시간 공정 모니터링, 동기화된 용융 풀과 파우더 베드 이미지, 비교를 위해 동기화된 실시간 작업과 보관된 작업 이미지 및 대상 영역의 크기를 분석하는 툴셋이 포함되어 있다. DMP 모니터링으로 사용자는 시정 조치를 취할 수 있는 공정을 완전히 이해 및 제어하여 모든 금속 3D 프린팅 기술에 내재된 부작용(예: 스패터, 덩어리 형성)을 최소화할 수 있으므로 부품 품질이 크게 개선된다.

주요 금속 소재
일관된 품질을 보장하는 소재 지원

3D시스템즈는 알루미늄, 마레이징 강, 철강 및 다양한 등급의 티타늄부터 니켈 및 코발트 크롬 합금에 이르기까지

PART 3

DMP(Direct Metal Printing)용의 정교하고 바로 실행 가능한 폭넓은 금속 합금 포트폴리오를 DMP 프린터군에 대한 엄격한 테스트를 거친 빌드 매개변수와 함께 제공한다.

티타늄 소재

- **LaserForm Ti Gr5(A):** 고강도, 경량, 우수한 생체 적합성
- **LaserForm Ti Gr23(A):** 고강도, 경량, 우수한 생체 적합성 – Gr5보다 산소 함량 낮음
- **LaserForm Ti Gr1(A):** 경량, 생체 적합성, 뛰어난 내온도성 및 내부식성

그림 17. Thales Metal Bracket LaserForm Titanium Gr. 5

그림 18. 3D Systems DMP Metal LaserForm Ti Gr23(A) 티타늄 합금

그림 19. LaserForm Ti Gr1(A) 티타늄 합금을 사용한 의료용 임플란트

코발트 크롬 소재

- **LaserForm CoCrF75(A):** 우수한 내부식성, 내마모성 및 내열성. 생체 적합성.
- **LaserForm CoCr(B) 또는 (C):** 뛰어난 내식성 및 내마모성을 제공하여 생체 의학에 적합

그림 20. 3D Systems Laserform CoCrF75 연료 노즐

그림 21, 3D Systems Cobalt Chrome 치과용 치아 플랫폼

스테인레스 스틸 소재

- **LaserForm 17-4PH(A):** 우수한 내부식성, 뛰어난 견고성을 자랑하는 높은 강도
- **LaserForm 17-4PH(B):** 우수한 내부식성, 뛰어난 견고성을 자랑하는 높은 강도
- **LaserForm 316L(A):** 살균 가능, 탁월한 내부식성.
- **LaserForm 316L(B):** 살균 가능, 탁월한 내부식성.

그림 22. 3D Systems Laserform 17-4PH 마이크로 리액터

그림 23. 3D Systems DMP Stainless Steel LaserForm 17-4PH(B) 풀리 기어 하단

그림 24. 3D Systems DMP LaserForm 316L(A) 임펠러

그림 25. LaserForm 316L(B)로 프린트된 층상 열교환기

그 외 머레이징 스틸 소재(LaserForm Maraging Steel(A), LaserForm Maraging Steel(B)), 알루미늄 합금 소재(LaserForm AlSi10Mg(A), LaserForm AlSi7Mg0.6(A), LaserForm AlSi12(B)), 니켈 초합금 소재(LaserForm AlSi12(B), LaserForm Ni625(B), LaserForm Ni718(A)) 등을 지원한다.

DMP Factory 500 프린터 모듈	
출력 방식	DMP(Direct Metal Printing)
사용 재료	티타늄, 코발트 크롬, 스테인레스 스틸 등
출력물 크기(가로x세로x높이, mm)	500x500x500
최소 사이즈	100 μm
장비 외형 크기(가로x세로x높이, mm)	3,000x2,400x2,800

	DMP Flex 350	DMP Factory 350
출력 방식	DMP(Direct Metal Printing)	DMP(Direct Metal Printing)
사용 재료	티타늄, 코발트 크롬, 스테인레스 스틸 등	티타늄, 코발트 크롬, 스테인레스 스틸 등
출력물 크기(가로x세로x높이, mm)	275x257x380	275x275x380
적층 두께	10μm~100μm	10μm~100μm
최소 사이즈	100 μm	100 μm

PART 4

사용자의 요구에 따라 확장 가능한 적층제조
팩토리 솔루션

Figure 4 독립형 /
모듈형 / 프로덕션

개발 3D SYSTEMS, www.3dsystems.com

주요 특징 확장 가능한 모듈형 고속 디지털 생산 팩토리 솔루션으로 3D 제조를 양산화, 확장 가능한 완전 통합형 3D 프린팅 플랫폼, 다른 3D 프린팅 시스템에 비해 출력 속도가 최대 15배 개선, 기존 제조 부품의 제조 방식에 비해 부품 비용 최대 20% 절감

자료 제공 3D시스템즈코리아, www.ko.3dsystems.com

주요 특징
고속 디지털 생산

CAD부터 원형 제작 및 제조에 이르기까지 기술 과정을 통해 제조 프로세스 및 제품 출시를 가속화하고 간소화한다.

생산 수요에 따라 발전하는 모듈형 플랫폼

수요에 따라 언제든지 유닛을 확장할 수 있는 Figure 4는 고속 원형 제작 및 소량 제조 3D 프린팅 제조를 위한 독립형 프린터부터 생산량이 증가함에 따라 발전하는 모듈식 시스템, 완전 자동화된 완전 통합형 공장 솔루션에 이르기까지 수요에 따라 제조 성능이 증가한다.

공장의 새로운 정의

Figure 4 솔루션은 다양한 범위의 기능성 생산등급 소재로 고품질 부품을 제공하며 비용 및 공구 설비 지연 없이 즉각적인 부품 턴어라운드가 가능하다. 또한 높은 디지털 설계 유연성을 통해 언제든지 업데이트가 가능하므로 부품 제작 시 생산성, 내구성, 반복성 향상 및 총 운영비용(TCO) 절감과 함께 가동 중단 시간이 최소화된다.

Figure 4 생산형
3D 프린팅 제조를 위해 확장 가능한 완전 통합형 공장 솔루션

Figure 4 생산형은 구성 가능한 인라인 생산 모듈에서 적층 제조의 설계 유연성을 패키지로 제공하여 맞춤형 자동화 3D 프린팅 제조 솔루션을 제공한다. 소재 자동 공급 및 후처리 통합 공정 등의 기능은 생산 프로세스를 줄여 생산 공정을 간소화하고 총 소유비용을 낮춘다.

그림 1

통합 팩토리 솔루션

Figure 4는 개별 모듈에 초고속 적층 제조 기술을 구현하여, 자동 어셈블리 라인 배치를 통해 세척, 건조 및 경화와 같은 2차 공정과 통합할 수 있다.

Figure 4 모듈형

원형 제작 및 생산 요구 사항에 따라 성장하도록 설계된 확장 가능한 반자동 3D 제조 솔루션이다.

당일 원형 제작 및 직접 3D 생산을 위한 확장 가능 하며 최대 24개의 프린트 엔진까지 확장 가능한 제조 역량, 자동화된 작업 관리 및 작업 대기, 자동화된 소재 전달, 중앙 집중식 후처리를 특징으로 하는 Figure 4 Modular의 엔드 투 엔드 디지털 제조 작업 공정은 저-중 볼륨 생산 및 브릿지 제조에 적합하다. 또한 각 프린터는 많은 부품을 생산하는 높은 처리량의 단일 라인의 일부로서 다양한 소재 및 작업을 처리할 수 있다.

PART 4

Base Unit (controller and single printer) + **Add up to 23 auxiliary printers for a total of 24 printers per controller** + **Figure 4 UV Cure Unit 350*** +

그림 2

Figure 4 독립형

그림 3

Figure 4 독립형은 소량 생산 및 월 수십 수백 개의 고속 원형 생산을 위한 합리적인 비용의 다목적성 솔루션이면서, 저비용 생산 부품을 위한 합리적인 산업용 솔루션이다. 또한 Figure 4 독립형은 산업 등급의 내구성, 서비스 및 지원을 통해 고품질의 정교한 제품을 생산한다.

폭넓은 소재로 다양한 응용 범위

3D시스템즈의 소재 디자인 센터는 30년 이상의 검증된 R&D 경력 및 프로세스 개발 전문성을 보유하고 있다. Figure 4 프린터가 사용할 수 있는 광범위한 범위의 소재는 다양한 활용 용도, 기능적 시제품 제작, 최종 사용 제품의 디지털 생산, 성형 및 주조를 위한 것이며, 유사 ABS, 유사 폴리프로필렌, 유사 고무, 내열성 및 생체적합성 가능한 물질을 포함한다.

경질 소재

그림 4

Figure 4의 경질 소재는 빠른 프린팅 속도로 주조 및 사출 성형과 모양 및 감촉이 동일하며 높은 연신율, 뛰어난 충격 강도, 내습성, 장기 환경 안정성 등의 특징을 갖춘 견고한 플라스틱 부품을 생산한다.

탄성 소재

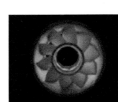

그림 5

Figure 4 탄성 소재는 유사 고무 부품 역할을 생산하는 데 적합하며 뛰어난 형상 회복력, 높은 인열 강도로 가단성 소재의 압축 응용 분야에 우수하다.

내열 소재

그림 6

열변형 온도 300℃ 이상으로 추가 열경화 후처리가 필요하지 않는 Figure 4 내열성 소재는 극한의 조건에도 높은 강성 및 우수한 안정성을 제공한다.

특수 소재

그림 7

Figure 4 특수 소재를 선택하면 희생 도구, 생체 적합성 및/또는 위생 등이 필요한 의료 응용 분야에 활용할 수 있다.

그림 8

Figure 4 워크플로를 지원하는 소프트웨어 솔루션

3D Sprint®

그림 9

Figure 4 솔루션은 3D시스템즈의 고급 소프트웨어인 3D Sprint를 사용하여 하나의 직관적 인터페이스로 파일 준비, 편집, 프린팅 및 관리가 가능하다. 3D Sprint를 사용하면 별도의 타사 소프트웨어 구매가 필요 없어 3D 프린터의 소유 비용을 크게 줄일 수 있다. 3D Sprint는 소재가 훨씬 적게 드는 매우 효율적인 서포터를 자동으로 생성하기 때문에 비용을 크게 아낄 수 있다.

3D 생산에 최적화된 관리 구현

3D Connect™

그림 10

3D Connect Service는 안전한 클라우드 기반의 3D시스템즈 서비스 팀 연결을 통해 적극적인 사전 예방 지원을 제공하여 서비스 품질을 높이고, 가동 시간을 늘리며, 시스템의 생산을 보증할 수 있다.

	Figure 4 Production	Figure 4 Modular	Figure 4 Standalone
사용 재료	경질 플라스틱, 탄성 플라스틱, 내열 플라스틱, 특수 수재 등	경질 플라스틱, 탄성 플라스틱, 내열 플라스틱, 특수 수재 등	경질 플라스틱, 탄성 플라스틱, 내열 플라스틱, 특수 수재 등
출력물 크기 (가로x세로x높이, mm)	1248x702x346	1248x702x346	1248x702x196
해상도	1920x1080 픽셀	1920x1080 픽셀	1920x1080 픽셀
픽셀 피치	390.8 유효 DPI	390.8 유효 DPI	390.8 유효 DPI
장비 외형 크기 (가로x세로x높이, mm)	1168x1219x2337(컨트롤 셀, 상자 포함)	1226x729x2091(기본 단위, 포장 제외)	736x685x1295(3D 프린터, 나무 포장 상태)

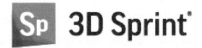

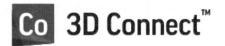

PART 4

생산성 향상을 위한 서포트가 필요 없는 3D 프린터

ProX SLS 6100 /
sPro 60 HD-HS /
sPro 140 / sPro 230

개발 3D SYSTEMS, www.3dsystems.com

주요 특징 서포트가 필요 없는 3D 프린터, 다양한 엔지니어링급 소재를 사용해 열가소성 부품 생산 가능, 플라스틱 프린팅용 일체형 소프트웨어 3D Sprint 제공, 내구성 내열성 부품 빠른 제작 가능

자료 제공 3D시스템즈코리아, www.ko.3dsystems.com

3D 시스템즈의 SLS(selective laser sintering) 기술 프린터인 ProX 및 sPro SLS 3D 프린터는 표면 마감 처리, 해상도, 정확도, 재현성이 뛰어난 복잡한 기능성 경질 부품을 낮은 총 소유 비용으로 생산한다.

주요 특징

그림 1

서포트가 필요 없는 3D 프린터
엔지니어링급 소재를 사용해 열가소성 부품 생산이 가능하다.

툴링 시간과 비용 없음
CAD 파일로 직접 3D 생산이 이루어져 툴링과 고정장치에 따른 비용과 시간이 들지 않는다.

워크플로 간소화
별도 프로그래밍 및 장치 고정이 필요 없어 작업자의 편의를 강화하고 부품 수가 적어 조립 시간이 크게 단축된다.

제조 민첩성 향상
적층 제조에는 툴링이 필요하지 않으므로 간접생산비가 절약되고 전체 운영비 효율이 증대된다.

기능적 설계

SLS 기술은 설계자가 기존 제조 기술에 존재하던 제약에서 벗어날 수 있도록 한다. 전체 어셈블리가 하나의 부품으로 제작되어 부품 기능성이 개선되고 비용이 절감되며 신뢰성을 더욱 향상시킬 수 있다.

ProX SLS 6100 프린터

그림 2

ProX SLS 6100 프린터 시제품 제작 비용으로 생산 품질을 구현하는 기술로서, 최근에 통합된 SLS 기술을 탑재했다.

3D 기계적 특성이 균일하고 부품 품질이 뛰어나, 내구성이 좋은 경질 부품을 빠른 제작 속도로 그리고 낮은 총 운영 비용으로 생산한다.

■ **고처리량:** 같은 가격대의 다른 SLS 프린터보다 제작 시간이 빠르고, 고성능 중첩 및 고밀도 기능으로 제작 용적이 25% 더 크다.
■ **투자 극대화:** 높은 처리량과 95%의 재료 효율성 및 재현성과 경쟁력 있는 초기 구입 가격을 겸비한 자동 생산 도구로서, 동급 프린터에 비해 총 운영 비용을 20% 낮출 수 있다.

sPro 60 HD-HS SLS 프린터

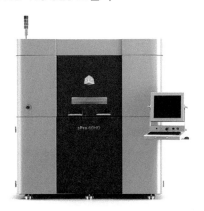

그림 3

sPro 60 HD-HS는 대량의 부품을 제작하는 다양한 용도에 적합하다. 선택적 레이저 소결(SLS)에서 사용할 수 있는 다양한 열가소성, 복합 및 탄성 재료를 재현성과 경제성이 뛰어난 3D 프린트 매체 크기의 부품이나 여러 부품을 높은 처리량과 높은 해상도로, 빠르게 대량으로 프린팅할 수 있다.

■ **뛰어난 해상도와 빠른 속도:** sPro 60 HD-HS는 생산 속도가 빠르고 전체 제작 용적의 부품을 쌓을 수 있어 다른 프린터 기술보다 빠르고 경제적인 솔루션이다.
■ **일관성과 내구성이 뛰어난 부품:** sPro 60 HD-HS는 SLS에서 사용할 수 있는 광범위한 재료를 이용해 내열성과 내화학성이 뛰어난 단단한 부품을 생산한다.

sPro 140 & 230 SLS 프린터

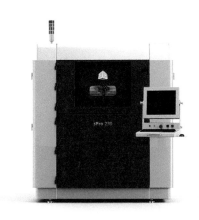

그림 4

sPro 140 및 230은 최종 제작 제품의 용량이 크고 처리량이 많아 총 소유 비용을 절감할 수 있다.

3D로 프린팅하는 중소형 부품의 대량 생산은 물론 부품 강도를 높이고 조립 시간을 줄이기 위해 대형 부품을 한 개씩 생산할 때 적합하다.

■ **대량 제조:** 이 프린터는 고밀도 제작 용적을 빠르게 대량 생산할 때나 sPro 230 프린터로 최대 길이 750mm/30인치의 대형 부품을 제작할 때의 요구를 충족해준다.
■ **낮은 총 소유 비용:** 높은 처리량과 대량을 제공하는 sPro 140 및 230은 양질의 견고한 나일론 또는 복합재 부품을 더 낮은 총 소유 비용으로 생산한다.

용도에 따라 선택 가능한 열가소성 소재

최적화, 검증 및 테스트를 거쳐 3D 기계적 특성이 균일한 품질을 보장하는 광범위한 DuraForm 소재 포트폴리오로 내구성이 뛰어난 경질 부품을 생산할 수 있다. DuraForm SLS 소재는 사출 성형 소재와 거의 유사한 물성을 구현한다. 이 소재는 생산 부품과 원형 제작 부품에 모두 적합하다.

그림 5

NYLON/폴리아미드 12 열가소성 소재

최종 사용 제품에 필요한 뛰어난 기계적 특성과 정교한 해상도를 구현하여 실제 거친 환경에서 장기간 사용할 수 있어 전통적인 사출 성형 부품을 대체할 수 있는 열가소성 소재로, 난연성 인증 및 식품 의료용 등급 인증을 받은 소재가 있다.

그림 6

충진 NYLON/폴리아미드 열가소성 소재

최종 사용 제품의 성능을 향상시키기 위해 3D시스템즈는 유리, 알루미늄 및 광물 섬유 같은 필러를 사용한 DuraForm SLS를 개발했다. 이러한 물질은 강성, 내열성, 강도 및 표면 마감 처리의 측면에서 뛰어난 특성을 발휘한다.

그림 7

NYLON/폴리아미드 11 열가소성 소재

최종 사용 부품과 원형 제작에 적합한 성능을 구현하고 충격 및 피로도가 높은 경질 Nylon 11 소재이다. 원래 모양을 회복하는 유연한 플라스틱 부품인 스냅 핏 및 리빙 힌지에 적합하다.

PART 4

그림 8

탄성 열가소성 소재

메모리, 인열 저항성과 내마모성이 뛰어나 유연한 유사 고무 원형 제작과 생산 부품에 적합한 탄성의 우레탄 열가소성 소재이다.

그림 9

주조가 가능한 폴리스티렌

일반적인 주조 공장 공정에 적합한 이 폴리스티렌은 번아웃 주기가 짧은 새크리피셜 패턴을 생산하여 회분이 적기 때문에 원형 제작 금속 주조와 툴링 없는 중소량 생산에 적합하다.

플라스틱 프린팅용 일체형 소프트웨어 제공

그림 10

3D Sprint는 3D시스템즈의 플라스틱 프린터 전용 소프트웨어로서, CAD 데이터를 준비하고 최적화하며, SLS 프린팅 프로세스를 관리할 때 사용한다. 고성능 도구(예: 고밀도 자동 3D 중첩, 제작 전 확인을 위한 품질 점검, 수리 옵션, 효율적인 제작 계획에 필요한 프린트 대기열 도구, 소형 부품 인클로저용 케이지 구조 생성기)로 SLS 생산 프로세스의 생산성과 품질을 향상시킬 수 있어 타사 소프트웨어를 추가할 필요가 없다.

	ProX SLS 6100	sPro 60 HD-HS	sPro 140	sPro 230
출력 방식	SLS	SLS	SLS	SLS
사용 재료	DuraForm SLS	DuraForm SLS	DuraForm SLS	DuraForm SLS
출력물 크기 (가로x세로x높이, mm)	381x330x460	381x330x460	550x550x460	550x550x750
부피 제작 속도	2.7 l/hr	1.8 l/hr	3.0 l/hr	3.0 l/hr
층 두께 범위	0.08~0.15 mm	0.08~0.15 mm	0.08~0.15 mm	0.08~0.15 mm
장비 외형 크기 (가로x세로x높이, mm)	204x153x258(상자 포함)	191x140x229(상자 포함)	229x178x257(상자 포함)	267x224x292(상자 포함)

PART 4

생산성 높인 산업용 MJF 방식 3D 프린터

HP Jet Fusion 580/540 시리즈

개발 HP, www.hp.com

주요 특징 우수하고 일관된 부품의 품질 제공, 획기적인 생산성, 부품당 비용 절감, 엔지니어링 플라스틱 사용(PA11, PA12, PA12GB, TPU), 복셀 제어 시스템으로 풀 컬러 구현(580 모델에 한함)

자료 제공 에이엠코리아, 031-425-8265, www.amkroea21.com

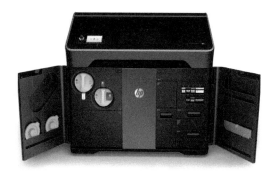

제조사	HP			
제품명	HP Jet Fusion 580	HP Jet Fusion 540	HP Jet Fusion 4200	HP Jet Fusion 5200
출력 방식	MJF(Multi Jet Fusion)			
재료	나일론 PA11, PA12, PA12GB/TPU			
출력물 크기 (가로×세로×높이, mm)	332×190×248		380×284×380	

HP에서 새롭게 출시한 HP Jet Fusion(HP 젯 퓨전) 3D 프린터는 시제품 제작에서 완제품 생산에 이르기까지 아이디어를 제품으로 빠르게 전환시킬 수 있는 3D 프린터이다. HP Jet Fusion 3D 프린터는 HP Multi Jet Fusion(HP 멀티 젯 퓨전) 기술의 고유한 성능과 관련된 5000여 개의 HP 특허기술을 통해 프린팅 및 소재공학 분야에서 쌓은 수십년의 경험을 제공한다.

풀 스펙트럼 컬러 부품 생산

HP Jet Fusion 580은 복셀 제어 시스템을 통한 우수한 풀 컬러 제품 및 고기능성 부품 생산이 가능하다.

지속적인 뛰어난 부품 품질

HP의 고유한 멀티에이전트 프린팅 공정으로 매우 정밀하고 정교하게 제품을 생산할 수 있으며 최적의 기계 특성을 가진 실제 부품을 더 빠르게 생산할 수 있다. 또한 설계와 일치하는 최종 프린팅 제품을 빠르게 확보할 수 있고 HP Multi Jet Fusion 개방형 플랫폼으로 미래형 소재에 접근할 수 있어 새로운 적용 분야를 개척할 수 있다.

획기적인 생산성

연속 프린팅과 고속 냉각기술로 하루에 많은 부품을 생산할 수 있으며, HP의 자동화된 후처리 기술로 작업자의 업무를 효율적으로 관리할 수 있다. 뿐만 아니라 밀폐형 프로세싱 스테이션 및 위험하지 않은 소재를 사용하여 청결하고 안전한 작업 환경을 조성할 수 있고, HP의 기술서비스와 지원을 통해 가동 시간 및 생산성을 극대화할 수 있다.

부품당 최저 생산 원가

부품당 최저 생산 원가를 달성하고 운영비를 절감하여 단기간 제작이 가능해지며 경쟁력 있는 가격의 3D 프린팅 솔루션으로 수익 창출이 가능하다. 또한 최고의 재생율을 가진 소재로 비용과 부품 품질을 최적화할 수 있으며, 생산 시간을 더욱 정확하게 계획함으로써 전체적인 운영효율을 높일 수 있다.

엔지니어링 플라스틱 소재

HP 3D High Reusability PA12는 생산주기 사이에 파우더 폐기물을 최소화하므로 20%의 재생률로 일관된 성능을 유지할 수 있다. 이 소재는 HP의 Multi Jet Fusion 플랫폼에 최적화되어 안전성을 높여주며, 안정된 고밀도 부품을 만들 수 있다. 이 소재는 복잡한 어셈블리, 하우징, 엔크로저 및 커넥터에 이상적이다.

최대의 End to End 효율성

알고리즘으로 치수 정확도 및 정교한 디테일을 가진 부품 품질을 확보할 수 있다. 또한 내장된 품질검사 기능으로 오류를 최소화하고 자동패킹 기능으로 빌드당 부품 수가 증가하며 정확한 빌드 시간 예측으로 생산을 효율적으로 계획할 수 있다.

PART 4

고성능의 소형 FFF 3D 프린터

CUBICON Style Neo-A22C

개발 및 공급 큐비콘, 1677-4371, www.3dcubicon.com

주요 특징 220×220×220mm의 출력 사이즈, 카메라 내장으로 출력 상황 확인, 롤러 2개를 내장한 필라멘트 자동공급장치, 산업용 로드 셀 적용 및 정밀한 오토 레벨링, 노즐 교체형 익스트루더, 소재 종류 및 사용량을 확인 가능한 NFC 태그 적용, 7인치 터치스크린 GUI 탑재 등

3D프린팅 솔루션 공급업체 큐비콘이 동급 모델 최대 사이즈 출력이 가능한 고성능 3D 프린터 '큐비콘 스타일 네오-A22C(CUBICON Style NEO-A22C)'를 출시했다고 밝혔다.

큐비콘 스타일 네오-A22C는 새로운 빌드 사이즈의 라인업으로, 220×220×220mm 사이즈의 출력이 가능하여 목적에 따라 더욱 다양한 크기의 3D 모델을 출력할 수 있는 것이 특징이다. 내부에 장착된 내장형 카메라를 통해 제품 전면의 터치스크린뿐만 아니라 컴퓨터와 스마트폰으로도 출력 과정을 확인할 수 있으며, 출력 오류 등이 확인될 경우 네트워크 원격 컨트롤을 통해 출력 상황을 제어할 수 있다.

큐비콘 스타일 네오-A22C는 롤러 타입의 스풀(spool)이 장착되어 필라멘트 경로 부하 문제를 개선했고, 필라멘트 자동공급장치에 2개의 롤러를 장착하여 더욱 안정적인 필라멘트 공급이 가능하도록 보완했다.

또한 NFC 시스템이 필라멘트의 종류와 사용량을 자동 인식하여 노즐과 베드의 온도를 자동으로 조정한다. 이 밖에도 터치스크린의 크기를 4인치에서 7인치로 확대하여 사용 편의성을 강화했으며, 대형 3D 프린터의 필수 요소인 벨트 아이들러와 산업용 설비 규격의 케이블 베어를 적용하여 출력 안정성을 높였다.

주요 특징

새로운 빌드 사이즈 라인업

소형 3D 프린터 중에서 동급 최대 출력 사이즈를 제공한다. 새로운 빌드 사이즈 라인업으로, 목적에 따라 다양한 크기의 3D 모델을 출력할 수 있다.

스마트한 내장형 카메라

출력 과정을 3D 프린터 전면 외에도 컴퓨터와 스마트폰으로 확인할 수 있는 이 기능은 출력 시에 출력 오류가 발생하거나 실패가 확인될 경우에 네트워크 원격 컨트롤을 통해 출력 상황을 손쉽게 제어할 수 있다.(출력 정지 및 재시작 등이 가능하며, 네트워크 원격 제어 기능은 추후 적용 예정)

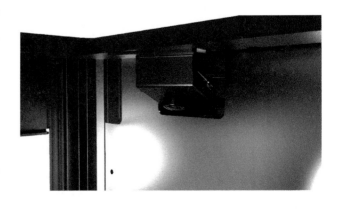

안정적인 필라멘트 공급을 위한 2개의 롤러 내장

필라멘트 자동공급장치에는 2개의 롤러를 내장하여 더욱 안정적으로 필라멘트를 공급할 수 있도록 하여, 사용 편의성을 높였다. 또한 비접촉식 광학 감지센서를 적용해 필라멘트 소진 및 끊어짐 등으로 인한 공급 문제 발생 시 자동으로 출력이 중단되며, 재연결 시 자동으로 출력이 지속되도록 하였다.(품질 유지 및 유지 보수 최소화를 위해 다른 필라멘트는 익스트루더를 분리해 사용하는 것을 권장)

오토레벨링 플러스 및 특수 코팅 히팅 베드

조형물이 출력되는 베드의 평탄도와 노즐 사이의 간격은 출력물의 품질을 결정하는 중요 요소이다. 큐비콘 스타일 네오-A22C는 산업용 로드 셀(load cell)을 적용해 초정밀 오토레벨링(auto leveling)이 가능하여 높이 오차에 의한 출력 실패를 줄이고, 높은 출력 품질을 제공해 준다.

추가적으로 별도의 접착제나 마스킹 테이프 작업 없이 출력

을 바로 시작할 수 있을 뿐만 아니라, 출력 후 간편하게 분리되어 최상의 출력 품질을 보장한다.

유지보수의 편의성을 위한 분리형 익스트루더 및 교환식 노즐

자체 설계된 노즐 교체형 익스트루더(extruder)를 장착했을뿐 아니라 노즐과 노즐관로가 일체화된 스테인레스 노즐 키트를 적용하여, A/S를 기다리지 않고도 현장에서 바로 교환할 수 있다. 이를 통해 유지보수 비용을 절감하면서 시간 낭비 없이 출력을 진행할 수 있다.

또한 한 개의 익스트루더로 여러 종류의 필라멘트를 같이 사용할 수 있는 편의성을 제공한다.

초보 출력자를 위한 NFC 태그

PART 4

NFC 태그(tag)를 통해 자동으로 소재 종류 및 사용량을 확인할 수 있다. 인식된 필라멘트 종류에 따라서 노즐 온도 및 출력을 위한 기본 설정을 세팅해 주기 때문에, 소재별 출력 조건이 맞지 않아 생기는 실패를 막을 수 있다.

와이파이 및 전용 슬라이스 소프트웨어 지원

실행 중인 PC와 큐비콘 스타일 플러스를 와이파이로 연결하여, 같은 무선망 내에서 USB 없이도 쉽고 빠르게 출력할 수 있다. 또한 큐비콘 3D 프린터에 최적화된 슬라이싱 프로그램인 'Cubicreator'를 무상으로 제공하여, 업그레이드된 옵션 설정을 통해 큐비콘 3D 프린터의 활용을 극대화할 수 있다.

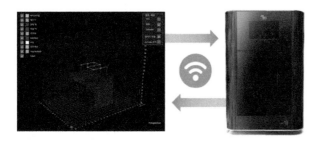

GUI 탑재 및 7인치 터치스크린으로 디자인과 편의성 강화

초보자도 쉽게 3D 프린터를 사용할 수 있도록 GUI를 탑재한 7인치 터치스크린이 장착되어 있다. 7인치 풀 컬러 LED 터치스크린은 한글 및 영문 UI(사용자 인터페이스)가 적용되어 있으며, 터치스크린을 통해 출력 상황, 기계 정보, 소재 정보, 프린터 자체 정보 등을 쉽게 확인할 수 있다.

상세 사양

본체 크기 & 무게	405×451×597mm, 32Kg
AC 입력/소비 전력	200-240V~, 60Hz, 2.65A (110V&220V 프리볼트)
출력 속도	MAX 150mm/sec
출력 사이즈	220×220×220mm
레이어 높이	100~300㎛
디스플레이	7인치 터치형 TFT LCD
필라멘트 직경	1.75mm
필라멘트 종류	ABS, ABS-A100(저수축), PLA Plus, PLA-i21(고강도), PETG, TPU
내장형 카메라	적용
노즐 직경	0.4mm
슬라이싱 소프트웨어	Cubicreator v4 for Windows(64bit)
사용 메모리 및 통신 환경	USB(FAT32/NTFS), 이더넷, 와이파이
입력 3D 디자인 파일 유형	STL, OBJ
지원 운영체제	윈도우 7(64비트) 이상
XY/Z 위치 정밀도	3.125/1.25㎛
노즐 최대 온도	260℃
베드 최대 온도	120℃
가격(VAT 포함)	440만 원

쾌적한 환경을 위한 3중 에어필터

CE, KC, FCC 등 국내외 주요 인증을 취득하였고 3중 클린 필터(Hepa, Carbon, Purafil Catalyst Filter)를 장착하여 FDM 3D 프린터 출력에서 발생하는 분진과 가스 및 냄새를 차단하고, 보다 안전한 프린팅 환경을 제공한다.

PART 4

고성능 재료 사용이 가능한 높은 생산성의 SLS 3D 프린터

eForm, 252P 시리즈, 403P 시리즈, HT1001P

개발 Farsoon Technologies, www.farsoon.net

주요 특징 안정적인 제품 출력을 자랑하는 산업용 SLS 3D 프린터, 자체개발 소프트웨어로 3D 프린팅 시스템 토털 솔루션 제공, 고온의 챔버 온도로 고성능의 재료 사용 가능, 중소형 제품부터 대형 제품까지 대량생산을 위한 솔루션, 지능형 열 제어 시스템으로 높은 정밀도 제공

자료 제공 퓨전테크놀로지, 031-342-8263, www.fusiontech.co.kr

기술 혁신기업, Farsoon Technologies

산업용 플라스틱 및 금속 3D 프린팅 시스템 토털 솔루션을 제공하는 Farsoon(파순)은 2009년 설립되었으며 열 제어, 재료 개발 및 처리뿐 아니라 기계 공학과 레이저 광학분야의 역량을 갖춘 전문가들로 구성되어 있다. 설립자인 Dr. Xu는 레이저 소결 기술의 선구자 중 하나인 미국의 DTM Corporation에서 기술 이사직을 수행했으며, 업계에서 20년 이상의 경력을 갖춘 레이저 소결 기술 분야의 전문가다.

Farsoon은 재료 과학, 기계학, 열학, 제어 그리고 광학 설계를 포함한 다양한 분야에서 새로운 솔루션을 개발해왔고 그 결과, 2016년에 이미 100개가 넘는 특허권을 취득하였다. 특히, Farsoon의 모든 SLS 3D 프린터 시스템은 파라미터 값 설정뿐만 아니라 다양한 재료로 사용이 가능한 운용 상의 자유를 제공하는 개방형 플랫폼으로 설계되었다.

안정적인 제품 출력을 위한 Farsoon SLS 3D 프린터

Farsoon의 SLS 3D 프린터는 높은 설계 자유와 정확성을 제공하며 양호하고 일관된 기계적 물성치를 가진 부품을 생산할 수 있다. 산업용 SLS 방식으로 강도가 강하고 질긴 기계적 특성이 있는 파트를 출력한다. 주로 자동차, 기계 부품 등 다양한 산업 분야에 활용될 수 있으며 한 번에 많은 수량의 제품 제작 시 생산성이 뛰어나 대량생산에 적합하다.

다수의 열 제어 시스템 탑재

Farsoon의 SLS 3D 프린터는 동급 장비 중 가장 많은 히팅 시스템을 갖추었다. 4개의 엣지 히팅 장치와 4개의 메인 히팅 장치로 총 8개의 히터로 전체적인 빌드 영역을 제어한다. 이러한 열 제어 시스템은 빌드 챔버 내의 열 배분을 균일한 온도로 유지해 주어 최종 출력물의 기계적 물성치를 일관적으로 유지

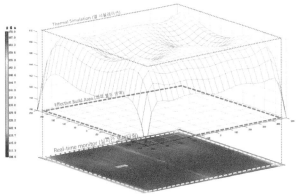

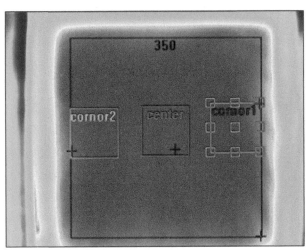

그림 1. Farsoon SLS 3D 프린터 열 제어 시스템

시켜 줄 뿐만 아니라 출력물의 변형도 최소화한다.

높은 생산 효율성

Farsoon의 SLS 3D 프린터는 디지털화된 고속 레이저 스캐닝 기술을 탑재하여 빠른 레이저 스캐닝 속도를 자랑한다. 최대 15.2 m/s의 스캔 속도와 최대 100W의 파워를 내는 고성능 CO_2 레이저를 바탕으로 높은 생산 효율성을 제공한다.(HT302P 기준) 또한 빠른 출력 속도에도 불구하고 레이저

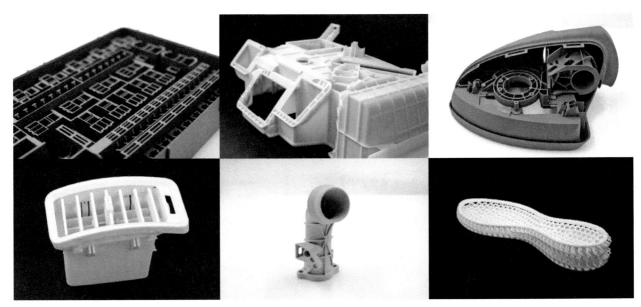

그림 2. Farsoon SLS 3D 프린터의 다양한 출력물

그림 3. eForm, 252P Series, 403P Series, Flight HT403P, HT1001P(왼쪽부터)

파워와 레이저 조사 속도를 동기화하여 높은 정확도로 안정된 출력을 보장한다.

자체개발 종합 소프트웨어

모든 Farsoon의 SLS 3D 프린터는 Farsoon에서 자체 개발한 소프트웨어와 함께 제공된다. 빌드 준비부터 장비 제어 및 운용에 이르는 다양한 기능을 지원하는 동시에 사용자로 하여금 필요에 맞게 파라미터 값을 조정할 수 있게 개방된 파라미터 시스템을 제공한다. 빌드 준비 소프트웨어인 BuildStar 는 출력할 3D 파일을 Farsoon 3D 프린터의 빌드 플랫폼에 맞게 압축한 빌드 파일을 생성하며 최적의 빌드 패킷을 생성하는데 필요한 만큼 파일을 수정하고 조작할 수 있다. 또한 제작 프로세스를 최적화하기 위해 스캔 및 슬라이스 미리보기 기능을 제공할 뿐만 아니라 부품 품질을 보장하기 위해 다양한 스캐닝 전략이 기본으로 제공된다.

장비 제어 소프트웨어인 MakeStar는 사용자가 주요 파라미터 값을 편집하여 개별 요구에 가장 최적화된 프로세스를 생성할 수 있게 해주며 실시간 원격 모니터링 기능을 제공하여 실시간으로 빌드 챔버 내의 작동 상태를 모니터링할 수 있다.

다양한 종류의 고기능성 재료 라인업

Farsoon은 장비를 제조할 뿐만 아니라 플라스틱 파우더 분말 또한 직접 제조하는 업체이다. 숙련된 재료 개발팀을 보유하여 자체적으로 재료에 대한 출력 파라미터를 개발하였다. Farsoon의 폴리머 재료는 높은 색 안정성과 내 산화성뿐 만 아니라 세밀한 표면 정밀도와 높은 기계적 물성치를 제공하는 고기능성 재료로 고품질의 부품을 생산할 수 있다. Farsoon 은 특히 개방형 재료 정책을 통해 많은 재료 공급 업체와 협력하여 새로운 고기능성 재료를 개발하기 위해 노력하고 있다.

다양한 빌드 사이즈의 Farsoon SLS 3D 프린터 라인업

Farsoon의 SLS 3D 프린터는 산업용 레벨 시스템의 모든 기능과 성능을 갖춘 엔트리급 제품인 eForm부터 1000x 500x450mm의 대형 빌드 사이즈를 가진 HT1001P까지 중소형 제품부터 대형 제품 제작이 가능한 다양한 크기의 빌드 사이즈를 지원한다.

250x250x320mm의 빌드 사이즈를 제공하는 252P 시리즈 제품은 빌드 챔버의 온도가 최대 280°C에 도달할 수 있어 PA6, PA66, PEI와 같은 고성능 재료를 사용할 수 있다.

400x400x450mm의 빌드 사이즈를 제공하는 403P 시리즈는 최대 15.2 m/s의 스캔 속도로 높은 생산성을 제공한다.

폼넥스트(Formnext) 2019에서 새롭게 공개한 Flight 기술이 적용된 HT403P는 Farsoon만의 독자적인 스캐닝 알고리즘과 강력한 다이나믹 광학 시스템을 장착하였다. 기존 CO_2 레이저 대신 500W의 강력한 Fiber 레이저를 탑재하여 높은 레이저 출력을 통해 최대 20m/s의 고속의 스캐닝 속도를 제공한다.

1000x500x450mm의 대형 빌드 사이즈를 가진

HT1001P는 생산 라인 구축과 제조 공장화를 위한 3D 프린팅 솔루션으로 연속 배치 생산 능력을 갖춘 제품이다. 듀얼 레이저와 듀얼 스캐너로 생산성을 높였으며 Farsoon에서 자체개발한 소프트웨어를 통해 스캐닝 오차보정을 위한 조정 알고리즘과 레이저 스캐닝 전략으로 중첩되는 영역을 보정한다.

	eForm	HT252P	ST252P
빌드 사이즈 (LxWxH)	250x250x320mm		
장비 크기	1735x1225x1975mm		
스캐닝 속도	7.6m/s	10m/s	
레이어 적층 두께	0.06~0.3mm		
빌드 레이트(최대)	0.8L/hr	1.5L/hr	2.5L/hr
레이저 타입	CO_2 Laser, 1×30W	CO_2 Laser, 1×60W	CO_2 Laser, 1×100W
빌드 챔버 온도(최대)	190℃	220℃	280℃
열 제어	Eight-zone heater & Intelligent temperature control systems		
온도 제어	Continuous real-time surface temperature monitoring & optimization		

	HS403P	HT403P	Flight 403P	HT1001P
빌드 사이즈 (LxWxH)	400x400x450mm		400x400x540mm or 400x400x450mm	1000x500x450mm
장비 크기	2470x1500x2145mm		2470x1500x2145mm	5585x2000x2980mm (Full module), 2680x2000 x2980mm (Build Station only)
스캐닝 속도	10m/s	15.2m/s	20m/s	15.2m/s
레이어 적층 두께	0.06~0.3mm			
빌드 레이트(최대)	2.7L/hr	4.0L/hr	Up to 6.0L/hr	15L/hr
레이저 타입	CO_2 Laser, 1×60W	CO_2 Laser, 1×100W	Fiber Laser, 1×500W	Dual CO_2 Laser, 2× 100W
빌드 챔버 온도(최대)	190℃	220℃	220℃	220℃
열 제어	Eight-zone heater & Intelligent temperature control systems		Multi-zone heater & Intelligent temperature control systems	
온도 제어	Continuous real-time surface temperature monitoring & optimization			

PART 4

활용도 넓힌 데스크톱 세라믹 3D 프린터

IMC

개발 및 공급 캐리마, 02-3663-8877, www.carima.co.kr

주요 특징 액상 상태의 세라믹 레진을 사용하는 DLP 방식 채택, 면 단위 적층 방식으로 작업 영역에 배치된 데이터 개수와 형상에 관계 없이 조형 가능

가격 2200만원(부가세 포함)

캐리마는 DLP 3D 프린터 제조기업으로 다양한 분야에서 사용 가능한 3D 프린터를 제조 및 판매하고 있으며, 귀금속/덴탈/세라믹용으로 최적화된 산업용 데스크톱 3D 프린터 및 듀얼 4K 엔진을 장착한 대형 프린터 등을 선보여 왔다.

캐리마가 새롭게 선보인 세라믹 3D 프린터 IMC는 데스크톱형 크기로 특정 전문 분야에서만 사용 가능하던 고가의 세라믹 3D 프린터를 연구소, 기관, 대학교 및 일선 기업에서 쉽게 사용할 수 있도록 상용화시킨 제품이다. IMC는 전기절연 및 경도에 강한 세라믹 소재를 이용하여 고온 고압에 견딜 수 있는 각종 세라믹 전자부품 및 복잡한 형상의 세라믹 부품, 귀금속, 시계/액세서리 세라믹 제품 등 다양한 분야에 적용 가능하다.

소재 부품 산업에서 시제품이나 세라믹 필터뿐 아니라 덴탈용 바이오 생명과학 의료제품의 심층적인 연구개발을 가능하게 하는 전문적인 장비로도 사용할 수 있다. 특히 캐리마에서 제공되는 실리카 및 알루미나 계열의 소재는 모델용과 몰딩용으로 나뉘어 공급되며, 모델용 소재를 사용하여 고해상도 표면 품질의 출력물을 만들 수 있고, 150℃의 내열성을 지닌 몰딩용 소재를 사용하여 금속 주조를 위한 거푸집과 같은 세라믹 주형을 만들 수 있다.

세라믹 3D 프린팅을 활용하면 세라믹 특성상 기존 공법으로 가공이 어려웠던 복잡한 형상 구조의 모델(난성형성 모델)을 출력할 수 있다는 장점이 있다.

IMC의 특징

IMC는 세라믹 전용의 고성능 3D 프린터로 고출력의 UV LED 엔진 광원을 적용했으며, 온도 유지 장치로 소재의 점도를 낮춰 출력 시간을 단축하였다. 캐리마는 세라믹 3D 프린터

IMC와 호환 가능한 2종류(세라믹 모델, 세라믹 몰딩)의 소재를 보유하고 있으며 이외에도 모든 재료의 광량 조절이 가능하다. 세라믹 모델 소재는 100㎛ 두께로 출력하여 고해상도의 세밀한 출력에 적합하며, 소결과 무관하게 출력물에 유약 도포를 할 수 있다. 출력 속도는 레이어 두께 및 사용 소재에 따라 상이하다. 소재의 강도는 소결 이후 보다 강할 수 있지만 세라믹의 물리적 특성은 없어 플라스틱 품질과 유사하다. 세라믹 몰딩 소재는 소결 전 일반 광중합 레진 비해 비교적 높은 내열성을 지니고 있다. 소결 후 금속 주조를 위해 거푸집과 같은 세라믹 주형을 만드는데 사용되고 있다.

다양한 분야에서 활용 가능성을 제시하다

데스크톱형 세라믹 3D 프린터는 소재부품 산업에서 자동차 부품, 세라믹 필터, 전기전자 시제품 제작용 활용 외에 덴탈 분야에서도 활용된 예정이다. 3D 프린팅 업계에서 고분자 플라스틱(레진)과 메탈 다음으로 활용성이 기대되는 세라믹은 미술, 건축, 디자인 등 다양한 분야에 적용이 가능하여 향후 응용 제품의 범위가 확대될 전망이다. 세라믹 3D 프린터의 지속적인 소재 및 장비 개발을 통해 수출 규모가 앞으로 더욱 커질 것으로 예상한다.

DLP 3D 프린팅 기술이 세라믹 시장에 가져올 변화

3D 프린팅 기술은 세라믹 재료의 난성형성을 해결하여 기존 세라믹 제품 생산기술의 한계인 높은 공정 비용과 고가의 가공 비용에 따른 낮은 생산성 문제를 해결할 수 있다. 그동안 광중합 3D 프린팅 방식에서는 광경화성 고분자 레진에 한정되어 있어 세라믹과 금속 등의 분말을 첨가하여 기능성을 부여하기 위한 많은 시도가 있었으나, 낮은 분산성과 높은 점도로 조형이 어려웠다. 캐리마는 고점도 세라믹 특수 소재에 최적화된 광중합 3D 프린터를 독자 개발하여 상용화하였다.

IMC는 압출 방식 3D 프린팅 방식에 비해 노즐 막힘과 같은 문제점이 없으며, 동종의 광중합 장비 대비 레진 탱크의 내구성, 강력한 UV 광출력 엔진 적용을 통한 빠른 출력, 높은 표면 조도 및 높은 출력 성공률, 반복 생산 재연성 등과 같은 특징이 있다.

이외에도 캐리마는 전용 슬라이싱 프로그램을 제공한다. 이 프로그램은 3D 프린터에 대한 전문지식이 없는 사용자도 3D 모델링 데이터를 쉽게 출력할 수 있도록 최적의 출력 조건을 제공하고 있다.

캐리마의 세라믹 3D 프린터는 사용자 친화적인 인터페이스, 우수한 출력 속도 및 기술을 바탕으로 보다 더 다양한 분야에서 활약할 것으로 보인다. 캐리마는 지속적인 선도기술 확보를 통해 더욱 전문적인 세라믹 3D 프린터와 다양한 기능성 세라믹 복합 소재를 개발할 예정이며, 메디컬 의료분야뿐 아니라 전기/전자 및 국방, 우주 과학 등 연구개발 분야까지 범위를 확대할 예정이다.

IMC의 제품 사양

제품 사이즈	395×397×564(mm)
조형 사이즈	110×61×130(mm)
정밀도(X/Y)	57㎛
적층 두께	25, 50, 100㎛
광원	UV LED
해상도	1920×1080
입력 파일	stl, obj, 3ds, amf, slc, ply
소프트웨어	캐리마 슬라이서
무게	34kg
전력	DC 24V 5A 60W

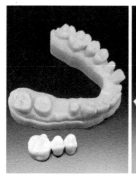  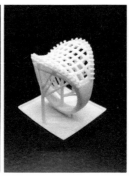  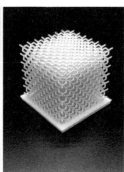

PART 4

고성능 기능성 소재 사용하는 3D 프린터

FUNMAT 시리즈

개발 INTAMSYS, www.intamsys.com

공급 드림티엔에스, 031-713-8460, www.dream3d.co.kr

가격 1650만원부터

주요 특징 항온 밀폐 챔버에 내장된 빌드플레이트와 노즐, 50미크론 해상도로 산업용 품질의 3D 프린팅 지원, 다양한 기능성 엔지니어링 소재 출력, 재료 모듈 구입 없이 모든 재료를 단일장비에서 사용

INTAMSYS(Abbreviation of INTelligent Additive Manufacturing SYStems)는 고성능 엔지니어링 열가소성 수지를 전문으로 하는 산업용 3D 프린터 제조업체로, 고정밀 산업 기계 및 장비 엔지니어링에 대한 심층적인 경험과 노하우를 바탕으로 설립되었다.

INTAMSYS는 올인원 3D 프린팅 솔루션을 통해 시장에서 요구되는 강력한 성능과 중저가 가격으로 고성능 기능성 소재를 전문적으로 출력하는 FUNMAT 시리즈 3D 프린터를 출시하였다. FUNMAT은 기능성 재료(FUNctional MATerials)의 줄임말이다.

INTAMSYS의 3D 프린터는 FCC 및 CE 인증을 획득해 최고 수준의 제조 설계 및 품질 표준을 준수하고 있으며, 상하이의 본사를 비롯해 중국에서 제조 및 연구 시설을 운영하고 있다.

INTAMSYS는 엔지니어, 연구원, 디자이너, 교육자 및 의료 전문가에게 고성능 기능성 소재 3D 프린팅 솔루션을 제공하고 있다. 지속적인 소량 생산에 적합하며 우주 항공, 의료, 제조 및 교육 산업 분야 뿐만 아니라 다양한 산업에 안정적인 솔루션을 제공하고 있다.

FUNMAT HT

FUNMAT HT는 고성능 기능성 소재를 사용할 수 있는 3D 프린터이다.

- ■ **빌드 볼륨:** 260×260×260mm
- ■ **사용 재료**
- • **고성능 재료:** PEEK, ULTEM, PEKK, PPSU 외
- • **엔지니어링 재료:** Carbon , PA, PC, ABS, TPU 외
- ■ **향상된 서멀 시스템:** 항온챔버(90℃), 빌드 플레이트(160℃), 익스트루더(450℃)
- ■ **소비자 가격:** 1650만원(VAT 포함)

FUNMAT PRO

FUNMAT PRO는 대형 빌드 볼륨을 위한 산업용 3D 프린터이다.

- ■ **빌드 볼륨:** 450×450×600mm
- ■ **사용 재료:** Carbon, PA, PC, ABS, TPU 등 엔지니어링 플라스틱
- ■ 안정된 제품 출력으로 뒤틀림이 없음
- ■ **향상된 서멀 시스템:** 항온챔버(60℃), 빌드 플레이트(120℃), 익스트루더(270℃)
- ■ **가격:** 4000만원대

FUNMAT PRO410

FUNMAT PRO410은 스마트 기능성 소재를 사용할 수 있는 3D 프린터이다.

- ■ **빌드 볼륨:** 305×305×406mm
- ■ **사용 재료**
- • **고성능:** PEEK, ULTEM, PEKK, PPSU 외
- • **엔지니어링:** Carbon, PA, PC, ABS, TPU 외
- ■ **듀얼 노즐 사용:** 서포트 재료 별도 사용
- ■ **수냉식 노즐 쿨링 시스템 적용:** clogged material 현상 최소화 및 제품 품질 향상
- ■ **향상된 서멀 시스템:** 항온챔버(90℃), 빌드 플레이트(160℃), 익스트루더(500℃)
- ■ **스마트 디자인/안정된 출력**
- • 향상된 출력 속도와 정밀도
- • 최적화된 사용 편의성
- • 뒤틀림 없이 안정된 제품 출력

FUNMAT PRO610HT

FUNMAT PRO610HT는 대형 빌드 볼륨에서 기능성 소재를 사용할 수 있는 3D 프린터이다.

- ■ **빌드 볼륨:** 610×508×508mm
- ■ **사용 재료**
- • **고성능:** PEEK, ULTEM, PEKK, PPSU 외
- • **엔지니어링:** Carbon, PA, PC, ABS, TPU 외
- ■ **듀얼 노즐 사용:** 서포트 재료 별도 사용
- ■ **향상된 서멀 시스템:** 항온챔버(300℃), 빌드 플레이트(300℃), 익스트루더(500℃)
- ■ **스마트 디자인/안정된 출력**
- • 향상된 출력속도와 정밀도
- • 뒤틀림, 휨, 갈라짐 현상 없이 풀 사이즈로 출력

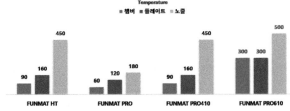

▲ FUNMAT 시리즈의 향상된 서멀 시스템

	FUNMAT PRO	FUNMAT HT	FUNMAT PRO 410	FUNMAT PRO 610 HT
PEEK, PEKK, PEKK+CF		✔	✔	✔
ULTEM9085, 1010		✔	✔	✔
PPSU, PPS		✔	✔	✔
CARBON	✔	✔	✔	✔
PA	✔	✔	✔	✔
TPU	✔	✔	✔	✔
ABS	✔	✔	✔	✔
PC	✔	✔	✔	✔
PLA	✔	✔	✔	✔

▲ FUNMAT 시리즈의 재료 지원

<HIGH PERFORMANCE MATERIAL>

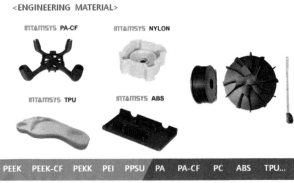

<ENGINEERING MATERIAL>

▲ FUNMAT 시리즈의 출력 샘플

PART 4

생산성 혁신을 위한 고속 적층 바인더 젯팅
샌드 3D 프린터

BR-S900

개발 및 공급 삼영기계, 041-840-3080, www.sym.co.kr

주요 특징 900x520x450mm 기준 최단 9시간 이내 출력 가
능, 400dpi의 고해상도를 통한 정교한 형상 구현, 바인더 시스
템의 국산화 개발 및 국내 A/S 지원으로 합리적 운용 가능

BR-S900은 모래에 바인더를 분사하여 적층하는 바인더 젯
팅 샌드 3D 프린터로 주조용 몰드 제작에 최적화된 적층제조
시스템이다. 실리카 샌드, 세라믹, 지르콘 등 다양한 파우더 적
층이 가능하고, 900x520x450mm의 크기를 갖는 중대형 Job
Box를 통해 제작할 수 있는 최대 단일 출력 볼륨은 210리터
에 달한다.

고속 고정밀 적층을 통한 생산성 혁신

BR-S900은 520mm의 폭을 갖는 초대형 바인더 젯팅 프린
트 헤드를 장착하여 시간당 23리터 이상의 볼륨을 적층제조할
수 있으며 전체 Job Box를 프린팅 하는데 9시간이면 충분하
다. 또한 빠른 속도뿐만 아니라, 해상도가 200~300dpi에 머
무는 외산 샌드 3D 프린터 대비 높은 해상도인 400dpi를 구
현하여 보다 정교한 출력물 제작이 가능하다. 이와 같은 고속
고정밀 적층은 8000개 이상의 헤드 노즐을 통해 피코리터 단
위의 바인더를 정확하게 분사하는 초정밀 프린트 헤드 및 제어
시스템을 통해 구현된다.

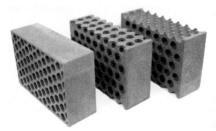

그림 1. BR-S900 3D 프린팅 출력물 예시

최적의 바인더 시스템

BR-S900은 초정밀 프린트 헤드의 까다로운 제약 조건을
만족하면서도 고속 적층이 가능하도록 자체 개발한 퓨란 바인
더 시스템을 사용한다. 개발된 바인더 시스템은 프린팅 직후
바로 높은 강도가 발현되는 자경성 바인더 시스템으로 출력물
을 별도의 열처리 프로세스 없이 바로 주조용 몰드로 활용이
가능하다. 또한 산업용 퓨란 바인더에 대부분 포함되어 있는
폼알데하이드 성분을 제거하여 안전성을 향상시켰다.

샌드 3D 프린터 보급의 열쇠 : 탁월한 경제성

샌드 3D 프린터를 도입하는데 있어서 가장 큰 걸림돌은 높
은 장비 구매 비용과 운용비용이다. BR-S900은 국내의 샌드
3D 프린터 보급 및 활성화를 위해 개발된 장비로 성능뿐만 아
니라 장비의 경제성 확보에도 세심한 노력을 기울였다.

BR-S900의 판매 가격은 외산 샌드 3D 프린터 대비 70%
수준으로 책정하여 고객사의 비용 부담을 대폭 완화하였고,
BR-S900의 우수한 성능까지 감안하면 실제 구매 가치는 더
욱 높다. 또한 프린팅에 사용되는 원, 부재료의 공급 가격을 제
품 생산에 적용 가능한 수준으로 현실화하였다. 프린터 운용
시 가장 큰 비중을 차지하는 바인더 시스템의 경우, 외산 대비
50% 수준으로 공급이 가능하며, 주재료인 실리카 샌드 파우더
의 경우 Strobel Quarzsand(독일)와의 국내 총판 계약을 통
한 직수입으로 고품질 고순도 실리카 샌드를 kg당 500원대의
합리적인 가격으로 공급이 가능하다.

그림 2. 샌드 3D 프린팅 몰드 및 코어 예시

그림 3. 샌드 3D 프린팅 몰드를 이용하여 생산한 실린더 헤드 예시

신속한 A/S

외산 장비 도입 후 예외 없이 겪는 어려움 중의 하나는 오랜 A/S 대기 시간과 높은 A/S 비용이다. 장비 문제 발생 시 현상 파악 및 진단, 견적, 수리 및 시운전 후 정상화까지의 긴 시간은 빠른 장비 정상화를 필요로 하는 고객에게 가장 답답한 문제이다. 해외 엔지니어의 파견을 필요로 할 경우에는 긴 시간뿐만 아니라 비용 또한 매우 높아지며, 장비 미가동에 따른 기회 손실까지 고려하면 경제적 손실 비용은 상상 이상으로 커진다.

BR-S900은 고장 최소화를 고려한 설계는 물론 국내 전문인력의 원격 진단 및 신속한 A/S 대응을 통해 고객의 장비 이상에 따른 운영 손실을 최소화한다. 특히 앞으로 COVID-19와 같은 팬데믹 상황이 자주 발생할 것으로 예상되는 현시점에서 신속한 A/S는 고객에게 더욱 매력적인 요소가 될 것이다.

장비의 도입비용과 10년간의 재료 및 유지보수 비용 등을 종합한 시뮬레이션 시, 도입 후 10년간 연 2000시간 운영 조건하에서 BR-S900은 외산 장비 대비 43% 이상의 운용비용 절감이 예상되며 운용 시간이 늘어날수록 절감 효과는 더욱 클 것으로 기대된다.

사용성을 극대화한 UX 디자인

BR-S900은 산업 현장에서 작업자가 쉽게 사용할 수 있는 사용자 인터페이스를 제공한다. 특히 신규 사용자도 빠르게 배울 수 있는 직관적인 UX 디자인으로 인터페이스를 설계하였

다. 또한, 소프트웨어에는 디지털 트윈(Digital Twin)을 적용하여, 모니터링 및 시뮬레이션, 교육 등 4차 산업혁명 시대를 겨냥한 다양한 기능이 제공된다.

다양한 활용 분야

BR-S900은 샌드 몰드 프린팅을 통해 금속 주조품 제작에 적용이 가능하고, 특히 일체형 코어 프린팅을 통해 내부 형상이 복잡한 금속 부품 제작에 적용 가능하다. 단기간 시제품 제작뿐만 아니라 일체형 3D 프린팅 코어를 통한 주조품 양산에도 최적의 솔루션이다.

금형 주조용 몰드로도 적용이 가능하며, 3D 프린팅 몰드 및 코어를 통해 알루미늄, 주철, 주강, SUS, 특수강, 청동, 황동 등 대부분의 금속 재질 주조품 제작이 가능하다. 또한, 금속뿐만 아니라 UHPC 등의 콘크리트나 실리콘, 에폭시 등 다양한 재질의 캐스팅용 몰드로도 적용이 가능하다. 기계 부품뿐만 아니라 건축, 예술, 문화, 조형물, 방산, 문화재 분야 등 다양한 영역에서도 바로 활용이 가능하다. 샌드 3D 프린팅 출력물에 강도 강화/표면 후처리를 할 경우에는 출력물 자체를 목업 및 조형물로도 활용할 수 있다.

출력 방식	BJ(Binder Jetting)
사용 재료	Sand(Silica, Ceramic, Zircon etc.)
출력물 크기 (가로x세로x높이, mm)	900x520x450
출력 볼륨	210 Liter
출력 속도	23 Liter/Hour 이상
레이어 적층 두께	0.2~0.46mm
출력 해상도	400dpi
장비 외형 크기 (가로x세로x높이, mm)	3200x1600x2200
주요 용도	■ 금속(알루미늄, 주철, 주강, SUS, 특수강, 구리 등) 제품 및 금형 주조용 몰드 제작 ■ 캐스팅용(UHPC 등의 콘크리트 및 실리콘, 에폭시 등) 몰드 제작 ■ 목업 및 조형물 등 제작

PART 4

다이내믹 포커스 스캐닝 레이저 기술이 탑재된 3D 프린터

Qubea SLA300/450/600/800/1800

개발 J.H TECH.ELECTRONIC(GZ) LTD, www.qubea.com

주요 특징 합리적인 가격의 산업용 SLA 3D 프린터, 인하우스에서 제작한 저렴한 전용 7가지 재료 라인업, Somos 전 SLA 레진 라인업 사용 가능, 다이내믹 포커스 레이저 시스템으로 대형 빌드 사이즈에서 더욱 높아진 정확성과 빠른 출력속도가 가능, 중소형부터 초대형 사이즈의 고품질/고해상도 시제품 제작 가능, 초대형 빌드 사이즈 라인업(듀얼 레이저 탑재)

자료 제공 퓨전테크놀로지, 031-342-8263, www.fusiontech.co.kr

합리적인 가격의 장비와 재료를 갖춘 3D 프린터

Qubea SLA 3D 프린터는 매우 합리적인 가격의 제품과 재료 라인업을 갖추고 있다. 하드웨어부터 전용 소프트웨어, Qubea SLA 3D 프린터 전용 7가지의 레진 재료까지 모두 인하우스에서 제조하기 때문에 저렴한 비용으로 운용할 수 있는 시스템이다.

Qubea SLA 3D 프린터는 높은 정확도와 고품질 시제품을 출력하는 용도로 사용되고 있으며 CAD 데이터와의 실제 출력물 간의 오차 밀도가 ±0.01mm 내외로 매우 정교한 파트를 출력할 수 있다. 또한 고품질의 매끄러운 표면조도를 가진 사출물과 흡사한 ABS, PP, PC와 같은 파트를 출력할 수 있다.

더욱 빨라진 출력속도와 높은 정확도

2020년 출시된 Qubea SLA1800은 1800x850x600mm의 초대형 빌드 사이즈를 갖췄다. 대형 빌드 사이즈의 출력을 위해 더욱 빠르고, 높은 정확도를 요하는 레이저 스캐닝 시스템이 요구되어 짐에 따라 새로운 기술이 적용되었다.

Qubea SLA1800은 다이내믹 포커스 레이저(Dynamic Focus Laser) 시스템이 적용되어 레이저 스캐닝 시 반응형 Voice coil 모터를 활용한다. 디지털화된 빠른 반응형 Voice Coil 모터는 Z축으로 조사하는 레이저 빔이 플랫폼 바닥 평면의 어느 지점을 조사하던 빠르게 빔 포커싱을 변경해 준다. 0.1~0.8mm까지 상황에 따라 변경되는 레이저 스팟은 콘투어(Contour) 부분에는 얇은 빔 스팟을 사용하며, 인필(Infill) 부분에는 넓은 빔 스팟을 사용한다. 이로써 더욱 빠른 출력이 가능하도록 돕는다. 또한 빌드 사이즈 내의 아주 작은 파트는 물론 대형 파트도 모두 정밀하게 출력한다.

기존 F-theta 렌즈를 사용하는 Variable Beam Spot 레이저 기술보다 다이내믹 포커스 레이저 기술로 약 2배 이상 출력 속도가 빨라졌으며 큰 빌드 사이즈에도 매우 안정적인 레이

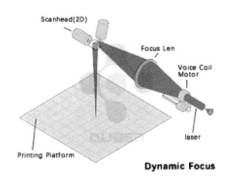

그림 1. 다이내믹 포커스 레이저 시스템 도안

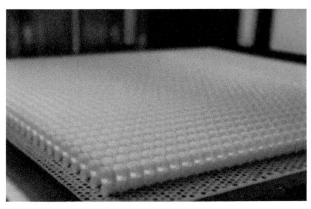

그림 2. 대형 빌드 사이즈에서도 높은 정확도와 반복성 제공

그림 3. 빌드 플랫폼 안에 큰 부품 혹은 작은 부품 모두 정확도 높게 출력

그림 4. SLA300, SLA450, SLA600, SLA800, SLA1800(왼쪽부터)

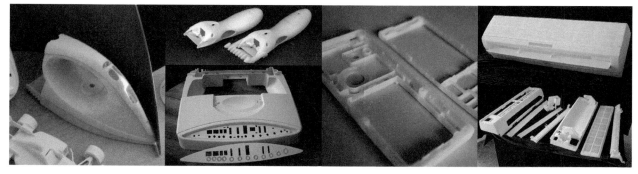

그림 5. Qubea SLA 3D 프린터로 출력한 다양한 출력물

저 스팟을 유지하여 높은 정확도로 레이저 스캐닝이 기능하다. SLA1800뿐만 아니라 기존 대형 빌드 사이즈를 갖춘 Qubea SLA600과 Qubea SLA800에도 새롭게 다이내믹 포커스 레이저 시스템이 적용되었다.

다양한 크기의 빌드 사이즈 라인업을 갖춘 SLA 3D프린터

QUBEA SLA 3D 프린터 라인업은 중형 빌드 사이즈의 SLA300부터 다이내믹 포커스 레이저 시스템과 듀얼 레이저 (Dual Laser) 시스템을 갖춘 초대형 빌드 사이즈의 SLA1800 까지 고객의 다양한 요구사항에 부합하는 3D 프린터를 갖추고 있다.

최소 빌드 사이즈는 SLA300 장비로 300x300x250mm이며, 최대 빌드 사이즈는 SLA1800 장비로 1800x850x650mm 로서 큰 빌드 사이즈에 높은 정확도로 레이저를 스캔하기 위해 듀얼 레이저 기술이 탑재되었다. 플라스틱 사출물과 거의 흡사한 표면조도와 물성치를 가진 출력물을 생산함으로써 금형의 마스터 패턴 출력부터 의료, 신발, 자동차, 항공, 기계, 소비재 등 다양한 분야에서 활용되고 있다.

QUBEA 3D 프린터 제어용 전문 소프트웨어인 큐브웨어 프로 내장

QUBEA SLA 3D 프린터는 내장된 전용 컴퓨터에 설치된 전용 소프트웨어인 큐브웨어 프로(Qubeware Pro)를 활용한다. 출력 조건(파라미터)을 입력하고 출력을 지시할 수 있으며,

출력 중 장비의 출력 시간 및 레진의 높낮이 변화, 실시간 작동 내역 등을 확인할 수 있다. 또한 동시에 출력 중 진행되는 모든 사항을 Log 데이터로 기록하여 추후 문제 발생 시 검토할 수 있다. Qubeware Pro 오픈 시스템을 갖춘 소프트웨어로서 파라미터 값들을 사용자가 자유롭게 변경할 수 있어 SLA 레진 재료를 연구하는 기관에서도 사용되고 있다.

20가지가 넘는 다양한 재료 사용 가능

Qubea SLA 3D프린터는 전용 인하우스에서 제작한 기계적 물성치와 색상(투명, 흰색, 갈색 등)이 다른 7가지 종류별 소재 이외에도 제조사와 관계없이 모든 재료를 사용할 수 있도록 설계되었다. 특히 미국 Somos사의 SLA 레진을 모두 사용할 수 있어, 필요 요구사항에 맞추어 재료를 선택하여 사용할 수 있다. 또한 장비의 파라미터를 고객이 직접 변경할 수 있는 오픈 시스템을 갖추어 제조사와 관계없이 재료에 대한 기본 정보를 갖추고 있다면 테스트하여 출력할 수 있다.

제조사	J.H TECH.ELECTRONIC(GZ) LTD
제품명	Qubea SLA300 / SLA450 / SLA600 / SLA800 / SLA1800
출력 방식	SLA(Stereolithography)
재료	PC-like, PP-like, ABS-like
출력물 크기 (가로×세로×높이, mm)	■ Qubea SLA300 : 300×300×250 ■ Qubea SLA450 : 450×450×350 ■ Qubea SLA600 : 600×600×400 ■ Qubea SLA800 : 800×800×450 ■ Qubea SLA1800 : 1800×850×600

PART 4

대량생산을 위한 SLM 메탈 3D 프린터

SLM125/SLM280.20/ SLM280 Production Series/SLM500/ SLM800

개발 SLM Solutions Group AG, www.slm-solutions.com

주요 특징 SLM 원천 특허기술 보유, 최대 4개의 레이저가 동시에 조사되는 멀티레이저 기술, 출력물의 기계적 물성치를 보존하는 독보적인 멀티 레이저 오버랩 전략, 혁신적인 가스 플로 시스템, 양방향 리코터로 빠른 출력 속도, 작업자의 안전을 위한 완전 밀폐된 재료 핸들링 시스템, 자동 재료 순환장치, 실시간 통합 모니터링, 오픈 파라미터 시스템

공급 퓨전테크놀로지, 031-342-8263, www.fusiontech.co.kr

SLM 기술의 전문기업

그림 1. SLM280 앞의 작업자

그림 2. Quad Laser 탑재가 가능한 SLM500

SLM Solutions(SLM 솔루션즈)는 PBF 방식의 선택적 레이저 용융방식의 개발을 주도하여 최초의 SLM 방식 특허를 출원한 공동 연구 개발자가 R&D팀으로 근무하고 있는 SLM 기술의 전문기업이다. 전세계에 500대가 넘는 SLM 장비가 설치되어 있으며 항공우주, 에너지, 자동차, 덴탈/의료 및 연구기관 등 다양한 분야의 세계 최고의 기업과 기관에서 SLM 장비를 활용하고 있다.

3D 프린터 장비부터 금속 합금 파우더 재료까지 직접 제조하며 특허 받은 다양한 혁신기술을 앞세워 금속 3D 프린팅 업계를 리드하고 있다.

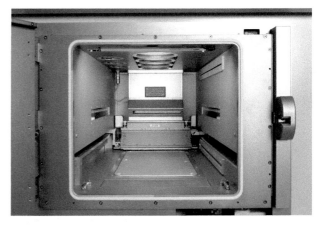

그림 3. Quad Laser 탑재가 가능한 SLM500 내부 챔버

멀티 레이저 기술의 개척자

SLM 메탈 3D 프린터는 멀티 레이저 시스템이 적용돼 다중 레이저를 활용해도 출력물의 기계적 물성치에 변형이 없는 높은 수준의 품질을 가진 출력물 제작이 가능하다.

SLM Solutions는 2011년부터 두 개의 400W 레이저를 탑재한 SLM280 Twin Laser 시스템을 출시했으며, 2013년에는 4개의 400W 레이저 혹은 4개의 700W 레이저를 선택할 수 있는 SLM 500 Quad Laser 시스템을 상용화했다.

멀티 레이저 기술을 개발하여 도입함으로써 PBF 방식에 단점으로 꼽히던 출력 속도의 한계를 개선하고, 대형 빌드 사이즈의 금속 3D 프린터를 제작할 수 있는 기반을 마련하였다. 현재 대량 생산을 위해 설계된 대형 빌드 사이즈를 갖춘 SLM500과 SLM800은 700W의 파이버 레이저 4개를 동시에 사용하여 171cm³/h의 빌드 속도를 자랑한다.

멀티레이저 오버랩 전략

그림 4. SLM500 출력 진행 모습

멀티 레이저 오버랩 전략은 다수의 레이저가 함께 조사하며 중첩되는 부분에서 최적화된 레이저 경로를 전략적으로 설계하여 출력물의 물성치를 보존하는 기술로, 하나 이상의 레이저로 고품질 부품을 정밀하게 제작하는데 필요하다. SLM Solutions

의 혁신 기술인 멀티 레이저로 제작한 부품과 단일 레이저로 제작한 부품을 비교할 때 동일한 밀도와 기계적 특성을 가진 제품을 출력함으로써 출력 안정성에 도움을 주는 혁신기술이다.

Sintered Wall 가스 플로 시스템

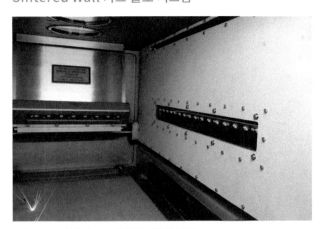

그림 5. SLM500의 Sintered Wall을 통한 가스 플로

빌드 프로세스 챔버는 내부환경을 청결한 상태로 유지하는 것이 매우 중요하다. 챔버 내부의 온도와 습도의 일관성을 유지하는 것뿐만 아니라 내부에 순환되는 가스의 청결도에 따라 최종 출력물의 기계적 물성치가 달라지기 때문이다. 2017년부터 SLM 금속 3D 프린터에 새롭게 적용된 Sintered Wall(미세 구멍이 뚫린 벽면)은 불활성 가스의 이동 경로를 최적화하여 출력 중 발생하는 튀는 재료 입자와 그을음을 매우 효과적으로 제거한다. 또한 불활성 가스의 최적 이동 경로의 설계 덕분에 레이저 빔이 조사되는 유리 표면에 발생하는 오염 또한 방지하여 안정적인 출력을 가능하게 한다. 이외에도 출력 중 사용되는 불활성 가스의 소모량도 줄일 수 있어 경제적인 시스템이다.

완전 밀폐된 파우더 핸들링 시스템

그림 6. 자동 파우더 여과 시스템인 PSV

PART 4

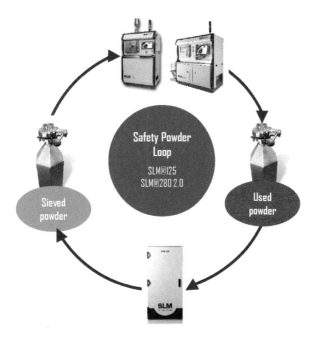

그림 7. 수동 파우더 씨빙 장치에 사용되는 파우더 전용 캔

양방향 리코팅 시스템

SLM만의 혁신적인 리코팅 시스템은 출력 중 새 레이어를 만들기 위해서 리코터 내부의 파우더 저장고에서 파우더를 도포함과 동시에 리코팅 작업을 진행한다. 이로써 파우더 피딩 챔버가 따로 필요하지 않아 장비의 전체 사이즈가 콤팩트한 장점이 있다. 또한 양방향 리코팅 시스템으로서 리코터가 한 방향으로 한 번만 이동하여 매우 빠른 리코팅 속도를 자랑하고, 레이저의 정지 대기시간을 줄여줘 출력속도가 빠르다.

품질을 위한 모니터링 시스템

전 장비에 Additive Quality라는 시스템을 도입하여 장비가 운용되고 있는 전 과정에 대한 실시간 모니터링 서비스를 제공한다. 빌드 챔버 내부의 온도, 산소, 가스의 흐름 및 기타 변수들을 지속적으로 모니터링하고 기록함으로써 최종 출력물의 일관된 품질을 보증한다.

첫 번째로, 통합 센서의 실시간 데이터 기록과 Live Camera 기능은 SLM Solutions의 모든 장비에 기본적으로 내장된 모니터링 기능이다. 설치된 모든 센서들의 데이터를 매 2초마다 기록하는 기능은 챔버 내의 온도, 산소, 압력 및 필터 등의 장비 상태를 실시간 차트로 확인할 수 있으며 문서화 기록된다. 챔버 내부에 설치된 Live Camera는 실시간으로 챔버 내부를 영상 재생 및 기록한다. 이로써 출력 오류 발생시 문제점이 있는 부분을 영상으로 재생하여 세부적인 검토가 가능하다.

사용자 편의성을 고려하여 설계된 SLM 장비는 작업자로 하여금 파우더 재료를 직접적으로 대면하지 않고 완전히 밀폐된 상태에서 다룰 수 있다. 옵션으로 준비된 PSV(자동 파우더 핸들링 장치)는 파우더의 공급부터 재활용을 위한 체질(씨빙 작업)까지 완전히 자동화되어 핸들한다. 추가로 선택 가능한 옵션인 PSM(수동 파우더 씨빙 장치)의 경우에도, 작업자는 파우더를 담는 전용 캔을 통해 파우더 공급부터 재활용까지 파우더를 직접적으로 닿지 않고 작업할 수 있다.

SLM® (Selective Laser Melting) 금속 3D프린터 최신 라인업

	SLM®125	SLM®280	SLM®280 Production Series	SLM®500	SLM®800
빌드 사이즈	125x125x125mm	280x280x365mm	280x280x365mm	500x280x365mm	500x280x850mm
레이저 구성	Single (1x400W)	Single (1x400W/700W) Twin (2x400W/700W) Dual (1x700W&1x1000W)	Single (1x400W/700W) Twin (2x400W/700W) Dual (1x700W&1x1000W)	Twin (2x400W/700W) Quad (4x400W/700W)	Quad(4x400W/700W)
빌드 속도	최고 25 cm³/h	최고 88 cm³/h	최고 88 cm³/h	최고 171 cm³/h	최고 171 cm³/h
출력가능 최소 벽 두께	140 μm	150 μm	150 μm	150 μm	150 μm

그림 8. SLM 금속 3D 프린터 라인업

두 번째로 LCS(Layer Control System) 시스템이다. LCS는 매 레이어 층에 새롭게 코팅되는 재료의 불규칙성을 감지하고 각 레이어의 상태를 기록하여 문서화한다. 레이어에 재료가 도포되는 현황을 카메라 영상으로 감지하고 비전 시스템을 통해 문제점을 잡아낸다. 이를 통해 레이어 리코팅 시에 이상 발생 시 추가 리코팅을 진행하도록 미리 세팅할 수 있으며, 필요한 경우 리코팅 공정에서 문제가 발생하기 전에 미리 작업을 멈추게 한다.

세 번째로, MPM(Melt Pool Monitoring) 시스템은 레이저가 조사되어 베드에 닿을 시 발생하는 열의 파장을 측정하여 이 데이터를 그래프로 시각화한다. MPM에서 얻은 데이터는 출력 시 적용한 파라미터를 평가하거나 개발하는데 사용할 수 있는 자료로 활용되기도 하는데, 안전이 매우 중요한 부품을 생산할 시에는 MPM에서 수집되고 기록된 데이터가 품질 보증서의 역할을 한다. 만약 MPM에서 수집된 데이터가 불규칙할 경우 실제 제조된 부품에 이상을 초래할 수도 있어 MPM 데이터를 품질관리용 데이터로 활용할 수 있다.

네 번째로, LPM(Laser Power Monitoring) 시스템은 레이저 출력 목표 값과 실제 출력된 값을 계속적으로 측정하고 문서화하는 시스템으로, 레이저 이상 시 발생하는 다운타임에 대한 조기 경고 시스템으로 활용될 수 있으며 최종 출력물의 품질을 보증하는 문서로도 활용할 수 있다.

앞서 설명한 통합 모니터링 시스템은 최상의 품질을 갖춘 출력물을 안정적으로 제작하기 위해 추가됐으며, 다수의 SLM 장비를 동시에 운용할 시 자동화된 편의 시스템을 제공해 주어 대량생산을 가능하게 하는 요소이다.

제조사	SLM Solutions Group AG
제품명	SLM125/SLM280.20/SLM280 Production Series/SLM500/SLM800
출력 방식	SLM(Selective Laser Melting)
재료	다양한 합금 재료 : 알루미늄, 티타늄, 코발트크롬, 구리, 니켈, 스틸 등
출력물 크기 (가로×세로× 높이, mm)	SLM125 : 125x125x125mm SLM280 2.0 : 280x280x365mm SLM280 Production Series : 280x280x365mm SLM500 : 500x280x365mm SLM800 : 500x280x850mm

그림 9. 위상 최적화 설계 출력물

그림 10. '케이블 연결단자'용 금형에 여러 쿨링 채널을 적용하여 프린팅한 모습

PART 4

AD One

제조사 류진랩, www.ryujinlab.com

출력 방식 FDM

소재 A-PLA(Channel Letter 전용 PLA)

출력물 크기(가로×세로×높이, mm) 600×600×70

주요 특징 사용자 편의성을 강화한 고생산성 Channel Letter 3D 프린터, 필라멘트 센서 장착으로 필라멘트 소진 시 출력을 중단하고 필라멘트 교체 후 재시작, 정전 후 재시작 기능, 사용자 편의성을 강화한 사용자 인터페이스, 클라우드 기반의 3D 프린터 관리 소프트웨어 제공, 적층 두께 200μm~400μm

자료 제공 류진랩, 070-7502-7280, www.ryujinlab.com

ATOMm-4000

제조사 CMET, www.cmet.co.jp

출력 방식 SLA

소재 플라스틱

출력물 크기(가로×세로×높이, mm) 400×400×300

주요 특징 고품질 투명 제품 제작, 빠른 제작 속도, 높은 조립 정밀도, 미세형상 제작에 강함

자료 제공 KTC, 0505-874-5550, http://ktcmet.co.kr

ATOMm-8000

제조사 CMET, www.cmet.co.jp

출력 방식 SLA

소재 플라스틱

출력물 크기(가로×세로×높이, mm) 800×600×400

주요 특징 고품질 투명 제품 제작, 빠른 제작 속도, 높은 조립 정밀도, 미세형상 제작에 강함, 대형 제품 제작에 적합

자료 제공 KTC, 0505-874-5550, http://ktcmet.co.kr

Creator / Creator RA

▲ Creator

제조사 Coherent, www.coherent.com

출력 방식 SLM

재료 Stainless Steel 17-4PH, Cobalt-chrome, Bronze CuSn8(Creator), Ti6Al4V, AlSi10Mg, Non-Reactive materials(Creator RA)

출력물 크기 ⌀100×110mm

주요 특징 정밀도와 가성비가 높은 엔트리 모델 SLM 3D 프린터, 저렴한 비용으로 고정밀 금속 부품 생산 가능, 250mW의 고출력 레이저 장착, 회전 파우더 리코팅 방식으로 빠른 코팅 속도와 구조가 간단한 코팅 시스템, 레이저 및 소프트웨어 자체 생산으로 저렴하게 공급 가능, Stainless Steel/Tool steel/Cobalt chrome/Aluminium/Nickel-base alloy/Titanium/Precious metals 등 다양한 재료 사용 가능

자료 제공 에이엠코리아, 031-426-8265, www.amkorea21.com

PART 4

DAVID

제조사 미래인, http://merain.kr

출력 방식 SLM

재료 Metal Powder

출력물 크기 100Ø×100mm

주요 특징 복잡한 금속 부품을 빠르고 효율적으로 제작 가능한 금속 3D 프린터, 금속 분말을 레이저로 용융 및 한 층씩 적층하는 PBF 방식으로 높은 정밀도 제공, 고출력 Fiber Laser와 Scanlab Scanner를 통한 안정적인 성능, 40μm의 Beam spot으로 복잡하고 정교한 구성요소를 제조하는데 적합

자료 제공 미래인, 1800-3580, http://merain.kr

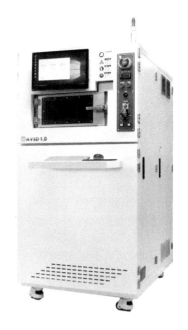

EOS P110 / P396 / P770, EOS M100 / M290 / M400 / M400-4

제조사 EOS GmbH, www.eos.info/en

출력 방식 SLS

재료 PA2200 외 14종, MS1 외 13종

출력물 크기(가로×세로×높이, mm) 200×200×200(P110)~700× 380×580(P770), Ø100×95(M100)~400×400×400(M400-4)

자료 제공 케이엔씨, 031-8033-0310, www.knckorea.kr

▲ EOS M400-4

FL 600 / 450

제조사 Shanghai Union Technology, http://en.uniontech3d.cn

출력 방식 SLA

재료 광경화성수지

출력물 크기(가로×세로×높이, mm) 600×350×350(FL 600), 450 ×450×350(FL 450)

주요 특징 수익형 비즈니스를 위한 엔트리 모델 SLA 3D 프린터, 고출력 레이저와 고속 스캐닝 시스템 장착, Variable Spot Beam으로 30% 생산성 향상, 장비의 안정성과 안전성을 보장하는 CE 인증, 원격제어와 오더 프로세싱이 가능한 Tele-control system, 외부 환경에 영향을 최소화하는 대리석 Base Plate와 엘리베이터 프레임

자료 제공 에이엠코리아, 031-426-8265, www.amkorea21.com

▲ FL 600

Form3

제조사 Formlabs, https://formlabs.com

출력 방식 LFS

재료 Standard (Black, Clear, Grey, White) Resin, Castable Resin, Flexible Resin, Durable Resin, Tough1500 Resin, Tough2000 Resin, High Temp Resin, Dental Model Resin, Elastic Resin, Rigid Resin, Grey Pro Resin, Color Kit Resin, Castable Wax Resin, Draft Resin

출력물 크기(가로×세로×높이, mm) 145×145×185

주요 특징 SLA 방식을 개선한 LFS 방식 도입으로 높은 정밀도 및 매끄러운 표면 퀄리티 보장, 서포트 제거 용이성 향상, 20개 이상의 통합 센서를 통해 장시간 출력 가능, 원클릭 프린팅으로 사용자의 편의성 증가, Heating System 탑재로 출력 안정성 향상, Dash board를 통해 시간과 장소의 구애없이 모니터링과 원격 제어

가격 750만원

자료 제공 엘코퍼레이션, 031-261-7330, www.lcorporation.co.kr

PART 4

Hp Jet Fusion 4200

제조사 HP, www8.hp.com/kr/ko

출력 방식 MJF(Multi Jet Fusion)

재료 PA12, PA11, PA12GB, TPU

출력물 크기(가로×세로×높이, mm) 380×284×380

주요 특징 소/중량 양산용 3D 프린터, 잉크젯 헤드를 통해 에이전트를 분사하며 에너지를 가해 선택적으로 용해시키는 MJF 방식, 등방성 강도를 가지는 고품질 나일론 파트를 80%의 재료 재사용율로 저렴한 제조단가를 실현, 최대 10배 빠른 조형속도로 수요 예측이 어려운 제품의 즉각 양산이 가능, 파우더의 혼합 및 투입이 장비 내부에서 진행, 후처리 과정에서 파우더 날림을 최소화하여 청결한 작업환경 유지, 빌드 유닛의 탈거로 프린터 효율 증가

자료 제공 HP, 02-780-6200, www8.hp.com/kr/ko

Hp Jet Fusion 5200

제조사 HP, www8.hp.com/kr/ko

출력 방식 MJF(Multi Jet Fusion)

재료 PA12, PA11, TPU

출력물 크기(가로×세로×높이, mm) 380×284×380

주요 특징 중/대량 양산용 3D 프린터, Jet Fusion 4200 프린터 대비 생산성과 반복 정밀도 향상, 조형 속도가 Jet Fusion 4200 대비 5,058 ㎤/h로 빨라졌으며 재료 소모량 감소, Natural Cooling Unit의 추가로 장비 효율 향상, Process Control / 3D Center 등의 소프트웨어 추가로 정밀도 및 장비 관리 효율 향상

자료 제공 HP, 02-780-6200, www8.hp.com/kr/ko

Jinie 3D pen

제조사 지니코딩에듀, http://jcodeedu.com

출력 방식 FDM

재료 PLA, ABS

출력물 크기(가로×세로×높이, mm) 180×45×45

주요 특징 누구나 쉽게 사용 가능한 3D 프린팅 펜, 스마트한 디자인, 슬립/절전 모드 사용 가능, LED 모니터를 통해 다양한 정보 표시, 편리한 버튼 시스템

가격 8만 4000원

자료 제공 지니코딩에듀, 051-331-0110, http://jcodeedu.com

Jinie Box A200

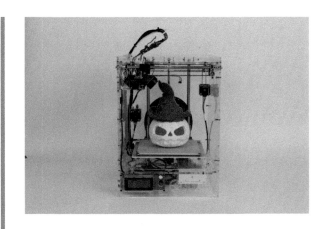

제조사 지니코딩에듀, http://jcodeedu.com

출력 방식 FDM

재료 PLA, ABS

출력물 크기(가로×세로×높이, mm) 350×350×450

주요 특징 사용하기 쉬운 합리적 가격의 3D 프린터, 종이처럼 얇은 레이어 출력, 사용하기 쉬운 투명한 케이스로 출력 과정과 3D 프린터 구조를 간편하게 확인, 학원 및 학생 교육용으로 적합, 1년 무상 A/S 제공

가격 145만원

자료 제공 지니코딩에듀, 051-331-0110, http://jcodeedu.com

PART 4

JINIE BOX M250

제조사 지니코딩에듀, http://jcodeedu.com

출력 방식 FDM

재료 PLA, ABS, flexible, PC

출력물 크기(가로×세로×높이, mm) 454×384×487

주요 특징 높은 가성비의 전문가용&연구용 3D 프린터, 종이처럼 얇은 레이어 출력, 국산 LM 가이드 사용, 1년 무상 A/S 제공

가격 250만원

자료 제공 지니코딩에듀, 051-331-0110, http://jcodeedu.com

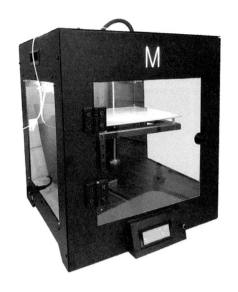

LaserCore6000, AFS J1600

제조사 AFS

출력 방식 SLS, 3DP(잉크젯)

재료 모래 소재

출력물 크기(가로×세로×높이, mm) 1050×1050×650 (LaserCore6000), 1600×800×600(AFS J1600)

자료 제공 케이엔씨, 031-8033-0310, www.knckorea.kr

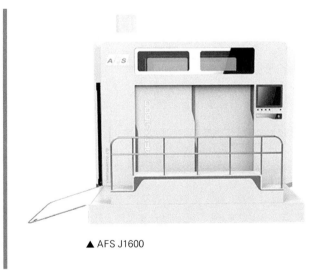

▲ AFS J1600

Lisa / Lisa Pro

제조사 Sinterit, www.sinterit.com

출력 방식 SLS

재료 Plastic

출력물 크기(가로×세로×높이, mm) 90×110×130(Lisa PA12 smooth), 110×130×150(Lisa Flexa Black), 110×160×250(Lisa Pro Flexa), 90×120×230(Lisa Pro PA)

자료 제공 케이엔씨, 031-8033-0310, www.knckorea.kr

Lite 300 / 450 / 600 / 800

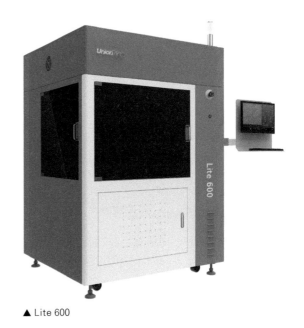

▲ Lite 600

제조사 Shanghai Union Technology, http://en.uniontech3d.cn

출력 방식 SLA

재료 광경화성수지

출력물 크기(가로×세로×높이, mm) 300×300×200(Lite 300), 450×450×350(Lite 450), 600×600×400(Lite 600), 800×800 ×550(Lite 800)

주요 특징 가성비 높은 생산성을 가진 비즈니스 SLA 3D 프린터, 고출력 레이저와 18m/s 고속 스캐닝 시스템, Variable Spot Beam으로 30% 생산성 향상, 장착과 해체가 편리한 플랫폼, 원격제어와 오더 프로세싱이 가능한 Tele-control system, 외부 환경에 영향을 최소화하는 대리석 Base Plate와 엘리베이터 프레임, 안전성을 보장하는 CE 인증

자료 제공 에이엠코리아, 031-426-8265, www.amkorea21.com

LUGO pro_M

제조사 포머스팜, https://formersfarm.com

출력 방식 FFF

재료 PLA, ABS, PC, Nylon 등

출력물 크기(가로×세로×높이, mm) 215×215×200

주요 특징 긴 시간 동안 안정적인 출력이 가능, 안정적인 구조의 카테시안 방식 활용, 모듈형 프린트 헤드 구조로 향후 업그레이드 가능, 소재 부족으로 출력 도중 멈추더라도 멈춘 곳에서부터 다시 출력이 가능, 한글 터치 LCD와 USB 메모리 사용으로 편의성 향상, 쉬운 유지관리 및 저렴한 교체 부품 비용

가격 238만 7000원

자료 제공 엘코퍼레이션, 031-261-7330, www.lcorporation.co.kr

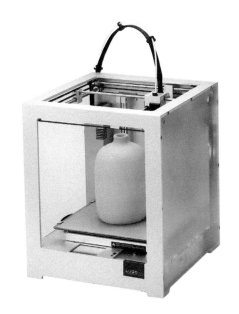

Mark Two

제조사 Markforged, https://markforged.com

출력 방식 CFF

재료 플라스틱 소재(Onyx), 강화섬유 소재(Carbon Fiber, Fiberglass, Kevlar), HSHT Fiberglass(High-Strength High-Temperature Fiberglass)

출력물 크기(가로×세로×높이, mm) 320×132×154

주요 특징 듀얼 노즐의 CFF(Continuous Fiber Fabrication) 방식 활용, 내구성 높은 소재를 사용하면서 일반 ABS보다 약 7배 단단한 출력물 제작, 10micron의 정확도를 유지하며 제자리에 고정된 프린팅 베드를 프린팅 도중에 떼어 내고 부품을 추가하여 다시 장착한 후에도 오차 없이 프린팅 지속, SLA 출력물에 버금가는 표면조도 제공

가격 3000만원 대

자료 제공 엘코퍼레이션, 031-261-7330, www.lcorporation.co.kr

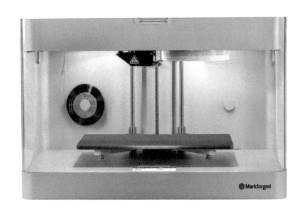

Metalsys 150E

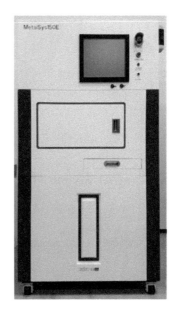

제조사 윈포시스, www.winforsys.com

출력 방식 Powder Bed Fusion(PBF)

재료 SUS 316L, SUS 630, C300, H 13, Co-Cr, Ti6AL4V, In 718

출력물 크기(가로×세로×높이, mm) 150×150×150

주요 특징 출력 속도 1200mm/s, 해상도 50㎛, 1년 유지보수 제공

자료 제공 윈포시스, 031-609-9000, www.winforsys.com

Metalsys 250E

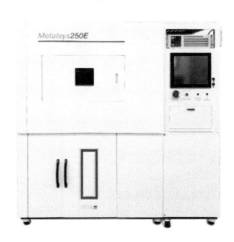

제조사 윈포시스, www.winforsys.com

출력 방식 Powder Bed Fusion(PBF)

재료 SUS 316L, SUS 630, C300, H 13, Co-Cr, Ti6AL4V, In 718

출력물 크기(가로×세로×높이, mm) 250×250×250

주요 특징 출력 속도 1200mm/s, 해상도 30㎛, 1년 유지보수 제공

자료 제공 윈포시스, 031-609-9000, www.winforsys.com

Metalsys 500

제조사 원포시스, www.winforsys.com

출력 방식 Powder Bed Fusion(PBF)

재료 SUS 316L, SUS 630, C300, H 13, Co-Cr, Ti6AL4V, In 718

출력물 크기(가로×세로×높이, mm) 500×330×330

주요 특징 출력 속도 1200mm/s, 해상도 30㎛, 1년 유지보수 제공

자료 제공 원포시스, 031-609-9000, www.winforsys.com

Morpheus E7

제조사 류진랩, www.ryujinlab.com

출력 방식 LIPS 방식(Light Induced Planar Solidification : 면경화 광조형 방식) 레진 3D 프린팅

소재 광경화성 액상 수지(아크릴계, 에폭시계, PP계 등)

출력물 크기(가로×세로×높이, mm) 145×85×175

주요 특징 저비용 데스크톱 레진 3D 프린터, FDM/FFF 방식 대비 높은 출력 품질 및 출력 속도, DLP 또는 SLA 방식의 레진 3D 프린터보다 낮은 운영 비용, 저렴한 비용으로 고품질 레진 3D 프린팅을 원하는 입문자 및 교육용으로 적합, 수평 해상도 189μm, 적층 두께 25μm~200μm

가격 238만원(부가세 별도)

자료 제공 류진랩, 070-7502-7280, www.ryujinlab.com

Morpheus MK5

제조사 류진랩, www.ryujinlab.com

출력 방식 LIPS 방식(Light Induced Planar Solidification : 면경화 광조형 방식) 레진 3D 프린팅

소재 광경화성 액상 수지(아크릴계, 에폭시계, PP계 등)

출력물 크기(가로×세로×높이, mm) 330×180×140

주요 특징 고해상도 중대형 레진 3D 프린터, FDM/FFF 방식 대비 높은 출력 품질 및 출력 속도, DLP 또는 SLA 방식의 레진 3D 프린터보다 낮은 운영 비용, 저렴한 비용으로 고해상도 중대형 레진 3D 프린팅을 원하는 전문 사용자와 소호 사업자용으로 적합, 수평 해상도 89μm, 적층 두께 25μm~200μm

가격 790만원(부가세 별도)

자료 제공 류진랩, 070-7502-7280, www.ryujinlab.com

Morpheus MK6

제조사 류진랩, www.ryujinlab.com

출력 방식 LIPS 방식(Light Induced Planar Solidification : 면경화 광조형 방식) 레진 3D 프린팅

소재 모피어스 G.P. 레진(Acrylic UV Resin)

출력물 크기(가로×세로×높이, mm) 330×180×450

주요 특징 고성능 고품질 대형 레진 3D 프린터, FDM/FFF 방식 대비 높은 출력 품질 및 출력 속도, 높은 수준의 양산성, DLP 또는 SLA 방식의 레진 3D 프린터보다 낮은 운영 비용, 저렴한 비용으로 고품질 대형 레진 3D 프린팅을 원하는 전문 사용자와 소호 사업자용으로 적합, 수평 해상도179μm, 적층 두께 25μm~200μm

자료 제공 류진랩, 070-7502-7280, www.ryujinlab.com

PART 4

OMG SLA660

제조사 Xiamen Zhisen Electro Equip, www.omg3dprinter.com

출력 방식 SLA

소재 UV Photopolymer Resin

출력물 크기(가로×세로×높이, mm) 600×600×400

주요 특징 특유의 색상을 통해 디테일 확인이 용이, 세세한 디테일 구현이 가능, 높은 물성치로 워킹 목업 파트 제작에 적합

자료 제공 글룩, 070-8622-9696, www.glucklab.com

OPM250L / OPM350L

▲ OPM250L

제조사 Sodick, www.sodick.com

출력 방식 SLM + NC

재료 STAVAX(SUS420J), Maraging Steel, SUS316L, SUS630, TiAL6V4

출력물 크기(가로×세로×높이, mm) 1870×2230×2055 (OPM250L), 2020×2485×2355(OPM350L)

주요 특징 제작과 가공이 동시에 가능한 원스톱 솔루션, 3D 프린팅과 절삭 가공이 동시에 가능한 금속 3D 프린터, 장시간 연속 가동이 가능한 Fume Collector 개발, 자동 파우더 재생 및 공급, High Quality 모드로 작업시 99.99%의 밀도를 가진 금속 제품 제작 가능, Pure 금속 파우더를 사용하여 실제 제품으로 사용 가능, 조형 종료 후 여분의 분말을 수거하는 과정에서 분말이 날리는 현상을 방지

자료 제공 에이엠코리아, 031-426-8265, www.amkorea21.com

Original 3-in-1

제조사 Snapmaker, https://snapmaker.com

출력 방식 FFF

재료 PLA, ABS 등

출력물 크기(가로×세로×높이, mm) 125×125×125

주요 특징 교체 가능한 3개의 모듈로 3D 프린팅/레이저 각인/CNC 조 각까지 가능, 다양한 제어가 가능한 컬러 터치 스크린, X/Y/Z 어느 방향 에서도 사용할 수 있는 선형 모듈, 알루미늄 합금 재질의 프레임으로 사 용이 편리, 일반 가정 및 취미나 공예용 프린터로 활용 가능, 소규모 주 문제작형 기업이나 소호(SOHO) 기업, 초·중·고교의 교육용 3D프린터 로 적합

가격 99만원

자료 제공 엘코퍼레이션, 031-261-7330, www.lcorporation.co.kr

ProX SLS 6100

제조사 3D 시스템즈, https://ko.3dsystems.com

출력 방식 SLS

재료 DuraForm ProX PA, DuraForm ProX EX BLK, DuraForm ProX EX NAT, DuraForm ProX GF, DuraForm ProX HST, DuraForm ProX AF+, DuraForm ProX FR1200

출력물 크기(가로×세로×높이, mm) 381×330×460

주요 특징 양산이 가능한 파우더 베드 기반 플라스틱 3D 프린터, 다양 한 산업용 복합 엔지니어링 플라스틱 소재 사용, 서포트를 제거하는 수 작업 없이 표면 처리 가능, 성형 부품 이외에 소재는 재활용 가능하여 재 료 비용을 절감

자료 제공 에이디엠테크, 055-924-7336, www.admtech.co.kr

PART 4

RSPro 600 / 800 / 1400 / 2100

제조사 Shanghai Union Technology, http://en.uniontech3d.cn

출력 방식 SLA

재료 광경화성수지

출력물 크기(가로×세로×높이, mm) 600×600×500(RSPro 600), 800× 800×550(RSPro 800), 1400×700×500(RSPro 1400), 1400×700× 600(RSPro 2100)

주요 특징 고정밀/고품질 제품 제작을 위한 프리미엄 SLA 3D 프린터, 8시간 기준 레이저 파워 변화율 ±3mW 이내 레이저 파워 유지, 100시간 이상 연속작업 시 안정된 성능 유지, 자동 캘리브레이션 방식으로 정밀한 레이저 컨트롤, 교체 가능한 Cart resin Vat 타입, UPS 내장으로 비상 전력 공급 가능, 외부 환경에 영향을 최소화하는 대리석 Base Plate와 엘리베이터 프레임, 원격제어와 오더 프로세싱이 가능한 Tele-control system, 장비의 안정성, 안전성을 보장하는 CE 인증

자료 제공 에이엠코리아, 031-426-8265, www.amkorea21.com

▲ RSPro 800

SHARK-D

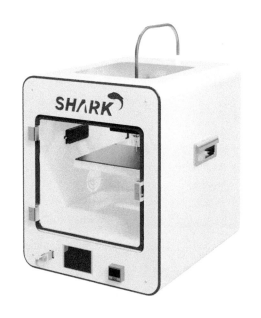

제조사 케이랩스, www.klabs.co.kr

출력 방식 PME

재료 세라믹, 석고, 바이오 잉크 등 점성을 가진 재료

출력물 크기 150mm~300mm

주요 특징 액체 프린팅이 가능한 공압재료압출방식(PME)으로 사용 재료의 구분이 없음, 0.1~9bar까지 압력 조절이 가능해 사용 재료의 점도 및 노즐 규격에 맞추어 자유롭게 설정, 노즐 크기는 0.16mm부터, 재료 용량은 3cc부터 사용 가능

가격 500~1500만원

자료 제공 케이랩스, 052-283-4296, www.klabs.co.kr

SHARK MEGA

제조사 케이랩스, www.klabs.co.kr

출력 방식 FFF

재료 PLA, Heat-resistant PLA, ABS, HIPS, TPU, PVA 등

출력 크기(가로×세로×높이, mm) 1000×1000×1000

주요 특징 전문가용 대형 3D 프린터로 대형 출력물을 한번에 프린팅, 자체 개발한 모듈형 노즐 시스템 사용으로 노즐 교체시 손쉽게 탈부착, 히트베드와 오토 레벨링 시스템 및 자체 개발한 특수 코팅 기법이 적용된 스마트 출력 베드 시스템을 채택해 출력물의 탈부착이 용이, 분리 가능한 모듈형 프레임 구성

가격 2500~3000만원

자료 제공 케이랩스, 052-283-4296, www.klabs.co.kr

Shop System

제조사 Desktop Metal, www.desktopmetal.com

출력 방식 Binder Jetting

재료 17-4PH

출력물 크기(가로×세로×높이, mm) 350×222×50(4L), 350×222×100(8L), 350×222×150(12L), 350×222×200(16L)

주요 특징 해상도 1600dpi(1 pL drop size), 1년 유지보수 지원

자료 제공 프로토텍, 02-6959-4113, www.prototech.co.kr

SMITH R322

제조사 류진랩, www.ryujinlab.com

출력 방식 FDM

소재 Metalloid, Carbon-fiber, Polycarbonate, ABS, PLA, Nylon 등

출력물 크기(가로×세로×높이, mm) 300×200×200

주요 특징 사용자 편의성을 강화한 전문가용 고성능 FDM 3D 프린터, UPS(무정전 전원공급장치)와 필라멘트 센서 장착, 기존 FDM/FFF 방식 대비 높은출력 품질 및 구동 신뢰성 확보, LM 가이드 채용으로 안정적이고 정밀한 장비 구동 확보, Metalloid 필라멘트를 사용해 금속 프린팅 가능, 저렴한 비용으로 고품질 FDM 3D 프린팅을 원하는 일반 사용자와 전문 사용자용으로 적합, 적층 두께 50μm~300μm

가격 220만원(부가세 별도)

자료 제공 류진랩, 070-7502-7280, www.ryujinlab.com

SMITH R435

제조사 류진랩, www.ryujinlab.com

출력 방식 FDM

소재 Metalloid, Carbon-fiber, Polycarbonate, ABS, PLA, Nylon 등

출력물 크기(가로×세로×높이, mm) 400×300×500

주요 특징 사용자 편의성을 강화한 전문가용 고성능 FDM 3D 프린터, UPS(무정전 전원공급장치)와 필라멘트 센서 장착, 기존 FDM/FFF 방식 대비 높은 출력 품질 및 구동 신뢰성 확보, LM 가이드 채용으로 안정적이고 정밀한 장비 구동 확보, Metalloid 필라멘트를 사용해 금속 프린팅 가능, 저렴한 비용으로 고품질 대형 FDM 3D 프린팅을 원하는 일반 사용자와 전문 사용자용으로 적합, 적층 두께 50μm~300μm

자료 제공 류진랩, 070-7502-7280, www.ryujinlab.com

sPro 140

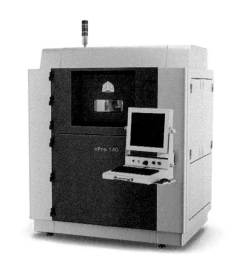

제조사 3D 시스템즈, https://ko.3dsystems.com

출력 방식 SLS

재료 DuraForm PA, DuraForm EX Black, DuraForm EX Natural, DuraForm GF, DuraForm HST

출력물 크기(가로×세로×높이, mm) 550×550×460

주요 특징 양산이 가능한 파우더 베드 기반 플라스틱 3D 프린터, 다양한 산업용 복합 엔지니어링 플라스틱 소재 사용, 서포트를 제거하는 수작업 없이 표면 처리 가능, 성형 부품 이외에 소재는 재활용 가능하여 재료 비용을 절감

자료 제공 에이디엠테크, 055-924-7336, www.admtech.co.kr

sPro 230

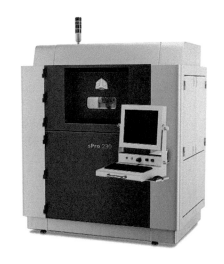

제조사 3D 시스템즈, https://ko.3dsystems.com

출력 방식 SLS

재료 DuraForm PA, DuraForm EX Black, DuraForm EX Natural, DuraForm GF, DuraForm HST

출력물 크기(가로×세로×높이, mm) 550×550×750

주요 특징 양산이 가능한 파우더 베드 기반 플라스틱 3D 프린터, 다양한 산업용 복합 엔지니어링 플라스틱 소재 사용, 서포트를 제거하는 수작업 없이 표면 처리 가능, 성형 부품 이외에 소재는 재활용 가능하여 재료 비용을 절감

자료 제공 에이디엠테크, 055-924-7336, www.admtech.co.kr

sPro 60 HD-HS

제조사 3D 시스템즈, htttps://ko.3dsystems.com

출력 방식 SLS

재료 DuraForm PA, DuraForm EX Black, DuraForm EX Natural, DuraForm GF, DuraForm HST, DuraForm FR1200, DuraForm TPU, DuraForm Flex, DuraForm PS

출력물 크기(가로×세로×높이, mm) 381×330×460

주요 특징 양산이 가능한 파우더 베드 기반 플라스틱 3D 프린터, 다양한 산업용 복합 엔지니어링 플라스틱 소재 사용, 서포트를 제거하는 수작업 없이 표면 처리 가능, 성형 부품 이외에 소재는 재활용 가능하여 재료 비용을 절감

자료 제공 에이디엠테크, 055-924-7336, www.admtech.co.kr

TruPrint 1000

제조사 TRUMPF, www.trumpf.com

출력 방식 LMF(Laser Metal Fusion)

재료 stainless steels, tool steels, aluminum, nickel-based, cobalt-chrome, copper, titanium. 귀금속, alloys 등

출력물 크기(mm) ø100×높이 100mm

주요 특징 출력 속도 2~18㎤/h, 적층 두께 10~50㎛, 1년 유지보수 지원

자료 제공 프로토텍, 02-6959-4113, www.prototech.co.kr

TruPrint 2000

제조사 TRUMPF, www.trumpf.com

출력 방식 LMF(Laser Metal Fusion)

재료 stainless steels, tool steels, aluminum, nickel-based, copper, titanium alloys 등

출력물 크기(mm) ø200×높이 200

주요 특징 적층 두께 10~50㎛, 1년 유지보수 지원

자료 제공 프로토텍, 02-6959-4113, www.prototech.co.kr

TruPrint 3000

제조사 TRUMPF, www.trumpf.com

출력 방식 LMF(Laser Metal Fusion)

재료 stainless steels, tool steels, aluminum, nickel-based, copper, titanium alloys 등

출력물 크기(mm) ø300×400

주요 특징 출력 속도 5~60㎤h, 적층 두께 20~150㎛, 1년 유지보수 지원

자료 제공 프로토텍, 02-6959-4113, www.prototech.co.kr

PART 4

Ultimaker S5

제조사 Ultimaker, https://ultimaker.com

출력 방식 FFF

재료 PLA, Tough PLA, Nylon, ABS, CPE, CPE+, PC, TPU 95A, PP, PVA, Breakaway

출력물 크기(가로×세로×높이, mm) 330×240×300

주요 특징 Door 장착 (히팅챔버), 간편해진 헤드 노즐 교체 방식, 액티브 레벨링, 내장 카메라 장착, 듀얼 노즐 시스템, 터치패널, 듀얼노즐 및 필라멘트 유량 센서가 장착된 향상된 피더 시스템 장착, 향상된 프린트 베드의 수평 조절 기능으로 출력 퀄리티의 안정성 향상

가격 1000만원 대

자료 제공 엘코퍼레이션, 031-261-7330, www.lcorporation.co.kr

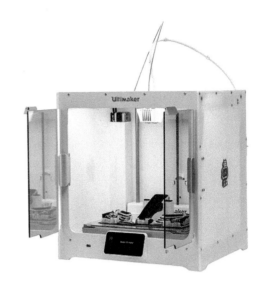

VX1000 / VX1000-HSS

제조사 VOXELJET, www.voxeljet.com

출력 방식 Binder jetting / High Speed Sintering

소재 SAND, PMMA / PA12, PP, ABS, TPU, etc.

출력물 크기(가로×세로×높이, mm) 1000×600×500 / 1000× 540x*

주요 특징 산업용 3D 프린터, 대형 제품 제작 및 소형 제품 대량 제작, 부드러운 표면 품질, 빠른 제작 속도

자료 제공 KTC, 0505-874-5550, http://kvox.co.kr

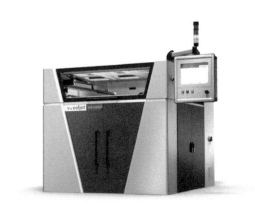

VX2000

제조사 : VOXELJET, www.voxeljet.com

출력 방식 Binder jetting

소재 SAND, PMMA

출력물 크기(가로×세로×높이, mm) 2000×1000×1000

주요 특징 산업용 3D 프린터, 대형 제품 제작 및 소형 제품 대량 제작, 부드러운 표면 품질, 매우 빠른 제작 속도

자료 제공 KTC, 0505-874-5550, http://kvox.co.kr

VX4000

제조사 VOXELJET, http://kvox.co.kr

출력 방식 Binder jetting

소재 SAND

출력물 크기(가로×세로×높이, mm) 4000×2000×1000

주요 특징 세계 최대 크기 산업용 3D 프린터, 초대형 제품 제작 및 소형 제품 대량 제작, 부드러운 표면 품질, 매우 빠른 제작 속도

자료 제공 KTC, 0505-874-5550, http://kvox.co.kr

PART 4

Zortrax Inkspire

제조사 Zortrax, https://zortrax.com

출력 방식 UV LCD

재료 Resin(BASIC, FLEXIBLE, DENTAL MODEL)

출력물 크기(가로×세로×높이, mm) 132×74×175

주요 특징 뛰어난 출력 품질 및 표면 조도, 신뢰할 수 있는 하드웨어, 쉽게 배울 수 있지만 강력한 기능의 소프트웨어, 안정적인 출력, 뛰어난 출력 정밀도

가격 400만원

자료제공 3D그루, 02-2606-2603, www.3dguru.co.kr

Zortrax M200 PLUS

제조사 Zortrax, https://zortrax.com

출력 방식 FDM

재료 ABS, PLA, PLA Pro, HIPS, ULTRAT, NYLON, Flexible, Semiflexible, GLASS, PETG, PC-ABS, ESD, ASA Pro

출력물 크기(가로×세로×높이, mm) 200×200×180

주요 특징 뛰어난 출력 품질 및 표면 조도, 신뢰할 수 있는 하드웨어, 쉽게 배울 수 있지만 강력한 기능의 소프트웨어, 안정적인 출력, 뛰어난 출력 정밀도

가격 390만원

자료제공 3D그루, 02-2606-2603, www.3dguru.co.kr

Zortrax M300 PLUS

제조사 Zortrax, https://zortrax.com

출력 방식 FDM

재료 ABS, PLA, PLA Pro, HIPS, ULTRAT, NYLON, Flexible, Semiflexible, GLASS, PETG, PC-ABS, ESD, ASA Pro

출력물 크기(가로×세로×높이, mm) 300×300×300

주요 특징 뛰어난 출력 품질 및 표면 조도, 신뢰할 수 있는 하드웨어, 쉽게 배울 수 있지만 강력한 기능의 소프트웨어, 안정적인 출력, 뛰어난 출력 정밀도

가격 650만원

자료제공 3D그루, 02-2606-2603, www.3dguru.co.kr

Zortrax M300 DUAL

제조사 Zortrax, https://zortrax.com

출력 방식 FDM

재료 PLA, ULTRAT, GLASS, PETG, NYLON, SUPPORT PREMIUM

출력물 크기(가로×세로×높이, mm) 265×265×300

주요 특징 뛰어난 출력 품질 및 표면 조도, 신뢰할 수 있는 하드웨어, 쉽게 배울 수 있지만 강력한 기능의 소프트웨어, 안정적인 출력, 뛰어난 출력 정밀도, 듀얼 노즐로 서포트 제거 걱정없이 복잡한 출력물 가능

가격 700만원

자료제공 3D그루, 02-2606-2603, www.3dguru.co.kr

PART 5

고성능 풀 컬러 핸드헬드 3D 스캐너

Archer 시리즈

개발 THUNK3D, www.thunk3d.com

주요 특징 사용자 친화적인 인터페이스, 마커/프레임/자동 정렬 기능, 빠른 포인트 처리 및 스캔 속도, 풀 컬러 및 고해상도의 스캔 제공, 2영역 스캔 모드 지원, 경량 설계, 다양한 모드 지원 등

가격 1000만원 대

공급 드림티엔에스, 031-713-8460, www.dream3d.co.kr

드림티엔에스는 Archer S와 Archer W 등 핸드헬드 3D 스캐너 2종을 국내 공급한다고 밝혔다.

Archer 3D 스캐너 시리즈의 특징

■ 사용자 입장에서 최대한 손쉽게 활용할 수 있도록 친화적인 인터페이스로 설계
■ 마커, 프레임, 형상&Mix 자동 정렬 기능으로 실시간 스캐닝이 가능
■ 초당 300만 포인트를 처리하는 빠른 스캔속도 및 초당 15프레임의 데이터 취득
■ 최대 정확도 50미크론의 고정밀도 데이터 취득이 가능
■ 풀 컬러의 선명한 색상과 고해상도의 스캔을 제공
■ 2영역 스캔 모드 지원
• Archer S: 12/30cm
• Archer W: 20/40cm
■ 장시간 사용에도 손목에 무리가 없는 경량으로 설계
■ 인체 스캔 및 중/소형 사이즈의 제품 스캔까지 다양한 분야의 적용 가능한 모드를 지원

Archer S 3D 스캐너

■ **정확도:** 최대 0.05mm
■ **광원:** White Light
■ **스캔 속도:** 초당 300만 포인트 취득/초당 15 프레임 취득
■ **듀얼 스캔 모드 사용:** Fine/Standard
■ **스캔 면적**
• Fine: 12cm
• Standard: 30cm
■ **작업 대상 크기:** 50~1000mm
■ **풀 컬러 스캔:** 32비트 컬러 텍스처 매핑
■ **인체공학적 디자인:** 경량 설계, 장시간 스캔 작업 가능
■ **출력 형식:** AC, ASC, STL, OBJ, PLY
■ **세밀한 제품 및 다양한 제품에 적용:** 인체 스캔, 중소형 제품 스캔

Archer W 3D 스캐너

■ **정확도:** 최대 0.1mm
■ **스캔 속도:** 초당 300만 포인트 취득/초당 12~15 프레임 취득
■ **듀얼 스캔 모드 사용:** Fine/Standard
■ **스캔 면적**
• Fine: 20cm
• Standard: 40cm
■ **작업 대상 크기:** 100~2000mm
■ **풀 컬러 스캔:** 32비트 컬러 텍스처 매핑
■ **인체공학적 디자인:** 경량 설계, 장시간 스캔 작업 가능
■ **출력 형식:** AC, ASC, STL, OBJ, PLY
■ **대형 제품 스캔에 최적화:** 인체 스캔, 중대형 제품 스캔

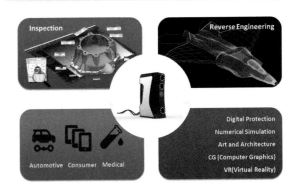

그림 1. Archer 3D 스캐너의 활용 분야

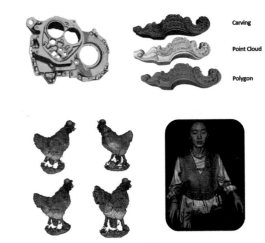

그림 2. Archer 3D 스캐너의 샘플 스캔 데이터

PART 5

3D 프린팅용 금속 분말

개발 및 공급 창성, http://changsung.com

주요 특징 안정적인 유동도와 높은 구형도를 지니며 분말 내 pore가 없는 고밀도의 금속 분말 불순물 및 산소농도 제어 기술

3D 프린팅용 금속 분말에 있어 가장 중요하게 여겨지는 특성은 분말의 흐름성, 즉 유동도이며 이는 3D 프린팅 공정의 작업성과 연관이 있다. 분말의 유동도와 관련된 인자로는 분말의 입도, 형상, 밀도, 그리고 표면 상태를 들 수 있는데, 이 중 분말의 형상(구형도)과 밀도(분말 내부의 기공유무)는 출력된 조형물의 품질에도 중요한 인자로 작용한다.

창성은 금속 분말을 제조하는 다양한 방식을 갖추고 있는데, 이 중 40여년 간 Powder Metallugy용 금속 분말을 제조하는데 사용되어 온 분사법의 공정을 적절히 제어함으로써 위의 특성을 지닌 3D 프린팅에 최적화된 금속 분말을 제조할 수 있다. 창성은 관련 연구기관과 협업하여 최적의 금속 분말을 연구개발 중에 있으며, 창성이 제조한 금속 분말은 현재 국산 장비 적용 테스트를 진행 중에 있다.

또한 창성은 인천산합융합원의 사업에 참여하여 GE와 같은 글로벌 3D 프린팅 부품업체들과 협력관계를 구축하고 있다.

CCM 분말

Co-Cr-Mo(이하 CCM) 합금 분말은 부식 저항성이 크고 생체 친화성이 우수하여 치과 보철물에 많이 사용되고 있다.

가스분사법을 이용해 제조된 창성의 CCM 분말은 엄격한 품질 검사를 통과한 후 시장에 공급된다.

한편 창성은 치과용 재료로서 국내 분말 제조사 중 유일하게 한국 산업기술시험원의 KGMP 인증을 받았다.

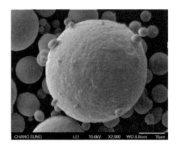

그림 1. CCM 분말 재료

Ni계 초내열합금 분말

3D 프린팅용 Ni계 초내열합금은 고온강도 및 내산화/부식 특성이 우수하여 항공기, 선박, 발전용 가스 터빈 엔진 등 고온/고압 환경에서 사용되는 복잡형상 부품을 제작하는데 사용된다.

그림 2. Ni계 Superalloy 재료(2000배 확대)

창성은 선진화된 분사 공정으로 Ni계 초내열합금 분말을 제조하는데, 이렇게 얻어진 분말은 정확한 성분과 낮은 산화도, 높은 구형도의 특징을 가지므로 3D 프린팅 공정에 최적화된 분말이라고 할 수 있다.

표 1. 적층제조용 금속분말 라인업

Grade	Composition (%) Fo	A.D (g/cc) Fo	O₂ Cont. (wt%)	Particle Size Distribution(μm)			O₂ Cont. (wt%)	Particle Size Distribution(μm)		
				D10	D50	D90		D10	D50	D90
Co Based Alloy	Co-Cr, Stellite#6, Stellite#21	4.0~5.0	0.1max				0.03max			
Fe Based Alloy	Stainless steel 304L, 316L, 630, Maraging steel	3.5~4.5	0.1max				0.05max			
Cu Based Alloy	Cu-10%Sn, Cu-15%Sn, Cu-20%Sn, Cu-33%Sn	4.5~5.5	0.1max	15~25	25~35	40~50	0.05max	35~55	50~70	90~110
Ni Based Alloy	IN625, IN718, Rene80 Ni based Superalloy	4.0~5.0	0.05max				0.02max			
CP Ti	CP Ti(Grade 2)	2.2~2.7	0.25max				–	–	–	–

PART 5

제품 개발 프로세스 향상을 위한 역설계 소프트웨어

Geomagic Design X 2020, Geomagic Wrap 2021

개발 및 공급 3D시스템즈코리아, www.3dsystems.com

주요 특징 추가된 언롤링/리롤링 기능으로 복잡한 회전 부품에 새로운 모델링 워크플로 구현, 생산성 향상 및 다운스트림 CAD의 재사용 가능성 개선, 스크립팅 편집기 추가로 워크플로 효율성 개선

3D시스템즈는 간소한 워크플로를 통해 출시 시간을 누구보다 빠르게 앞당길 수 있는 기능과 설계자와 엔지니어가 디지털 도구를 사용해 정밀도를 높일 수 있는 기능을 추가한 새로운 버전의 Geomagic Design X(지오매직 디자인 X)와 Geomagic Wrap (지오매직 랩)을 발표했다.

Geomagic Design X 2020: 역설계 효율 및 정확도 개선 위한 기능 추가

3D시스템즈의 Geomagic Design X는 강력한 3D 스캔 처리 기능과 완전한 CAD 설계 기능을 결합하여 빠르고, 정확하고, 안정적인 역설계를 지원한다. 엔지니어는 복잡한 회전 부품을 소프트웨어의 최신 기능을 사용해 모델링 워크플로를 간소화할 뿐만 아니라 모델링 경로를 확장할 수 있다.

새롭게 출시된 Geomagic Design X 2020의 기능은 다음과 같다.

언롤링/리롤링

지금까지 피처가 포함된 회전 부품은 모델링이 매우 번거로웠다. CAD 소프트웨어는 다축 피처가 포함된 3D 회전 부품을 생성하는데 2D 환경을 사용하기 때문이다. 이러한 프로세스에서는 최종 부품에 이를 때까지 여러 차례 시도와 재가공이 필요한 경우가 많을 뿐만 아니라 종종 정밀도가 떨어지기도 한다. 최신 버전의 Geomagic Design X는 언롤링/리롤링 (Unroll/Reroll) 기능이 추가되어 새로운 모델링 워크플로를 통해 복잡한 회전 부품 문제를 해결할 수 있다. 엔지니어가 여러 가지 메시 처리 도구로 구성된 종합 제품군을 사용해 메시를 언롤링해서 2D 스케치를 자동으로 추출한 다음 필요한 부분을 수정하고 추가 엔지니어링을 위해 스케치를 다시 롤링할 수 있다. 이 기능은 여러 차례 반복되는 시도와 재가공을 줄여 부품 정밀도, 효율성 및 다운스트림 유용성을 높여주는 효과가 있다.

선택적 서피싱

위상 최적화 부품을 비롯해 정밀 피처가 포함된 주조에서는 생성적 메시, 즉 3D 스캔을 CAD로 보내려면 고유한 문제가 발생한다. 하지만 Geomagic Design X 2020에 새롭게 추가된 선택적 서피싱(Selective Surfacing) 기능은 하이브리드 모델링 프로세스를 간소화하여 기존에 유기적인 피처와 각추형 피처

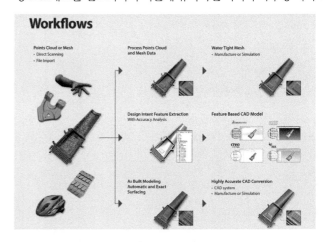

로 인해 까다로웠던 부품에서도 손쉬운 워크플로를 제공한다. 그 밖에도 이 기능은 빠른 유기적 서피싱과 고정밀 피처 모델링 방법을 결합하여 생산성을 높이는 동시에 다운스트림 CAD의 재사용 가능성을 높이고 모델 정확도를 지속적으로 제어한다.

프레임워크 공개

3D시스템즈는 먼저 고객과 협업하여 응용 환경 요건을 분석한 후 솔루션을 개발해 요건을 해결하는 등 고객 중심 혁신 접근 방식을 고수하였다. 3D시스템즈는 여기서 멈추지 않고 조기에 특징이나 기능을 미리 살펴볼 수 있는 프레임워크를 공개하여 이러한 접근 방식에 박차를 가하고 있다.

Geomagic Design X 고객들은 이러한 프레임워크를 통해 유지보수 중에도 R&D 프로세스에 더욱 효율적으로 접근하여 혁신적인 기능을 조기에 살펴보고 피드백을 서로 공유할 수 있다. 새로운 플러그인 구조는 3D시스템즈가 고객 지원 요청을 빠르게 수집할 수 있는 토대가 될 뿐만 아니라 다양한 상황에서 고객의 비즈니스 크리티컬 요건을 더욱 효율적으로 지원할 수 있다.

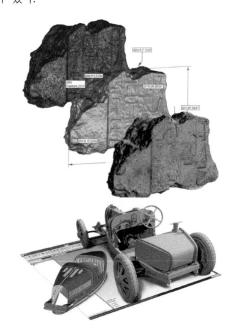

Geomagic Wrap 2021: 설계 워크플로 가속화를 위한 고급 자동화 기능 제공

Geomagic Wrap은 3D 스캔 데이터와 가져온 파일을 3D 모델로 변환하기 때문에 다양한 산업의 다운스트림 엔지니어링 응용 분야에서 바로 사용할 수 있다. 3D시스템즈의 최신 버전인 Geomagic Wrap 2021에는 스크립팅 자동화, 텍스처 조작 등 설계 속도를 높여 출시 시간을 앞당길 수 있는 기능들이 새롭게 추가되었다.

스크립팅 자동화

Geomagic Wrap은 스크립팅 자동화 기능이 추가되어 엔지니어의 작업 효율을 높여줄 수 있는 제품이다. 최신 버전에는 스크립팅 편집기가 새롭게 추가되어 엔지니어가 각 응용 환경에 따라 자신에게 적합한 워크플로를 정의할 수 있다. 편집기는 Python을 사용해 Geomagic Wrap에서 제공되는 맞춤형 기능과 상호작용한다. '자동완성', '컨텍스트 하이라이트' 등 정확한 3D 서피스 모델을 빠르게 설계하는데 효과적인 새로운 도구들이 더욱 손쉬운 사용자 경험을 제공한다. 이렇게 새로운 기능들은 회사의 지원 사이트에 실시간으로 호스팅되는 API Documentation을 통해 보완되기 때문에 고객이 지속적으로 업데이트되는 문서에 액세스할 수 있다.

텍스처 조작 도구

Geomagic Wrap 2021에는 텍스처 조작 도구가 새롭게 추가되어 색상 및 텍스처 스캔과 관련된 워크플로를 간소화한다. 엔지니어가 웹 스캔(scan-to-web) 워크플로 또는 디지털 자산 생성 과정에서 색상, 로고 또는 기타 복잡한 시각 요소가 포함된 객체를 스캔할 경우 서피스 텍스처를 조작하려면 일반적으로 이러한 스캔 파일을 편집하거나 재작업할 수 있는 소프트웨어 프로그램이 추가로 필요하다. 이번 최신 버전에는 더욱 강력한 텍스처 맵 조작 도구 세트가 추가되어 Geomagic Wrap에서 직접 복잡한 기하형상을 처리할 수 있다. 워크플로를 간소화할 뿐만 아니라 더욱 논리적인 고품질 텍스처 맵을 제작할 수 있게 되어 효율성을 높이고 설계 시간을 줄이는데도 효과적이다.

HD 메시 구성

새로운 HD 메시 구성 방법이 추가되어 포인트 클라우드에서 3D 데이터를 작성할 수 있는 강력한 기능을 제공한다. 특히 정보가 누락된 스캔이나 대용량 데이터 세트로 이어지는 스캔을 처리할 때는 3D 데이터를 작성하기 어렵다. HD 메시 구성 기능은 이러한 문제를 해결할 수 있도록 설계되어 엔지니어가 빈틈없는 메시를 생성할 수 있다.

PART 5

적층제조를 위한 올인원 소프트웨어

3DXpert

개발 및 공급 3D시스템즈코리아, 02-6262-9900, www.3dsystems.com

주요 특징 파라메트릭 기반의 하이브리드 CAD 환경 지원, 구조 최적화로 무게 및 재료 사용량 절감, 제작 시뮬레이션으로 시행착오 최소화, 최적화된 프린팅 전략으로 프린팅 시간 단축 및 품질 보장

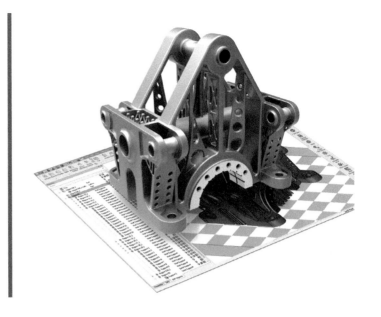

3D엑스퍼트(3DXpert)는 적층제조(AM) 기법을 사용하여 3D CAD 모델을 준비하고, 최적화하고, 제조하는 올인원 통합 소프트웨어이다. 디자인부터 후처리까지 적층제조 워크플로로 각 단계를 지원하기 때문에 3D 모델에서 프린팅된 부품으로 신속하고 효율적으로 전환하는 프로세스를 간소화한다.

워크플로 - 디자인에서 제조까지

3D엑스퍼트는 통합 소프트웨어 솔루션으로 워크플로를 간소화하고 생산 장애 요소를 해소할 수 있다. 3D엑스퍼트는 적층제조 프로세스의 전체 범위에서 유연성과 제어력을 제공하기 때문에 부품 개발 및 생산의 비용 효과를 높여준다.

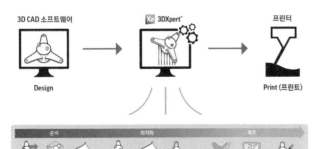

그림 1

데이터 가져오기

3D엑스퍼트는 STEP, IGES, VDA, DXF, 파라솔리드(바이너리 포함), SAT, SAB(ACIS) 등 CAD 포맷과 PMI 데이터

(예: 솔리드웍스, 카티아, 크레오 엘리멘트/프로, NX, 인벤터, 솔리드 엣지 등)를 포함하는 기본 판독 포맷, 메시 포맷(예: STL, 3MF, OBJ, PLY, JT)의 데이터를 가져올 수 있다. 따라서 메시 형식으로 다운그레이드하지 않고 B-rep 데이터(솔리드와 서피스)로 계속 작업하며 분석 기하형상, 부품 토폴로지 및 색상 지정을 포함하는 데이터 무결성을 유지한다.

■ **프린팅 가능성 분석:** 프린팅 가능성을 확인하고 STL와 B-rep 기하형상 모두 자동으로 복구한다.

구조 최적화

3D엑스퍼트의 래티스 모듈은 체적 표현 기술(V-Rep)과 이력 기반 매개변수 기능을 함께 사용하여 격자 구조의 생성, 편집 및 시각적 조작을 빠르게 실행할 수 있다. 게다가 다양한 격자 구조에 대한 라이브러리뿐만 아니라, 사용자 격자 구조 설계 및 다른 소프트웨어에서 설계한 격자 구조를 가져올 수 있다.

■ **볼륨 래티스 및 내부 채움 구조:** 부품 속을 비워도 그 형태가 유지되고 그 기계적 사양을 충족할 수 있다.
■ **표면 텍스처:** 프린팅 가능한 등각 텍스처를 적용하여 각 표면에 필요한 텍스처를 구현한다.
■ **래티스 최적화:** 격자 구조물과 주변에 대한 FEA 응력 분석을 실시하고 이 분석을 토대로 격자 요소를 최적화하여 무게, 재료 사용량, 프린팅 시간을 최소로 유지하면서 기능적 특성 요구사항을 충족한다.

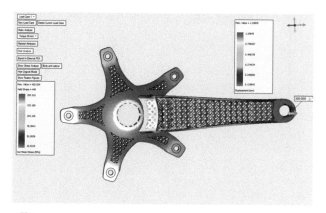

그림 2

빌드 시뮬레이션

3D엑스퍼트의 빌드 시뮬레이션(Build Simulation) 모듈은 부품 프린팅 전에 제작 실패 또는 프린터 손상을 일으킬 수 있는 문제를 예측한다. 부품의 정확한 방향과 서포트 디자인을 확인하고 제작판에서 부품을 분리할 때, 서포트를 제거할 때, 열처리를 적용할 때의 영향을 분석한다. 또한, 설계와 동일한 환경으로 통합함으로써 여러 소프트웨어 솔루션 사이를 오갈 필요 없이 수정된 내용을 간단하게 적용할 수 있다.

■ **오프로드 시뮬레이션:** 별도의 컴퓨팅 플랫폼으로 계산을 불러와 디자인 작업을 계속할 수 있다.
■ **결함 조기 발견:** 레이어 단위로 시뮬레이션 결과를 받아 전체 시뮬레이션 프로세스가 완료될 때까지 기다릴 필요가 없다.
■ **보상 모델:** 프린팅 과정에서 생긴 편차를 보상하는 기하학 모델을 조정 기준으로 사용하여 디지털 모델과 동일하게 프린팅할 수 있다.

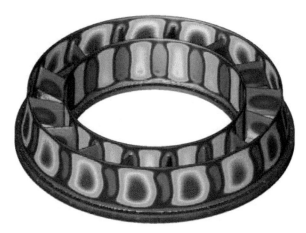

그림 3. 터빈 베인(이미지: GE Precicast Additive)

스캔 경로 계산

3D엑스퍼트는 각 장비, 재료 및 프린팅 전략에 대해 사전 정의된 모범 사례 매개변수를 사용하여 프린터를 최대로 활용하거나, 스캔 경로 계산 방법과 매개변수에 대한 강력한 제어

력으로 자체 프린팅 전략을 개발할 수 있다. 또한, 슬라이스 뷰어를 통해 각 레이어당 계산된 스캔 경로 모션을 탐색하여 실제 프린팅 프로세스를 사전에 검증할 수 있다.

■ **지능형 스캔 경로 계산:** 프린터 헤드 제어(3D시스템즈의 DMP 다중 헤드 프린터용 자동 밸런싱 포함)와 영역 지정 및 부품 기하형상을 결합하여 처리량을 늘리면서도 프린팅 품질은 유지할 수 있다.
■ **계산 시간 단축:** 연산 리소스를 추가 워크스테이션에 오프로드하여 분산시킨다. 또한, 전체 부품을 모두 계산하기 전에 선택한 슬라이스의 실제 스캔 경로를 빠르고 정확하게 미리 볼 수 있다.

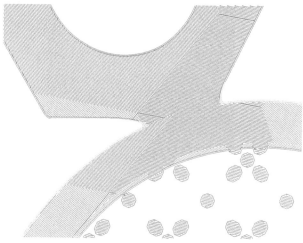

그림 4

후처리 작업 프로그래밍

3D엑스퍼트의 NC 모듈은 프린팅 준비 작업과 동일한 환경에서 자동으로 프린팅 준비 데이터를 스톡(서포트 기하형상, 서포트 영역 윤곽, 가공 오프셋 객체 포함)으로 받아 지능형 가공 템플릿을 적용하여 후처리의 리드 타임을 단축시켜준다.

■ **후처리 준비 작업:** 가공 및 드릴 도구를 프로그래밍하여 서포트 제거, 고품질 표면 가공, 구멍 뚫기, 태핑 또는 넓히기를 실시한다.

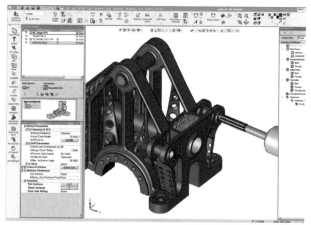

그림 5

PART 5

3D 스캔에서 3D 프린팅을 위한 데이터 생성

PointShape Editor

개발 및 공급 드림티엔에스, 031-713-8460, www.dream3d.co.kr

주요 특징 3D 스캐닝에서 3D 프린팅을 위한 출력 데이터 생성, 3D 스캔 데이터의 후처리, 데이터 병합, 데이터 치료 및 점검, 데이터 편집 기능 등 제공

3D 프린팅 데이터를 손쉽게 제작

3D 프린팅을 위한 데이터를 생성하는 방법은 크게 세 가지가 있다.

> ■ 3D CAD 소프트웨어를 사용하여 3D 모델링 데이터를 생성(일반적으로 쓰이는 방법이다.)
> ■ 3D 스캐너를 이용한 실측 데이터 생성
> ■ 무료 STL 파일 공유 사이트

3D 프린팅의 사용법을 배울 수 있는 대부분의 교육 커리큘럼은 3D CAD 소프트웨어를 사용하여 모델링 데이터를 생성하고 3D 프린팅 데이터를 만드는 방법이나, 무료로 3D 프린팅 데이터를 다운로드받은 후 슬라이싱 프로그램을 통해 출력하는 방법으로 진행된다. 하지만, 기존의 3D 프린팅 교육 커리큘럼 외에 다양한 3D 프린팅 데이터를 생성하는 방법의 필요성이 늘어나고 있다.

드림티엔에스에서는 3D 스캐너를 이용한 실측 데이터 생성 방법을 이용하여 3D 프린팅을 위한 데이터를 쉽게 만들 수 있는 '포인트셰이프 에디터(PointShape Editor)' 소프트웨어를 자체 기술로 개발했다. 포인트셰이프 에디터는 여러 개의 소프트웨어를 사용하지 않고 1개의 소프트웨어로 3D 프린팅 데이터를 편집할 수 있다. 누구나 쉽고 간단하게 제품을 스캔

해서 3D 프린팅에 활용할 수 있으며, 별도의 모델링 교육 없이 3D 스캐너와 3D 프린터를 사용할 수 있는 것이 특징이다.

〈그림 2〉와 같이 3D 스캐너로 읽어들인 데이터를 포인트셰이프 에디터로 불러들인 후, 데이터 스케일과 위치를 조정하고 (그림 3) 스캔 데이터와 모델링 데이터를 병합해(그림 4) 최종 출력용 데이터를 생성한다.(그림 5)

그림 2. 3D 스캐너에서 스캔 작업 완료

그림 3. 포인트셰이프 에디터에서 데이터 스케일 및 위치 조정

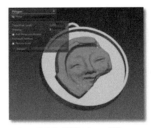
그림 4. 데이터 병합(스캔+모델링)

그림 5. 데이터 생성

포인트셰이프 에디터의 주요 기능

스캔 데이터 후처리(fill hole)

3D 스캔이 되지 않은 부분을 복구한다.

그림 6

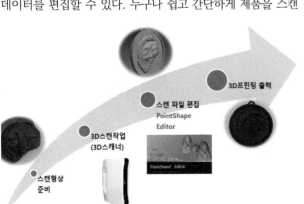
그림 1

데이터 병합(merge)

3D 스캔 데이터와 모델링 데이터를 동시에 불러온다.

데이터 스케일을 조정하거나 원하는 위치로 이동시킬 수 있고, 위치를 확인한 후 데이터를 병합한다.

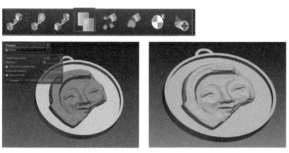

그림 7

데이터 치료 및 점검(repair)

데이터에서 불필요한 부분을 제거하거나, 부분적으로 선택해 힐링 및 유효성 검사를 할 수 있다. 데이터를 수정한 후에는 STL 파일로 저장 또는 3D 프린팅 장비로 바로 출력할 수 있다.

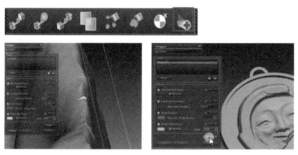

그림 8

데이터 편집(polygon processing)

Smoothing, Decimation (메시 데이터 간략화), Subdivide, Remove Marker, Scale 등의 기능을 제공한다.

포인트셰이프 에디터의 활용

포인트셰이프 에디터는 다양한 분야에 사용할 수 있으며, 2시간의 사용 방법 교육을 통해 쉽게 3D 프린팅 파일을 생성할 수 있다. 사용 교육은 스캔 데이터 편집, 모델링 데이터 병합, 3D 프린팅 파일 생성 등으로 진행되며, 생성된 데이터를 통해 나만의 액세서리 및 기념품 등을 3D 프린터로 출력할 수 있다.

그림 9. 얼굴 피겨 및 핸드 프린팅

그림 10. 문화재 펜던트 제작

3D 스캐너의 활용

포인트셰이프 에디터와 함께 활용할 수 있는 3D 스캐너로는 핸드헬드(handheld) 스캐너와 데스크톱(desktop) 스캐너가 있다. 핸드헬드 스캐너는 인체, 피겨, 문화재 등 분야에, 데스크톱 스캐너는 피규어, 문화재 등 분야에서 유용하다.

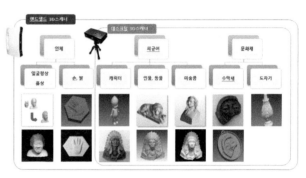

그림 11

3D 스캔-3D 프린팅 교육 솔루션

드림티엔에스는 포인트셰이프 에디터와 3D 스캐너를 결합한 패키지 솔루션 및 효과적인 활용을 돕는 교육 커리큘럼을 제공하고 있다.

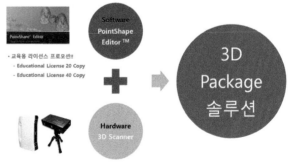

그림 12

PART 5

3D 모델링·프린팅 소프트웨어

캐디안3D 2021

개발 및 공급 인텔리코리아, 02-323-0286,
www.cadian3d.com

주요 특징 호환 확장자(*.3dm, *.iges, *.sat, *.step, *.ai,
*.eps, *.pdf, *.dxf), 직관적인 UI 디자인, 비정형적인 객체를
모델링하는데 적합, AutoCAD(*.dxf) 및 Rhino3D(*.3dm)와
양방향 호환성

시스템 요구 사항 윈도우 7 이상, 맥 OSX 10.6 이상, CPU/
인텔 코어2 Duo E6300 이상, 지포스 7600GT 이상

가격 교육용-15만원(VAT별도), 상업용-35만원(VAT별도)

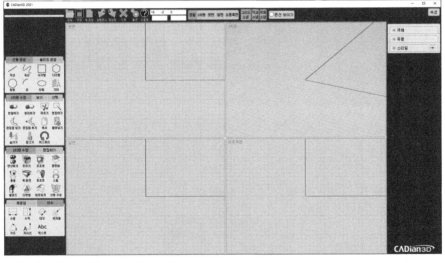

그림 1. 캐디안3D 작업화면

국산캐드 프로그램 개발사인 인텔리코리아는 2020년 하반기에 3D 모델러 신버전을 출시할 예정이다.

이번에 출시되는 캐디안3D (CADian3D) 2021은 기존 사용자의 요구를 반영하여 곡면과 치수, Sub Divide 기능 등을 추가 및 개선하였으며, 디자인 설계 후 치수를 바로 적용할 수 있기 때문에 2D/3D 형상 제작이 더욱 수월해졌다.

인텔리코리아는 타 3D 캐드와의 호환성을 위해 *.iges, *.step, *.sat, *.ai, *.pdf, *.dxf 등 다양한 포맷을 지원하고 있다. 캐디안3D 2021에는 다수의 새로운 기능이 추가되었지만 기존 사용자는 물론 신규 사용자들도 학습하는데 별도의 시간이 필요하지 않을 정도로 UI(유저 인터페이스)가 매우 직관적이어서 성인뿐만 아니라 초·중·고교생들도 쉽게 배울 수 있다.

한편 3D 프린팅 전문 인력양성 교육을 통해 배출된 2만 명 이상의 수강생 중에 일부는 스타트업을 설립하여 3D 프린팅 디자인·설계 용역업을 하거나, 공방을 오픈하여 생활용품 등 다양한 제품을 제작하기도 한다. 인텔리코리아는 코로나감염바이러스(코로나19)로 인해 오프라인 강의가 쉽지 않기 때문에 축적된 오프라인 커리큘럼을 온라인 동영상 파일로 만들고 있다. 총 15강좌의 동영상 학습 툴을 통해 국가공인자격증인 3D프린터운용기능사 시험에 대비할 수 있다. 수강 신청은 인텔리코리아 캐디안3D 소프트웨어 및 3D 프린팅 교육 홈페이지(www.cadian3d.com)에서 접수 가능하며, 수강료는 1만원이다.

2D/3D 객체 치수의 직관성

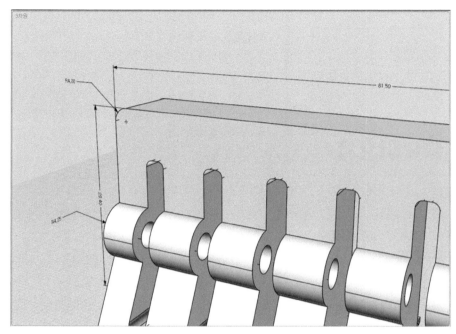

그림 2. 3D 화면상의 치수 부여

이전 버전은 객체의 선, 면, 솔리드를 직접 찍어서 치수를 확인했던 반면 신규 버전에서는 객체를 선택하여 치수를 확인하는 것은 물론 치수와 관련된 주석까지 직관적으로 표시, 기입, 수정할 수 있는 기능이 추가되었다.

제품 디자인 및 설계 외에도 프로그램 자체적으로 2D/3D 도면과 같이 치수 기능이 추가되면서 제품 디자인 작업 시에 치수를 확인할 수 있어 다른 객체와의 조립 여부 및 쉬운 부품 설계가 가능하며, 신속하게 입체 도면을 만들 수 있다. 또한 제품 양산 시 작업자가 쉽게 확인할 수 있어 작업의 생산성을 향상시켰다.

향상된 곡면 컨트롤 기능

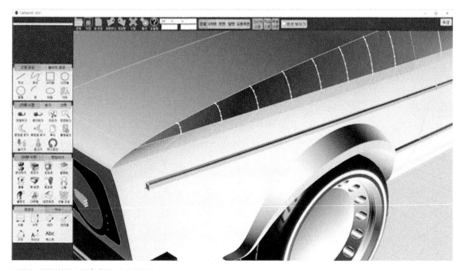

그림 3. 멀티 아이소를 활용한 면의 세분화

기존 캐디안3D에서는 로프트, 네트워트 등으로 곡면 형상을 제작하였지만 신버전 캐디안3D 2021에서는 형성된 면을 분리 및 세분화하여 생성한 곡면의 편집점 조정을 통해 디테일한 곡면 형성이 가능해졌다.

PART 5

3D 프린팅을 위한 최적 설계를 자동 생성

MSC Apex Generative Design

개발 및 공급 한국엠에스씨소프트웨어, 031-719-4466, www.mscsoftware.co.kr

주요 특징 경계 조건과 설계 목표 지정으로 최적의 응력 분포 및 경량 설계 생성, 설계부터 적층제조 준비까지 통합된 CAE 환경, CAD/STL/MSC 나스트란 BDF 형식의 지오메트리 및 메시에서 빠른 모델 설정, 곧바로 출력이 가능한 마무리 품질을 제공하는 스무딩 기술, 시뮤팩트 및 디지매트와 연계해 빌드 프로세스의 시뮬레이션 가능

한국엠에스씨소프트웨어는 새로운 설계 최적화 솔루션인 'MSC 에이펙스 제너레이티브 디자인(MSC Apex Generative Design)'을 발표했다. 에이펙스 제너레이티브 디자인은 임베디드 제조 지식과 설계 프로세스 자동화를 통해 품질을 향상시키는 솔루션이다.

에이펙스 제너레이티브 디자인은 기존 위상 최적화와 비교하여 생산성을 최대 80% 향상시키는 것을 목표로 한다. 이 솔루션은 몇 시간 (대개 필요한 시간의 몇 분) 내에 적층 제조를 위해 준비된 부품 설계(DfAM: Design for Additive Manufacturing)를 생성하여 신뢰할 수 있는 적층 제조를 보다 효율적인 비용으로 접근 가능하게 만든다.

철저한 재고를 거친 설계 최적화

에이펙스 제너레이티브 디자인에서는 설계자가 경계 조건과 설계 목표만 지정하면 설계 최적화가 가능하도록 했다. 설계 공간의 가능성을 탐색하여 최적의 응력 분포를 제공하고 무게를 최소화하는 다양한 경량 설계 생성이 가능해진다. 이를 통해 독창적인 프로세스에 도움이 되므로, 설계자는 제품 콘셉트를 최적화하고 부가 가치를 높일 수 있는 추가 기능을 통합하는데 투자할 시간을 더 많이 확보할 수 있다. 이 소프트웨어의 보정(smoothing) 기술은 모든 설계가 바로 출력에 들어가도 무리가 없는 마무리 품질을 제공한다.

통합 설계를 위한 최적화 프로세스

기존의 위상 최적화 워크플로에는 생산 준비를 위해 수동 작업과 여러 도구가 필요하므로 데이터가 변환될 때 정보 손실이 있을 수 있었다. 하지만 MSC 에이펙스는 하나의 CAE 환경 내에서 모든 관련 단계를 통합할 수 있게 되어, 설계에서부터 적층 제조 준비에 이르기까지 한 번의 사용자 경험으로 생산성을 향상시킬 수 있다.

설계 프로세스는 워크플로 지향적이며 일반적인 CAD, STL 또는 MSC 나스트란(MSC Nastran) BDF 형식의 기존 지오메트리 또는 메시에서 쉽고 빠른 모델 설정을 제공한다. 설계자는 동일한 CAE 환경 내에서 최적화된 후보 설계를 찾고, 설계 검증을 수행하여 작업 프로세스를 단순화하고, 설계 반복을 크게 줄일 수 있다. 그 결과로 이전 작업과 후속 작업의 호환성이 중요한 역할을 하는 통합 자동 최적화 프로세스가 완성된다. 이 기능은 지오메트리를 수동으로 재구성하지 않고도 CAE 메시에서 CAD로의 변환을 포함함으로써 설계자의 많은 작업 프로세스를 단순화시킬 수 있다.

적층 제조에 대한 검증

적층 제조 솔루션을 위한 에이펙스 제너레이티브 디자인 솔루션은 바로 출력 가능한 지오메트리를 헥사곤의 적층 제조 포트폴리오인 시뮤팩트(Simufact) 및 디지매트(Digimat)의 금속 및 폴리머 빌드 프로세스 시뮬레이션과 결합하고 있다. 이로 인해 비용이 많이 드는 프로토타입 없이도 설계자는 선택한 재료와 출력 프로세스를 사용하여 성공적으로 제조할 수 있는 부품 설계를 생성할 수 있다.

PART 5

금속 3D 프린팅 공정 시뮬레이션 소프트웨어

Simufact Additive, Simufact Welding

개발 및 공급 한국엠에스씨소프트웨어, www.mscsoftware.com/kr

주요 특징 Simufact Additive: PBF 방식 적층 제조 공정을 시뮬레이션하는 소프트웨어로 빌드-열처리-커팅-서포트 제거-HIP 공정 등 공정 전체 프로세스를 시뮬레이션하여 응력 및 변형을 예측할 수 있으며 변형 보상설계 기능 지원, Simufact Welding: DED 공정을 시뮬레이션 하는 소프트웨어로 열-구조 연성해석과 재료 상변태를 고려한 응력 및 변형 예측 기능 지원

Simufact Additive

Simufact Additive는 유한요소 해석을 기반으로 하여 적층 공정을 시뮬레이션하여 PBF(Powder Bed Fusion) 방식의 공정 최적화를 수행하는 소프트웨어이다. 고유변형률을 이용한 방법과 열-구조 연성 해석 방법을 이용하여 시뮬레이션을 수행한다.

- ■ 고유변형율 기법을 이용한 빠른 해석
- ■ 열-구조 연성 해석을 이용한 정확한 해석
- ■ 적층 공정(빌드(build)-열처리-커팅(cutting)-서포트 제거-HIP) 해석
- ■ 최적의 적층 방향 예측
- ■ 서포트 최적화
- ■ 자동 변형 보상 설계

Simufact Welding

Simufact Welding의 DED(Direct Energy Deposition) 모듈은 파우더(Powder) 또는 와이어(Wire) 방식의 적층 공정 시뮬레이션을 지원하며 적층 공정 중 또는 완료 후의 변형 및 응력을 파악할 수 있으며 재료의 상변태

(Phase Transformation)를 고려하여 시뮬레이션을 할 수 있다. Simufact Welding의 DED 모듈의 G-code를 이용하여 적층 순서를 모델링 할 수 있어 기존의 수작업에 필요한 시간을 감소시킬 수 있다.

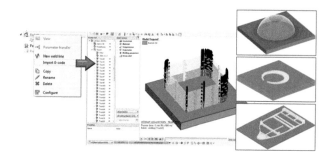

- ■ G-Code를 이용한 적층 순서(path) 모델링 지원
- ■ 열-구조 연성 해석
- ■ 상변태를 고려한 해석 가능
- ■ 변형 및 응력 예측
- ■ 속도 및 열원에 따른 공정 분석

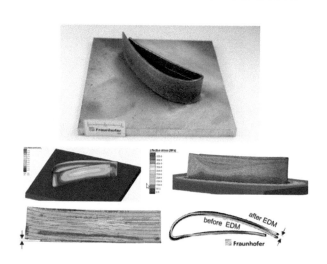

PART 5

제품 출력 실패를 줄이는 적층 공정 시뮬레이션

Inspire Print3D

개발 및 공급 알테어, 070-4050-9200, altair.co.kr

주요 특징 3D 프린팅 부품 준비 및 프린터 설정부터 출력 시뮬레이션까지 전체 과정을 지원, 열역학 솔버로 설계 단계에서 하중과 서포트 적용 여부에 따른 변위를 분석, SLM 방식에 맞춘 적층 공정 시뮬레이션 지원 등

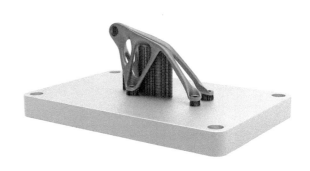

알테어가 적층 제조(Additive Manufacturing)를 위한 소프트웨어 인스파이어 프린트3D(Inspire Print3D)를 출시했다.

인스파이어 프린트3D는 설계자가 한번에 복잡한 부품을 쉽게 설계하고 성능을 미리 시뮬레이션할 수 있도록 돕는다. 인스파이어 프린트3D를 사용하면 부품 결함의 발생 여부 및 위치 등을 출력 전에 미리 알고 개선할 수 있어 제품 개발에 소요되는 시간과 비용을 효율적으로 절감할 수 있다.

제조기업에서 적층 제조를 할 때 여러 차례의 설계와 분석을 반복하여 최적의 출력 방향과 서포트를 결정해야 하지만, 설계 엔지니어가 부품의 방향, 열에 따른 변형 등까지 고려하여 설계하기란 어렵다.

인스파이어 프린트3D에는 열역학 솔버가 내장되어 있어, 설계 엔지니어가 직접 하중과 서포트 적용 여부에 따른 변위를 쉽게 분석할 수 있다. 또한 적층이 완료된 시점의 온도를 확인하고 변형을 파악하여 제품 출력의 품질을 더욱 높일 수 있다.

특히 금속 3D 프린팅의 경우 레이저를 사용하기 때문에 변형, 결함 등에 대한 관리를 비롯해 출력 실패를 최대한 줄이기 위한 시뮬레이션이 필요하다. 인스파이어 프린트3D는 이를 위한 SLM (Selective Laser Melting, 선택적 레이저 용융) 방식에 특화된 적층 공정 시뮬레이션을 함께 지원한다.

인스파이어 프린트3D의 적층 공정 시뮬레이션은 다음과 같은 과정으로 진행된다.

3D 프린팅할 부품의 선택과 준비

Print Part 툴을 사용해 3D 프린팅할 부품을 선택하고, 재료를 지정한다.

프린터 설정

부품을 출력할 3D 프린터와 동일한 옵션으로 시뮬레이션을 셋업한다. Printer 툴에서 몇 가지의 표준 프린터 중 선택하거나, 특정한 프린터에 맞게 옵션을 설정할 수 있다.

출력 부품 오리엔테이션

Orientation 툴로 3D 프린터의 출력 베드(printing bed)에 맞게 부품의 자리를 잡는다. 이 과정은 출력 시간이나 지지대(support)를 줄이는데 도움을 준다. 지지대의 미리보기(preview)는 모델을 회전하거나 위치를 최적화할 때 동적으로 업데이트된다. 오리엔테이션 테이블은 위치에 따른 지지대의 자리나 볼륨, 출력 시간을 비교할 수 있다.

지지대 생성

지지대는 3D 프린팅 과정에서 부품을 고정하고 열을 배출하는 역할을 한다. 인스파이어 프린트3D는 Support 툴과 환경설정을 통해 지지대의 모양, 크기, 간격을 설정하는 옵션을 제공한다.

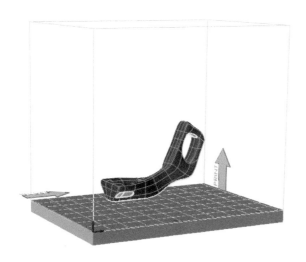

▲ 부품 오리엔테이션

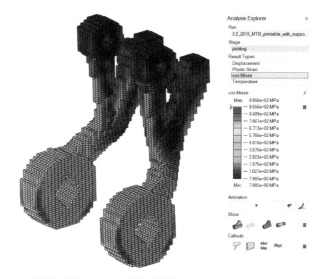

▲ 3D 프린팅 과정의 von Mises 응력 시뮬레이션

▲ 지지대 생성

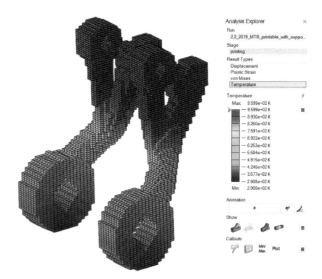

▲ 3D 프린팅 과정의 온도 시뮬레이션

출력할 부품의 슬라이스 미리보기

적층 가공은 부품 표면이 층층이 쌓이면서 형상을 완성하는 방식이다. Slice 도구를 사용하면 프린터가 만들 슬라이스를 검토하고, 적층 과정에서 중요한 변경점은 없는지 확인할 수 있다.

부품과 지지대 내보내기

Export 툴로 3D 프린팅을 위해 준비된 부품과 지지대를 포함하는 파일을 내보낸다.

3D 프린팅 해석 실행

Analyze 툴로 3D 프린팅 프로세스의 시뮬레이션을 실행한다. 시뮬레이션 결과는 애니메이션으로 살펴볼 수 있고, 이를 통해 변형, 응력, 리코팅, 크랙 등 실제 출력 과정에서 생길 문제를 미리 발견할 수 있다.

또한 인스파이어 프린트3D는 사용자 환경이 직관적으로 구성되어 있기 때문에, 설계 단계에서 필요한 해석을 설계자들이 직접 수행할 수 있다. 알테어는 이러한 강점을 살려 다양한 산업군에서 적층 제조의 장점을 보다 빠르게 구현할 수 있도록 지원할 계획이다.

한국알테어의 문성수 대표이사는 "인스파이어 프린트3D는 적층 제조 기술을 산업 현장에서 쉽게 적용할 수 있도록 하기 위해 개발되었다. 특히 처음 사용하는 사람도 부품 설계 변수를 쉽게 확인하고 수정할 수 있다는 장점이 있다"며, "인스파이어 프린트3D를 통해 엔지니어들이 보다 쉽고 빠르게 설계할 수 있도록 지원하여 3D 프린팅의 제조 효율성을 더욱 살릴 수 있도록 도울 것"이라고 말했다.

Jinie 채색펜 kit

제조사 지니코딩에듀, http://jcodeedu.com

주요 특징 3D 프린팅 출력물의 채색 과정을 보다 쉽게 해 주는 제품, 샤프처럼 눌러주는 방식으로, 붓펜 타입의 편리한 사용, 곰팡이 및 유해균을 차단하는 항균제가 함유된 펜톤 페인트 사용, 내구성 및 친수성을 갖춰 후가공에 활용 가능

가격 8만 4000원

자료 제공 지니코딩에듀, 051-331-0110, http://jcodeedu.com

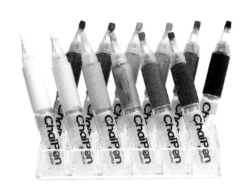

POWERSHOT C / POWERSHOT S / DM60

제조사 DyeMansion, www.dyemansion.com/en

주요 특징 EOS P396 또는 HP Jet Fusion 4200/5200의 출력물을 10분 안에 75%까지 클리닝 가능, 스테인레스 스틸 소재의 회전 배스킷 장착, 동시 작업 가능한 두 개의 블래스팅 노즐(POWERSHOT C), 자동화된 폴리샷 서피싱(PSS)으로 효율적인 피니싱 작업 가능, PA12 또는 PA11 등 단단한 플라스틱 지오메트리의 피니싱에 효과적(POWERSHOT S), 산업용 적층제조를 위한 컬러링 솔루션, DeepDye Coloring(DDC) 기술로 다양한 색상 선택 지원(DM60)

자료 제공 케이엔씨, 031-8033-0310, www.knckorea.kr

Solid Edge

개발사 지멘스 디지털 인더스트리 소프트웨어, 02-3016-2000,
https://sw. siemens.com

주요 특징 Solid Edge는 기구 설계부터 전장, 시뮬레이션 및 제조까지 다양한 고객의 요구사항을 지원한다. 특히 3D 프린터를 위한 전용환경 및 기능을 제공한다. 기존 형상을 경량화하고, 재료 비용을 최소화할 수 있는 제너레이티브 디자인(Generative Design)을 3D 프린팅으로 가볍고 최적화된 복잡한 형태를 빠르게 만들 수 있다. 3D 스캔된 메시 모델을 변환없이 Solid Edge에서 불러와서 직접 편집 및 수정하여 기존의 CAD 모델과 조화를 이루고 3D 프린팅할 수 있다. 부품을 STL 및 3MF 형식으로 작성하거나 Microsoft 3D Builder 앱으로 직접 보내면 이를 통해 컬러 프린팅 기능 등을 활용하여 제조할 수 있다. 3D 프린팅 제조 인프라가 없는 경우 Solid Edge 내에서 3YUSMIND와 같은 클라우드 기반 3D 프린팅 서비스로 직접 디자인을 보내어 가격과 제조 기간 등 비교를 통해 온라인 주문하여 결과물을 배송 받을 수 있다.

자료 제공 지멘스 디지털 인더스트리 소프트웨어, 02-3016-2000,
https://sw.siemens.com

Siemens NX

개발사 지멘스 디지털 인더스트리 소프트웨어, 02-3016-2000,
https://sw. siemens.com

주요 특징 NX 적층 솔루션은 하나의 통합된 싱글 솔루션을 제공하고 있다. 각 분야별로 적층 제조를 위한 ▲위상최적화(Topology optimization)을 이용한 제너레이티브 설계 ▲STL 기반의 Facet 데이터에 대한 자유로운 수정이 가능한 컨버전트 모델링(Convergent Modeling) ▲해석을 통한 변경된 형상의 성능 검증 ▲기존 사출/다이캐스팅과 다른 적층 제조 방식에 따른 설계 사전 검증 ▲3D 프린팅을 위한 서포터 제작과 네스팅 ▲적층 열해석을 통한 변형 여부 예측 ▲NX CAM을 이용한 마무리 공정 적용 ▲3D 제조 장비의 관리를 위한 MES 시스템 및 통합관리까지 데이터 변환에 따른 손실을 최소화할 수 있는 전 공정을 지원하는 통합 솔루션을 제공하고 있다.
이러한 솔루션을 통해 ▲기존 부품의 역설계를 통한 빠른 제조 ▲여러 개의 부품을 하나로 통합 설계함으로써 조립 공수 및 부품 단가 절감 ▲동일 성능의 경량화된 부품 설계 ▲부품 재고 제로 ▲금형 냉각 형상 최적화 ▲CAM 직가공 메탈 부품에 대한 가공성 향상 ▲3D 프린팅 제조 시간 단축과 같은 기존 제조 방식에서는 상상할 수 없었던 효과적인 제품 제조를 구현할 수 있다.

자료 제공 지멘스 디지털 인더스트리 소프트웨어, 02-3016-2000,
https://sw.siemens.com

PART 6

3D 프린팅 관련
업체 소개

이 코너에서는 3D 프린팅 관련 업체들을 소개한다. 주로 소개하는 업체들은 3D 프린터 판매업체를 비롯하여, 출력 서비스 업체, 교육업체, 관련 소프트웨어 판매 업체 및 소재 업체, 그리고 메이커스에 이르기까지 다양하다.
이 자료는 지속적으로 업데이트 될 예정으로 추가하고 싶거나 수정할 사항이 있으면 연락주기 바란다.(가나다순, cadgraphpr@gmail.com)

그래피

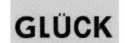

Graphy
We like creating specialized materials.
"Smart Materials"

■ 문의 : 02-864-3056,
www.itgraphy.com
■ 사업 분야 : 3D 프린터 소재 개발 및 판매, 3D 프린터 판매
■ 취급 제품 : TeraHarz(소재), S-Plastic(소재), UNIZ(3D 프린터), SprintRay(3D 프린터)

그래피는 3D 프린팅 기술을 기반으로 4차 산업의 주요 핵심 신소재 및 의료 융합 기술을 전문으로 하고 있다. 특수 소재에 적합한 고밀도 경화기를 개발 및 제조, 판매하고 있으며 특히, 광경화성 수지의 핵심 원재료를 직접 합성하는 독보적인 기술력으로 열변형 및 내수성, 내충격성이 강한 다수의 특수 소재를 개발했다. 그 외 고객맞춤형 소재를 개발, 제조하고 있다. 산업 및 메디컬 분야 외에 덴탈 분야에서는 치과용 교정장치를 직접 3D 프린팅할 수 있는 소재와 고강도 치관용 레진을 개발하여 KFDA Class II, CE Class II, FDA 인증을 획득하였고, 해외 유수의 업체들과 파트너십이 진행되고 있는 유망벤처기업이다.

글룩(Gluck)

■ 문의 : 070-8622-9696,
www.glucklab.com

GLÜCK

■ 사업 분야 : 3D 프린팅 서비스 및 의료 3D 프린팅 서비스
■ 취급 제품 : OMG 3D 프린터 한국 총판

글룩은 2013년부터 3D 프린팅 출력 서비스를 진행해오고 있고 건축, 의료 등 다양한 분야에서 폭넓은 경험을 가지고 있다. SLA 방식 3D 프린팅 출력 서비스를 주력으로 소량에서부터 대량 출력 서비스를 진행하고 있다.

넥스페이스

■ 문의 : 010-2630-3159,
www.nexpace.kr

nexpace
넥스페이스

■ 사업 분야 : 3D 스캐닝, 3D 모델링, 3D 프린팅, 3D 관련 온디맨드 서비스
■ 취급 제품 : 3D 스캐너(핸드헬드, 고정형, 광대역), 3D 소프트웨어 (프리폼, 역설계, 품질검사, 적층제조), 3D 프린터(FDM, DLP, CJP, MJP, SLA, DMP), 햅틱장치

넥스페이스는 기계부품, 문화재, 예술, 의료, 헬스케어, 자동차, 조선, 항공 등의 산업에서 오랜 기간 축적된 솔루션 컨설팅 및 구축 경험을 기반으로 3D 스캔에 의한 디지털화에서부터 시제품 제작은 물론 최종 사용 부품의 적층 제조까지, 전반적인 3D 솔루션 공급과 사용자 맞춤형 온디맨드 서비스를 제공하고 있다.

다빈치3D프린터

■ 문의 : 070-8780-5295, www.davinci3d.co.kr
■ 사업 분야 : 시제품 제작, 3D 프린터 판매, 3D 프린터 필라멘트 판매, 3D 프린터 교육
■ 취급 제품 : 3D ENTER-CROSS 시리즈, 기타 DLP

다빈치3D프린터는 3D 프린터 출력 서비스 및 후가공 전문 업체이다.

다쏘시스템
솔리드웍스(SOLIDWORKS)

■ 문의 : 02-3270-8500,
www.solidworks.co.kr
■ 사업 분야 : 산업, 의료, 과학, 소비자, 교육, 기술 및 교통
■ 취급 제품 : 솔리드웍스

다쏘시스템 솔리드웍스(Dassault Systèmes SolidWorks Corp.)는 데이터를 작성, 시뮬레이션, 게시 및 관리할 수 있는 완전한 3D 소프트웨어 도구를 제공한다. 솔리드웍스 제품은 쉽게 배우고 사용할 수 있으며 이를 통해 우수한 제품을 보다 빠르고 비용 효율적으로 설계할 수 있다. 솔리드웍스는 보다 많은 엔지니어, 설계자 및 기타 기술 전문가들이 3D를 활용하여 자신의 설계를 현실화할 수 있도록 지원하기 위해 사용이 쉬운 제품을 제공하는 데 주력하고 있다.

대건테크

■ 문의 : 055-250-8000,
www.dpert.co.kr
■ 사업 분야 : 교육용 FDM 3D 프린터 제조 및 판매, 금속 3D 프린터 (PBF방식) 국내 제조 및 판매 , 출력서비스
■ 취급 제품 : PBF 방식 금속 3D 프린터(SLM 방식), dpert M135, dpert M200, dpert M270, dpert Mg80

대컨테크는 2018년 PBF 방식 금속 3D 프린터를 자체개발에 성공한 후 제작 및 판매를 진행하고 있다.

국내 다양한 국채과제를 통해 금속 3D 프린터에 대한 기술특허 보유 및 기술개발에 적극 투자하고 있다.

또한 2019년 금속 3D 프린터 국내 기업 및 기관, 대학교에 판매를 진행했으며, 다양한 금속 파우더에 대한 출력 기술을 보유하고, 출력 서비스를 진행 중이다. 2021년에는 대면적이 500×500×500mm 사이즈인 금속 3D 프린터를 출시할 예정이다.

더블에이엠

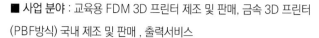

■ 문의 : 02-3489-3200,
www.aamkorea.co.kr
■ 사업 분야 : 3D 프린터 판매 및 유지보수, Applied Additive Manufacturing : 적층가공 기술 솔루션 및 응용 서비스 전문기업
■ 취급 제품 : 스트라타시스 FDM & Polyjet 장비 및 적용 애플리케이션 출력 서비스

더블에이엠은 스트라타시스의 국내 공인 리셀러로, 스트라타시스의 산업용 전문 프린터를 다수 보유하고 국내 각 산업 분야에서 필요로 하는 3D 프린팅 시제품 제작 및 제조용 툴, 최종 사용 파트 제작을 전문적으로 수행하고 있다. 또한 국내 매뉴팩처링에서 필요로 하는 전문 적층가공 기술의 응용에 대한 고객 지원을 우선으로 하고 있다. 더블에이엠에서 판매하는 적층가공 기술 적용 브랜드는 AMFit, MIFit, MediFit, SurgiFit 등이 있다.

드림티엔에스

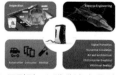

■ 문의 : 031-713-8460,
www.dream3d.co.kr
■ 사업 분야 : 3D 프린터, 3D 스캐너, 3D 프린팅, 스캔데이터 후처리, 검사 소프트웨어 개발
■ 취급 제품 : 3D 프린터(ZORTRAX, INTAMSYS), 3D 스캐너(영국 DUUMM, 중국 THUNK3D), 3D 스캔 소프트웨어(자체 개발한 PointShape Inspector & PointShape Editor)

드림티엔에스는 2005년 설립되었으며, 스캐닝 및 프린팅 솔루션을 국내에 공급하고 있다. PointShape Editor와 PointShape Inspector(www.pointshape.com)는 3D 스캔 데이터 폴리곤 최적화 기능 및 검사 소프트웨어로 자체 기술로 개발하여 전세계에 판매하고 있으며 국내 고객의 니즈에 맞춰 개발하고 있다.

디에스디

■ 문의 : 010-2573-0418,
www.dsdtech.co.kr
■ 사업 분야 : 실물모형 및 교육용모형 제작, 시뮬레이터 제작, 선박/기자재 설계/제작

디에스디는 선박설계(레저선박 및 어선 포함) 및 조선소 컨설팅, 디지털 목업 및 모형 제작, 조선해양 관련 콘텐츠 개발을 선도하기 위해 기술개발을 추진하고 있다. 또한 직원의 인성 및 전문성 향상을 위해 전문기관 직무 위탁교육 및 대학원 위탁교육 과정을 채택하여 고급 전문인력을 양성하고 있다. 이외에도 해외 네트워크를 구축하여 수출 시장을 개척하고 있다.

디지털핸즈(Digitalhands)

■ 문의 : 031-926-7515
■ 사업 분야 : 3D 프린팅 전시 및 콘텐츠 사업
■ 취급 제품 : 작가의 3D 콘텐츠 상품

디지털핸즈는 고도의 창의성을 가진 예술가와 디자이너의 '3D Contents의 Busuness'화를 모토로 한국 최초로 설립된 3D 프린팅 아트 & 디자인 전문 갤러리이다.

디지털핸즈는 그동안 공학 및 기술 분야에 치우쳐진 3D 프린팅 지원체계를 예술, 디자인 분야로 특화 지원하여 국내외 우수 디지털 콘텐츠를 발굴하고, 데이터베이스화, 상품화를 통한 글로벌 비즈니스 모델을 발굴하고 지원하는데 중요한 역할을 한다.

디지털핸즈 갤러리는 단순 전시만을 위한 공간이 아니다. 아티스트와 디자이너의 창의성을 극대화 시켜 보다 혁신적인 창작활동이 가능하도록 전시 공간, 첨단 기자재와 전문 인력을 지원한다.

디지털핸즈의 지원시스템은 해당 분야 전문 큐레이터와 3D 프린팅 및 AM 전문가, 장비 운용 전문가, 후처리 전문가, 상품 개발 전문가, 마케팅 및 브랜딩 전문가 등의 종합 지원 서비스를 받게 된다.

디지털핸즈가 지향하는 것은 예술가와 디자이너의 창의적인 발상을 보다 혁신적인 방법으로 현실화시켜 주고 이를 공정한 분배를 통해 비즈니스에 연결하며 서로 상생하는 것이다.

디지털핸즈의 최종 목표는 창작자와 창작 작품의 가치를 가치 있게 인정하는 문화를 만드는데 이바지하는 것이다. 이를 통해 우리가 이상이라고 생각했던 일부를 현실로 만들어 창작자들에게 의미 있는

PART 6

작은 유산을 남기는 것이다. 이것의 동력은 창작자와 디지털핸즈와의 상호 신뢰이다.

로보게이트

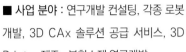

- ■ 문의 : 070-4814-0500 / 070-8796-0630, www.robogates.com
- ■ 사업 분야 : 연구개발 컨설팅, 각종 로봇 개발, 3D CAx 솔루션 공급 서비스, 3D Printer 제조 , 복합소재 연구개발
- ■ 취급 제품 : Delta Pro S300L 2017 출시(KC safety/EMC 인증 취득), DOBOT 국내 총판, SIEMENS 3D CAE S/W 국내 대리점

로보게이트는 2010년 4월 5일 로봇 및 3D프린터 개발을 통해 시작한 회사로, 현재 SIEMENS Industry의 공식 대리점으로 FEMAP 및 Solid Edge판매/서비스, 3D프린터 제조분야는 Delta Pro S300L 2017 출시 (KC safety/EMC인증 취득), 로봇 주력아이템으로 DOBOT 국내 총판이다.

로킷

- ■ 문의 : 02-867-0182, http://www.rokit.co.kr
- ■ 사업 분야 : 3D 프린터, 바이오 3D 프린터 개발 및 판매, 생명공학 기술 연구, 바이오프린팅 플랫폼 기업
- ■ 취급 제품 : 바이오 3D 프린터 'INVIVO'

3D 프린터 및 국내 최초 바이오 3D 프린터 제조 기업, 바이오 프린터 기술을 개발하고 있는 기업이다. 오픈 이노베이션을 통해 글로벌 바이오 프린팅 시장을 선도하고 있고 다양한 생명공학 애플리케이션을 개발하고 있다.

인비보(INVIVO)는 세계 최초 스캐폴드&바이오 잉크 겸용 바이오 3D 프린터이다. 멸균환경이 갖춰진 프린터 내부에서 경조직용 스캐폴드와 연조직용 바이오 잉크를 3D 프린팅하여 3차원 세포구조체를 만들 수 있다. 이렇게 만들어진 세포구조체는 인공뼈, 인공피부 역할을 하고 5가지 방식의 프린팅 방식과 US FDA 승인 받은 모든 재료 사용이 가능하다.

류진랩
RYUJIN LAB

- ■ 문의 : 070-7502-7280, www.ryujinlab.com
- ■ 사업 분야 : 3D 프린터 제조, 유통, 판매 및 컨설팅
- ■ 취급 제품 : 신개념 LIPS 방식 레진 3D 프린터 : MORPHEUS Series(E7, MK5, MK6, I24), FDM 3D 프린터 : SMITH Series(SMITH R322, SMITH R435), Channel Letter 3D 프린터 : AD One, Flashforge사 FDM 3D 프린터 : Creator New Pro, Inventor, Inventor2, Guider2

2013년 10월부터 3D 프린팅 사업을 전개하고 있는 스타트업이다. 보급형 FDM 3D 프린터 제작, 유통, 소호사업자와 학생들이 합리적인 가격으로 3D 프린팅을 접할 수 있도록 컨설팅 및 교육을 병행하고 있다. 한편, 고성능 레진 3D 프린터인 '모피어스 시리즈'를 개발하고 제품화하여 양산 중이며, 전세계 17개국에 사용자를 확보하고 있다.

DLP 또는 SLA와는 다른, 독자기술인 LIPS(Light Induced Planar Solidification) 방식을 사용하며, 보급형 FDM 방식의 3D 프린터보다 월등한 품질의 조형물을 보다 빠르고 크게, 그리고 낮은 가격으로 만들 수 있다. 현재는 출력 서비스도 병행하여 3D 프린팅의 저변확대에 기여하고 있다.

리본쓰리디(Reborn3D)

- ■ 문의 : 070-4288-9003, www.reborn3d.com
- ■ 사업 분야 : UV DLP 3D 프린터 개발 및 제조, 판매
- ■ 취급 제품 : G프린터 주얼리

리본쓰리디는 2015년 3월 설립된 대한민국의 DLP 3D 프린터 개발/제조사로 굿쓰리디에서 상호가 변경되었다. 2015년 DLP 3D 프린터에 UV광원을 적용한 G프린터를 개발 및 출시하였으며 현재까지 대한민국, 일본, 홍콩 등 국내외에 유통하고 있는 등 대한민국의 3D 프린터 기술력을 세계에 알리고 있는 강소기업이다.

"오직 사람만이 가치있다"라는 슬로건과 "품질이 기술이다"라는 모토를 중심으로 사람을 위한 기술을, 더욱 완벽한 품질을 고객님들께 제공해드리기 위해 최선을 다할 것이다.

리얼랩(RealLab)

- ■ 문의 : 070-8755-7538, www.realform.co.kr
- ■ 사업 분야 : 3D 프린팅용 광경화형 수지 개발 제조

■ 취급 제품 : RealForm_3DS, RealForm_3DEL, RealForm_3DJ, RealForm_3DT, RealForm_3DG

리얼랩(RealLab)은 3D 프린팅용 광경화형 수지(Photopolymer Resin) 전문 개발/제조업체로 Application별 요구특성에 맞는 특화 특성의 수지를 개발 공급하고 있다.

당사 기본 제품으로 RealForm_3DS(고강도, 고정도 3D 프린팅용 광경화형 resin), RealForm_3DEL(Medical simulation용 Hyper realistic 3D 프린팅 광경화형 resin), RealForm_3DJ(주얼리용 casting resin), RealForm_3DT(고투과도 무색 투명 resin), RealForm_3DG(범용 resin) 외에도 고객 요구에 따라 커스터마이징 제품 공급이 가능하다.

만드로

■ 문의 : 070-4405-9995, http://mand.ro, http://facebook.com/mandroyo

■ 사업 분야 : 전자의수 및 맞춤형 보조기 제작

■ 취급 제품 : 전자의수

절단장애인을 위한 저비용의 경량화된 전자의수 제작사로, 역설계 (3D 스캐닝, 프린팅) 및 기타 적정기술을 활용하여 완제품을 출시한 회사이다.

머티리얼라이즈(Materialise)

■ 문의 : 070-4186-4700, www.materialise.co.kr

■ 사업 분야 : 소프트웨어

■ 취급 제품 : 3-matic^{STL}, Magics, MiniMagics^{Pro}, MiniMagics, e-Stage, Streamics, AMCP, Build Process, Materialise Builder, 3DPrintCloud

벨기에 루벤(Leuven)에 본사와 전세계 지사를 두고 있는 머티리얼라이즈(Materialise)는 AM(Additive Manufacturing, 3D 프린팅) 분야에서 활발하게 활동하고 있다. 유럽에서 가장 큰 단일 사이트 생산 능력의 AM 장비를 보유하고 있고 혁신적인 소프트웨어 솔루션 제공업체로서 그 명성을 자랑한다. 산업과 의료 응용을 위한 AM 기술을 통해 의료 영상처리, 외과적 시뮬레이션, 생의학 그리고 임상 솔루션 제공 등 머티리얼라이즈만의 기술력과 경험을 십분 발휘하고 있다.

또한 머티리얼라이즈는 독특한 솔루션을 개발하여 시제품, 제작 그리고 의학적 요구와 함께 좀 더 나은 세상을 구현하기 위해 노력하고 있다. 머티리얼라이즈의 고객군은 자동차산업, 가전제품, 소비재 등 대기업과 유명 병원, 연구 기관 및 임상의, 그리고 i.materialise를 통해 독특한 자신만의 개성을 나타내고자 하고 3D 제작에 관심이 있는, 혹은 .MGX 디자인 구매를 원하는 개별 소비자로 이루어져 있다.

메디컬아이피

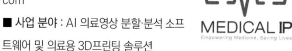
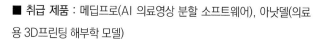

■ 문의 : 02-2135-9148, medicalip.com

■ 사업 분야 : AI 의료영상 분할·분석 소프트웨어 및 의료용 3D프린팅 솔루션

■ 취급 제품 : 메딥프로(AI 의료영상 분할 소프트웨어), 아낫델(의료용 3D프린팅 해부학 모델)

메디컬아이피는 인공지능(AI) 의료 3D Total Solution 기업이다. CT, MRI 등 의료영상을 3D로 구현하고 장기와 병변을 AI로 정확하게 분할하는 소프트웨어 '메딥(MEDIP)'을 기반으로 차별화된 의료용 3D프린팅 역량을 보유했다. 메디컬아이피는 해외 제품에 의존하던 국내시장에서 의료영상 3D모델링 기술 국산화에 성공하여 3D프린팅에 활용되는 의료 소프트웨어 분야에서 국내 기업 중 최초로 미국 FDA, 유럽 CE 승인을 획득했다. 이를 통해 환자의 의료데이터에서 신체의 모든 장기를 물성 그대로 구현해내는 환자맞춤형 3D프린팅 솔루션을 구축했으며, 글로벌 IT리서치사 Gartner에서 발간하는 리포트에 3년 연속(2018~2020) 3D프린팅 분야 참고 기업으로 선정되는 등 글로벌 경쟁력을 검증받았다.

메디트

■ 문의 : 02-2193-9600, http://meditcompany.com

■ 사업 분야 : 광학식 3차원 스캐너

■ 취급 제품 : Identica T500 / Identica i500 / Solutionix C500 / Solutionix D500 등

메디트는 지난 2000년 자체 기술을 토대로 개발한 고정밀 3차원 스캐너를 산업용 측정 시장에 선보이며 출발한 벤처기업이다. 산업용 측정 시장에서 쌓은 경험과 노하우를 토대로 지난 2013년 덴탈 CAD/CAM 분야로 진출, 세계 시장을 무대로 3차원 스캔 솔루션 기업으로의 전문성을 인정받고 있다.

메이커스나래

■ 문의 : 070-4652-3600, www.make32.com

■ 사업 분야 : 4차 산업 기술을 결합한 3D 프린팅, 코딩, AI 등 메이커 체험 교육

■ 취급 제품 : 3D 프린터, 교육용 창의융합 KIT, 메이커실 구축 컨설팅, 시제품 등

메이커스나래는 강원도 원주에 위치한 업체로 4차 산업 기술을 기반

으로 한 교육, 개발, 판매서비스를 제공한다.

3D 프린터를 사용할 수 있는 자체 교육장을 보유함으로써 일반인분만 아니라 초, 중, 고, 대학생을 대상으로도 수준별 맞춤 교육을 통해 쉽고 재밌게 체험할 수 있는 메이커 환경을 제공한다.

지역 공공기관, 학교, KT 등과의 업무 협약(약 14건)을 바탕으로 메이커 문화 확산과 기존 어렵게만 생각하는 4차 산업 분야에 대한 인식 개선을 위해 노력하고 있다. 메이커스나래는 2020년 중소벤처기업부에서 시행하는 메이커스페이스 주관기관에 선정되기도 하였다.

메카피아

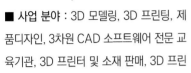

■ 문의 : 1544-1605,
www.mechapia.com
■ 사업 분야 : 3D 모델링, 3D 프린팅, 제품디자인, 3차원 CAD 소프트웨어 전문 교육기관, 3D 프린터 및 소재 판매, 3D 프린팅출력서비스, 도서출판
■ 취급 제품 : 신도리코 3D 프린터, 큐비콘 3D 프린터 공식대리점, 스트라타시스 3D 프린터

메카피아는 오토데스크 공인아카데미파트너(AAP)로 3D모델링과 제품디자인, 3D 프린팅 등에 대한 전문교육 및 교재출판과 더불어 3D 프린터 및 소재 판매 이외에 3D 프린팅 출력물 서비스를 전문적으로 하고 있다.

특히 일선 교육기관(초, 중, 고, 대학 등)과 공공기관에서 실시하는 일반인들을 대상으로 한 3D CAD 교육을 다년간 실시하며 많은 경험과 노하우를 가지고 있는 전문기업으로 2D&3D 토털솔루션 제공기업으로 온오프라인용 교육 콘텐츠를 개발하여 보급하고 있다.

오토데스크사의 교육 파트너로 교육대상에 알맞게 TinkerCAD, Fusion360, Inventor, AutoCAD 이외에 Solidworks 모델링/구조/유동해석에 대한 전문기술교육과 해석 용역도 실시하고 있다.

메탈쓰리디

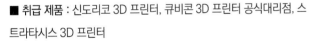

■ 문의 : 052-700-7730, metal3d.co.kr
■ 사업 분야 : 3D 프린팅 부품 및 제품 사업, 3D 프린팅 의료기기 사업, 3D 프린팅 교육사업
■ 취급 제품 : Metalsys 250E

메탈쓰리디는 2018년 7월 25일 설립되었으며, 금속 3D 프린팅 기반 제조기업인 원포시스의 자회사이다. 2018년 10월 한국생산기술연구원의 파트너 기업으로 울산지역본부에 입주하였으며, 현대 계열사(현대중공업, 한국조선해양, 현대코어모션 등) 공동 연구를 통해, Metal 3D 프린팅 부품 제작 및 납품을 진행하고 있다.

모션웍스

■ 문의 : 031-297-4557,
www.motionworks.co.kr
■ 사업분야 : 응용 공작기계 제조, 고객 주문형 전용시스템 개발, 역설계 용역 서비스
■ 취급 제품 : HBS 절삭 조형기 시리즈, MK 적층 조형기 시리즈, duoFab 하이브리드 조형기 시리즈

맞춤제조에 관한 수요가 증가하면서, 대규모 생산을 전제로 하던 자본 집약적인 전통적 제조환경에서 이용되던 공작기계를 대신 할, 혁신적인 공작기계에 관한 요구 또한 늘고 있는 추세에 있다.

모션웍스는 꾸준한 연구개발을 통해 쌓아온 관련 기술 인프라 위에, 오랜 시간동안 고객과 소통의 결과로 얻어진 사용자 경험을 고스란히 반영한 신뢰성 높은 응용 공작기계를 개발하여 제 4차 산업혁명이 예고하는 제조환경의 변화에 대비하고 있다.

모멘트(Moment)

■ 문의 : 02-6347-1003,
www.moment.co.kr
■ 사업 분야 : 데스크톱 3D 프린터 제조, 3D 콘텐츠 공유 사이트 운영, 교육용 패키지 제공
■ 취급 제품 : 3D 프린터 Moment

2014년 8월에 설립된 모멘트는 데스크톱 3D 프린터 제조 업체이다. 3D 프린터 대중화를 목표로 3D 콘텐츠 공유 사이트 Yourmoment (www.yourmoment.co.kr)를 운영하고 있다. 이 사이트에서는 교육·취미·생활·발명·예술 분야에 걸친 다양한 콘텐츠를 제공하고, 사용자 간에 3D 출력파일(STL)을 공유할 수 있도록 지원해 원하는 파일을 다운받아 직접 3D 프린터로 출력할 수 있다.

미래인

■ 문의 : 1800-3580,
http://merain.kr
■ 사업 분야 : 금속 3D 프린터 토털 솔루션 공급
■ 취급 제품 : 금속 3D 프린터 다비드

미래인은 4차 산업혁명으로 불리는 금속 3D 프린터 제조의 핵심 기술과 금속분말 공정 및 설계기술을 통해 고객과의 장기적인 성공에 관심을 기울이고 있다. 금속 3D 프린터는 빠르고 안정적이며 고부가가치 핵심 사업인 항공, 자동차, 선박, 의료분야 등에 필요한 인프라 구축 및 기술 발전에 앞장서고 있다.

배가솔루션

■ 문의 : 032-342-7270, www.vegasol.co.kr
■ 사업 분야 : 역설계, 정밀검증, 3차원 솔루션 판매, 3D 프린터판매, 시제품 제작
■ 취급 제품 : CogniTens WLS Scanner, RangeVision WLS Scanner, Delta3D Printer

배가솔루션은 제조 산업의 제품 개발 및 품질 프로세스 개선을 위한 측정 솔루션 지원과 역설계, 정밀검증, 시작품 제작 등 기술용역 서비스를 종합 제공하는 전문적인 엔지니어링 SI(system integration) 업체이다. 현재는 CMM, 레이저 스캐너, WLS 스캐너, Vision 스캐너, CT 스캐너 등 다양한 시스템을 활용하여 고객들이 요구하는 목적에 맞게 측정 서비스 지원 체제를 구축하고 저가형 3D 프린터인 Delta3D를 공급하고 있다.

비온드테크

■ 문의 : 070-7818-6853, www.beytech.co.kr
■ 사업 분야 : raise3D 국내총판, basf ultrafuse 필라멘트 국내 총판, 3D 프린터 솔루션 제공
■ 취급 제품 : raise3D pro2, pro2 plus, e2, basf ultrafuse 필라멘트

비온드테크(Beyond Tech)는 Raise3D의 한국 총판으로 고품질 3D 프린터 보급화에 앞장서고 있다. Raise3D는 50개국이 넘는 파트너와 함께 하고 있으며 성공적으로 제품과 서비스를 공급하고 있다. 한국에서는 비온드테크와 함께 최상의 제품과 최고의 서비스를 사용자들에게 공급하고 있다.

또한 2016년 최고의 3D 프린터 상을 수여받았으며 2017 'BEST OVERALL' 제품으로 선정된 것에 이어, 2018년에는 'PROSUMER'로 선정, 2018~2019년 17 Best 3D Printers of Spring 2019를 받았으며 지속적으로 제품의 안정성과 성능을 인정받음과 동시에 전통적인 제조방식에서 벗어나 새로운 3D 프린팅 기술로 생산성의 혁신 및 4차 산업의 선두에 위치하고 있다.

빌딩포인트코리아

■ 문의 : 02-711-7530, www.buildingpoint.co.kr
■ 사업 분야 : 공간데이터(2D&3D) 취득 솔루션, 건설산업 솔루션, 관계분야 R&D, H/W, S/W
■ 취급 제품 : 스케치업, 3D 스캐너, MEP&Layout 기기, 토털 스테이션, MMS, 이미징 로버 등

빌딩포인트코리아는 트림블 빌딩 솔루션 전문 기업으로, 전문화, 고도화 되어가는 현대 건설산업을 위한 다양한 전문 솔루션을 제공하고 있다.

트림블 스케치업, 비코오피스, 트림블커넥트, 세파이라 등의 BIM 전문 소프트웨어를 필두로, 트림블 레이아웃 솔루션, 3D 스캐너까지 시공 BIM을 위한 장비를 제공하며, 스케치업 뷰어 for 홀로렌즈 및 Static 타입과 Portable 타입의 3D 스캐너 등의 공급을 통해, VR, 3D 프린팅 등 점차 확대되는 3D 산업에 맞게 다양한 솔루션 라인을 갖추고 있다. 또한, 자체 연구 인력으로 보다 한국 환경에 맞게 로컬라이징된 솔루션의 연구/개발에 힘쓰고 있다.

브룰레코리아

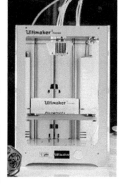

■ 문의 : 02-591-3866, www.brule.co.kr
■ 사업 분야 : 3D 프린터 판매 및 마케팅
■ 취급 제품 : 얼티메이커, 조트랙스, 빌더, 타입에이머신

브룰레코리아는 미국의 본사와 영국 및 일본, 그리고 중국에 지사를 가진, 글로벌 유통기업으로서, 국내 3D 프린터 분야의 선도 기업으로 자리 잡고 있는 3D 전문기업이다.

유럽의 3D 프린터사인 얼티메이커(Ultimaker)의 한국 공식 총판이며, 유럽 조트랙스(Zortrax)사와 Builder 사 및 미국 Type A Machine 사 등, 글로벌 시장에서 인정 받고 있는 Top 10 내의 3D 프린터들의 국내 공식 총판 사업자이기도 하다. 메이커봇 제품을 2013년 국내에 처음으로 공식 런칭하면서, 각 분야의 수요자들로부터 큰 호응을 얻었다. Ultimaker 제품군을 한국 시장에서 꾸준하게 판매하고 있고, 유럽의 Zortrax M200, M300과 산업용 대형 3D 프린터인 Builder Extreme, 그리고 미국의 준산업용 3D 프린터인 Tape A Machine PRO를 국내에 런칭 하면서, 성장세를 이어가고 있다.

BH3D조형학원

■ 문의 : 02-2282-6796, www.bhartcenter.com
■ 사업 분야 : 3D 프린터 활용 캐릭터 제작교육, 3D 프린터 토이 제작
■ 취급 제품 : 3D 프린팅 캐릭터/모형 맞춤 제작, 3D 프린팅 인체해부학모형, 전문서적,

BH(비에이치)3D조형학원은 디지털 3D 조형시스템을 국내 처음으

PART 6

로 도입한 교육원으로 3D프린터 전문가 양성을 위한 3D소프트웨어 (Zbrush)교육과 기초 조형 교육, 3D프린팅, 후가공, 채색등 3D프린팅 제품제작 과정 전반을 교육하는 기관이다.

BH3D조형학원은 다양한 방식의 3D프린터와 3D스캐너를 다수 보유하고 있어 수강 시 다양한 장비체험을 할 수 있으며 자체 개발한 전문 서적 및 교육용 모형을 통한 전문적인 교육을 받을 수 있다.

또한, 교육 이외에도 3D프린팅 콘텐츠 제작사업을 함께 진행하고 있어 개인 맞춤형 3D프린팅 피규어, 기업 시제품, 의료모형, 영화/CF 소품 등 다양한 분야의 3D프린팅 콘텐츠를 제작하고 있다.

비즈텍코리아

■ 문의 : 042-716-5402,
www.vistech.co.kr
■ 사업 분야 : 3D 프린터 제작 및 판매, 소재, 소프트웨어 개발, 비전 & 자동화 검사 장비
■ 취급 제품 : FFF 방식 3D 프린터(VIS-POWER, VIS-NEO, VIS-MEGA 등), 바이오 프린터, 각종 검사계측장비 등

비즈텍코리아는 FFF(Fused Filament Fabrication) 방식의 3D 프린터, 바이오/의료용 3D 프린터, 투명교정장치 제작용 3D 프린터와 광경화성 레진 소재, 제조 공정상 필요한 다양한 검사계측장비 등을 제조하여 판매하고 있는 회사로 3D 프린터와 검사계측장비 시장에서 작은 거인이 되고자 열정을 태우고 있는 작지만, 강한 벤처기업이다.

사이버메드

■ 문의 : 02-3397-3970, www.ondemand3d.com
■ 사업 분야 : 의료용 3D 프린팅 소프트웨어

사이버메드는 'Innovation'이라는 회사의 사훈을 바탕으로 1997년부터 3D Medical Imaging Software를 개발해온 회사이다. 국내에서 환자의 CT 데이터를 이용한 3D 프린팅 사업을 최초로 시도하였고, 현재 치과용 임플란트 가이드 역시 3D 프린팅으로 제작하여 판매하고 있다.

의료용 3D 프린팅에 활용할 수 있는 자사 소프트웨어를 개발, 이를 이용해 현재 16개국에 소프트웨어를 수출하고 있는 회사로서 덴탈(Dental) 분야에서 엔비전(Envision)사의 World Wide Partnership을 맺고 본격적인 3D 프린터를 판매하고 있다.

삼영기계

■ 문의 : 041-840-3000,
www.sym.co.kr, www.sandgraphy.com
■ 사업 분야 : 바인더 젯팅 중대형 3D 프린터 개발 및 판매, 샌드그래피 3D프린팅 서비스(샌드 몰드/코어 제작, 시제품 제작, 소량 생산품 제작, 목업 및 조형물 제작, 비정형 건축 자재 제작, 문화재 복원 등)
■ 취급 제품 : 바인더 젯팅 샌드 3D 프린터(BR-S900) 및 전후공정 설비, 샌드 3D 프린터용 퓨란 바인더 시스템, 샌드 3D 프린터용 실리카 샌드

삼영기계는 2014년 바인더 젯팅 방식의 샌드 3D 프린터를 도입하여 샌드 3D 프린팅 몰드 및 주조품 RP 제작 서비스를 제공하고 있다. 샌드 3D 프린팅 기술로 고정밀/고품질의 맞춤형 제품을 합리적인 비용으로 단기간 제작이 가능하다.

또한 삼영기계는 발전소/철도/선박용 엔진의 핵심 부품을 생산하는 전문기업으로 최근 소재·부품·장비 강소기업 100에 선정되었으며, 제품 설계부터 해석, 3D 프린팅, 주조, 가공, 검사에 이르기까지 모든 작업을 자체적으로 수행할 수 있는 수직연계형 시스템을 보유하고 있어, 제품 역설계를 포함한 3D 모델링부터 최종 제품 제작까지 One-stop 서비스가 가능하다.

선도솔루션

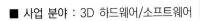

■ 문의 : 02-2082-7870,
www.sundosolution.co.kr
■ 사업 분야 : 3D 하드웨어/소프트웨어 공급 및 유통
■ 취급 제품 : 3D 프린터(UP 300, UP BOX+, UP Mini2 ES), 소프트웨어(PTC Creo, ArtCAM)

선도솔루션은 'Concept to Reality'를 기본이념으로 설립됐다. PTC 플래티넘 파트너로서 제품개발 프로세스에 맞는 3D CAD 및 기타 관련 솔루션을 제공하고 있다. 티어타임(Tiertime)사의 3D 프린터 국내 총판으로 해외에서 인정받은 보급형 3D 프린터인 UP 시리즈의 국내 총판을 담당하고 있으며, 상업용 3D 프린터 보급에도 힘쓰고 있다. 또한 ArtCAM을 이용한 입체 패턴 디자인 솔루션의 보급을 통해 제품 외관 디자인의 새로운 영역을 개척하고 있다.

세중정보기술

■ 문의 : 02-3420-1172,
www.sjitrps.co.kr,
■ 사업 분야 : 3D 프린터, 3D 스캐너, 3D CAD 소프트웨어 공급 및 기술 지원, 3D 모델 시제품 출력 서비스 지원

■ 취급 제품 : 3D Systems 3D 프린터, 3D 스캐너, SIMENS SolidEdge, Solidscape 3D 프린터

세중정보기술의 3D프린터 사업부는 지난 1996년부터 국내 시장에 3D프린터를 공급하기 시작하여 현재 3D프린터, 3D 소프트웨어, 3D 스캐너, 레이저 커팅기, 진공성형기, 실내집진기 등의 제품 및 기술 서비스로 정부기관, 연구실, 교육기관, 의료산업, 일반기업, 국가 자금 지원 프로젝트, 산학연 프로젝트 등 다양한 고객의 애플리케이션에 대응할 수 있는 최신 기술의 토털 솔루션을 제공하고 있다.

특히나, 3D Systems의 고정밀, 전문 시제품제작 용도의 MJP 3D 프린팅 방식에서부터 CMYK 풀컬러 색상구현이 가능한 CJP방식, 기능성 플라스틱을 이용하여 최종 양산품을 출력할 수 있는 SLA, SLS 방식 및 금속 3D프린팅까지 다양한 3D 프린터 장비 라인업을 확보하고 있다.

쉐이프웨이즈코리아 (Shapewayskorea)

■ 문의 : 02-511-7158,
www.shapewayskorea.com
■ 사업 분야 : 3D 프린팅 교육사업, 3D 프린팅 출력사업
■ 취급 제품 : 3D 프린팅 공통과정, 다양한 3D 프린터 전문가과정, 3D모델링 전문가과정, 3D 프린팅 취창업과정, 산업연계 3D 프린팅 특별과정

쉐이프웨이즈코리아는 3D 프린팅을 활용한 혁신 기술의 교육과 공유 서비스를 통해 산업의 지속적인 발전을 도모하는 핵심 회사로서 사회적 책임과 고객의 성공과 보람을 함께 이루어 나가는 3D 프린팅 전문 기술 서비스 그룹이다.

스텔라무브

■ 문의 : 02-6245-3000,
www.stellamove.com
■ 사업 분야 : 3D 프린터 제조, 판매 및 3D 프린팅 제작 서비스
■ 취급 제품 : B320/B420/B830, M300/M400, S300/S400

스텔라무브(Stellamove)는 3D 프린터 전문 개발사로, 하드웨어 구성 및 하드웨어 제어를 위한 모터제어 보드와 펌웨어, 그리고 사용자 소프트웨어까지 모두를 독자적으로 개발했다. 기존 3D 프린터들이 사용하는 Reprap 오픈 소스 기반 제품이 아닌 스텔라무브의 독자 기술로 개발된 통합된 하드웨어와 소프트웨어로 사용하기 쉬운 제품을 구성했다. 한글화된 사용자 소프트웨어와 5인치 터치 스크린 인터페이스는 어떤 3D 프린터에서도 볼 수 없는 손쉬운 사용성을 제공한다.

스토리팜

■ 문의 : 010-8531-9531,
https://blog.naver.com/sool9241
■ 사업 분야 : 3D 프린팅, 레이저 컷팅, cnc 가공, 셰어오피스, 행사대관
■ 취급 제품 : 루고, s3d, 스틱

기숙형 메이커 스페이스 스토리팜은 지난 4년간 1년에 100회 이상의 시제품 개발경험을 바탕으로 3D 프린터 30대, 레이저 컷팅기 4대, cnc 2대, 디지털장비와 120평 규모의 창작 공간, 60평 규모의 기숙형 펜션공간을 바탕으로 다양한 메이커 행사와 시제품 제작 및 양산하기 위한 전문기관으로 역할을 해 나가고 있다.

스튜디오엠에이/ 메이커스유니온스퀘어

■ 문의 : 02-512-0383,
www.makersunionsquare.com
■ 사업 분야 : 메이커스페이스

문래 메이커스페이스 '메이커스유니온스퀘어'는 창작자들의 창작활동을 돕기 위해 창작노하우, 장비, 상품화 및 아이디어 기획 등의 차별화된 서비스를 지원하고 있으며, 누구나 쉽게 찾아와 이용하여 원하는 결과물을 얻을 수 있도록 돕는 메이커스페이스이다.

스트라타시스코리아

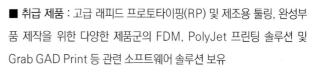

■ 문의 : 02-2046-2200,
www.stratasys.co.kr
■ 사업 분야 : 3D 프린팅 장비와 재료 제조 및 판매, 고객지원
■ 취급 제품 : 고급 래피드 프로토타이핑(RP) 및 제조용 툴링, 완성부품 제작을 위한 다양한 제품군의 FDM, PolyJet 프린팅 솔루션 및 Grab GAD Print 등 관련 소프트웨어 솔루션 보유

응용 적층 기술 솔루션 분야의 글로벌 선도 기업인 스트라타시스(Stratasys)는 30여년간 항공우주, 자동차, 헬스케어, 소비재 및 교육 등 다양한 산업군의 비즈니스 요구사항을 최우선 과제로, 고객과의 긴밀하고 지속적인 협력을 통해 고객이 추구하는 비즈니스 혁신의 원동력이 되어 왔다. 1200여개 이상의 적층 기술 관련 글로벌 특허 및 출원 중 특허기술을 바탕으로 제품의 시제품 설계에서부터 제조용 금형, 최종 완제품 파트 생산에 이르기까지 제품 수명주기 프로세스 전반에 걸쳐 새로운 가치를 창출하고 있다.

스트라타시스의 3D 프린팅 에코시스템은 최첨단 소재, 복셀(voxel) 단위 제어가 가능한 소프트웨어, 정밀하고 반복생산이 가능한

PART 6

높은 신뢰성의 FDM 및 PolyJet 3D 프린터, 애플리케이션 기반의 전문 컨설팅 서비스, 온디맨드 파트 제조 서비스를 아우르고 있으며, 다양한 업계와의 파트너십을 구축하여 기업의 워크플로 혁신을 위한 간소화된 프로세스 통합을 이끌고 있다.

스트라타시스는 각 산업군에 특화된 혁신적인 애플리케이션을 통해, 전 세계의 수 많은 리딩 기업들이 비즈니스 프로세스를 가속화하고, 밸류체인을 최적화하는 한편 더 나은 비즈니스 성과를 거둘 수 있도록 기여하여 실제 현업에서의 적층 제조 기술의 가능성을 전파하고 있다. 스트라타시스는 미국 미네소타주 미니애폴리스 및 이스라엘 레호보트에 본사를 두고 있으며 지난 2013년 스트라타시스 한국 지사를 설립, 국내 고객을 위한 더욱 신속하고 긴밀한 지원을 제공하고 있다.

시그마정보통신

■ 문의 : 02-558-5775,
www.sigmainfo.co.kr
■ 사업 분야 : 3D 프린터 판매
■ 취급 제품 : Solidscape MAX2

IT 중견기업으로 Solidscape 3D 프린터 등 하드웨어와 소프트웨어를 공급하고 있다.

시스템레아

■ 문의 : 010-2640-3661, http://blog.naver.com/zunghyuk
■ 사업 분야 : 듀얼 3D 프린터 제조, 금형설계, 금형제작, 사출
■ 취급 제품 : 3D 프린터

시스템레아(System rhea)는 3D프린터 제조를 시작하여 델타 타입의 듀얼/싱글 3D프린터를 제조하는 업체이다.

신도리코

■ 문의 : 02-460-1244,
www.sindoh.com
■ 사업 분야 : 오피스 솔루션 및 3D프린터
■ 취급 제품 : 3DWOX DP200, 3DWOX DP201

신도리코는 1960년 창립 이래 국내 사무기기 1위를 지켜온 전문기업으로 글로벌 브랜드 Sindoh를 앞세워 디지털 복합기와 프린터 부문의 해외 시장에도 진출하고 있다. 2016년 1월에는 자체 개발 및 생산한 FFF방식 3D프린터 3DWOX DP200을 출시하고 그 해 연말 세계 특허를 출원한 플렉서블 베드의 교육용 3D프린터 3DWOX DP201을 출시하며 본격적으로 3D프린터 사업에 뛰어들었으며 현재 두 제품은 미국, 중국, 유럽 등 전세계에서 호평받고 있다.

쓰리디(3D-SITE)

■ 문의 : 010-4761-8382,
http://cafe.naver.com/kopackaging
■ 사업 분야 : 3D 프린팅, 기구설계, 금형 개발, 시제품 제작
■ 취급 제품 : OBJET 350V(직접운영), Connex-500, 4축 CNC 등(외부운영)

다년간의 경험을 통해 생활용품과 화장품 관련 기구설계와 함께 스트라타시스의 PolyJET 방식 장비를 이용한 대형물(최대 490x390x200mm) 프린팅 출력과 금형제작, 사출성형 설비를 갖추어 한곳에서 원스톱으로 신제품 개발이 이루어질 수 있는 시스템을 갖추고 있으며, 디자인 관련 심사위원으로도 활동하고 있다.

쓰리디(3D)그루

■ 문의 : 02-2606-2603,
www.3dguru.co.kr
■ 사업 분야 : 3D 프린팅 정보 사이트 (3dguru.co.kr) 운영, 3D 프린터/3D 스캐너 판매, 3D 프린터 컨설팅, 강연, 교육
■ 취급 제품 : 3D 프린터(Zortrax, Raise3D, Formlabs, Ultimaker, Stratasys, 신도, HP), 3D 스캐너(Einscan, Zeiss)

3D그루는 한 그루의 나무가 아니라, 3D 프린팅 회사 및 3D 프린팅을 좋아하는 분들과 함께 숲을 만들기 위해 최선을 다할 것이다.

쓰리디머틸리얼스

■ 문의 : 1577-9678,
www.3dmaterials.com
■ 사업 분야 : 3D 프린터 소재 개발 및 판매
■ 취급 제품 : 3DMaterials Water Washable Resin

쓰리디머틸리얼스는 25년의 광경화형 올리고머 합성기술 및 응용기술을 기초로 LCD, DLP 3D 프린터에 사용되는 광경화형 레진을 개발 및 공급하는 기업이다. Water Washable 레진을 국내 최초로 2015년에 출시하였으며, '3DMaterials' 브랜드로 국내, 유럽, 일본 등 주요 3D 프린터 제조 업체에 공급하고 있다. 2018년 레이와 공동으로 'RAYDENT' 브랜드로 CE Class II, KFDA Class II와 FDA 인증을 받아 SG, CB, DM Dental 레진을 출시하였다. 또한 합작법인 글룩루벤을 통해 국내외에서 다양한 광경화형 레진을 공급하고 있다.

쓰리디스토리

■ 문의 : 031-322-0211,
www.3dstory.kr,
www.meetbebe.com

■ 사업 분야 : 3D초음파 변환 3D태아피규어 제작, 시제품 제작

■ 취급 제품 : 3D태아피규어, 탯줄인형, 첫돌인형 등 출산관련 아이템

쓰리디스토리는 3D 프린터 콘텐츠 제작/유통 사업을 하고 있다. 주요 아이템은 3D초음파 변환 3D태아피규어와 탯줄인형, 첫돌 인형 등 출산관련 아이템이 있으며, 제품 설계, 시제품 제작, 출력대행 등의 출력소 사업도 병행한다.

쓰리디(3D)스튜디오모아

■ 문의 : 070-4694-4343

■ 홈페이지 : www.3dstudiomoa.com

■ 사업 분야 : 3D스캐닝/모델링/프린팅, 모아피규어 제작, Leonar3Do 판매

■ 취급 제품 : 모아피규어, 3D모델링, 3D실사스캐닝

실사 3D프린팅 피규어 제작 업체인 모아는 2013년 2월 국내 최초로 3D 프린팅 피규어 제작 서비스를 도입하였다.

모아의 모든 직원들은 제품 제작시 단순한 피규어를 넘어서 고객들의 소중한 순간을 감동적인 작품으로 승화시켜낸다는 자부심을 가지고 한 작품 한 작품에 장인정신을 가지고 최선을 다해 만들어 내고 있다.

현재 모아피규어 뿐만 아니라 고품질 3D스캐닝/모델링을 이용한 다양한 사업분야와의 접목하고 있으며 3D콘텐츠 기업으로서의 이미지를 계속 키워나가고 있다.

- 3D프린팅: 모아피규어 및 각종 3D프린팅 시제품 및 전시작품 제작

- 3D모델링: 각종 3D모델링, 3D텍스처링, 3D랜더링 서비스 진행 / 각종 3D데이터 제작 대행

- 3D스캐닝: MIB(MOA Imaging Booth, DSLR 128ea 장착) 사용 고품질 3D스캐닝 서비스 진행(각종 CG용[게임, 영화 등] 고해상도/멀티텍스처 CG데이터 제작)

3D시스템즈코리아

■ 문의 : 02-6262-9900,
www.3dsystems.com

■ 사업 분야 : 3D 프린팅, 3D 스캐닝, 엔지니어링 소프트웨어 개발 및 판매

■ 취급 제품 : 플라스틱 및 금속 3D 프린터, 다양한 3D 스캐닝 하드웨어 및 소프트웨어, 금형 설계/가공 소프트웨어

3D시스템즈(3D Systems)는 3D 프린팅 기술을 세계 최초로 발명하고 상용화에 성공한 글로벌 리더로서, 3D 프린터 환경에서의 3차원 콘텐츠의 제작, 유통, 생산, 서비스를 위한 일체의 하드웨어 및 소프트웨어를 개발, 공급하는 글로벌 기업이다.

제품 개발 프로세스에 직접 활용되는 고사양 3D 프린터는 물론 3D 스캐닝 기술과의 완벽한 연계를 위한 역설계, 품질검사 소프트웨어 기술, 촉각을 이용한 햅틱 기술 기반의 새로운 사용자 입력 도구 개발, 차세대 3D 제품 설계 소프트웨어 솔루션, 사출/프레스 금형 설계 소프트웨어와 같은 다양한 전문 엔지니어링 소프트웨어를 통해 완벽한 3D Content-to-Print 솔루션을 구축하고 있다.

3D Systems는 'MAKING 3D PRODUCTION REAL'이라는 비전 아래 최고의 기술력과 서비스, 미래를 위한 끊임없는 도전과 혁신으로 미래의 제품 설계 및 생산 방식의 혁명을 주도하고 있다.

쓰리디아이템즈

■ 문의 : 02-466-5873,
http://3ditems.net

■ 사업 분야 : 장비, 소프트웨어, 교육기관, 단체, 시제품 출력

■ 취급 제품 : 매직몬스터 V3

2014년 설립된 쓰리디아이템즈는 3D프린팅 전문가 양성교육기관으로서 3D프린팅 교육을 통한 진정한 Maker들을 배출하기 위해 정부와 함께 3D프린팅 전문강사 및 일반강사를 양성하고 있다. 또한 지식재산권 및 창업 컨설팅을 제공하여 3D프린터 창업을 돕고 있다.

당사는 조립이 쉬운 구조의 교육용 3D프린터 키트 K-Wilson, 대형시제품과 조형물 제작에 최적화 된 산업용 대형 3D프린터 Magic Monster 시리즈도 제작하였으며 유지보수 서비스 및 3D프린터를 이용한 시제품 제작 사업도 활발히 진행하고 있다.

그 밖에 코딩교육, 소프트웨어 판매, 진로직업체험 특강 등을 통해 쓰리디아이템즈는 1000만 Maker 양성을 위해 최선을 다할 것이다.

쓰리디엠디

■ 문의 : 02-6339-5567,
www.3dmd.co.kr

■ 사업 분야 : 3D 프린팅, 3D 스캐닝/모델링/설계, 각종 전시 모형 및 워킹 목업, 각종 후가공 및 전문 도색

■ 취급 제품 : 목업, 산업/전시/건축 모형, 3D 스캐닝 및 역설계, 기계 설계 및 해석

PART 6

2009년 창립 이래, 3D 프린터 외에도 레이저, CNC 등의 정밀가공 장비와 전문적인 자체 후가공 기술을 더하여 높은 완성도의 모형과 시제품을 제작해 오고 있다.

3D업앤다운

■ 문의 : 070-4128-1999, www.3dupndown.com

■ 사업 분야 : 3D 프린팅 디자인 파일을 공유, 판매하는 글로벌 플랫폼 제공

3D(쓰리디)업앤다운은 '3D 프린팅 기술로 인류에게 보다 더 편리한 세상을 만들자'라는 비전을 내걸고 2013년 6월에 설립됐다.

현재 3D 프린팅 산업에 가장 핵심이 되는 프린팅용 모델링 콘텐츠를 언제 어디서나 자유롭게 공유하고 거래할 수 있는 '글로벌 3D 디자인 파일 거래 플랫폼'을 제공하고 있다. 이 사이트는 3D 프린터로 출력 가능한 검증된 디자인 파일만을 공유하고, 거래한다는 점이 특징이다. 2018년에 국내 디자이너 1만명, 회원 4만명, 3D파일 8만개 보유를 목표로 하고 있다.

쓰리디엔터(3D Enter)

■ 문의 : 070-7756-7757, www.3denter.co.kr

■ 사업 분야 : 고품질 3D 스캔 데이터 획득에 최적화된 제품으로 사용자들에게 편리함을 극대화

■ 취급 제품 : Cross

쓰리디엔터(3D Enter)는 국내 대형 3D 프린터를 사용화하여 제작 및 판매하고 있다. 기본 출력물크기 500x500x500부터 소비자의 요구에 따른 대형 사이즈를 주문 제작하고 있다.

쓰리디코리아

■ 문의 : 054-931-5664, www.3dk.or.kr

■ 사업 분야 : 소재 - 3D필라멘트, 필라멘트용 펠렛 / 프린터 - 컬러 3D프린터, 특수3D프린터

■ 취급 제품 : 소재 - PLA, ABS, FLX, PETG 등 / 프린터 - GB1236M, Color Printer

쓰리디코리아는 산업용공작기계/3D컬러프린트/3D컬러프린터용 필라멘트 제조 등 기타 가공공작기계 제조업체이다.

3D페이지

■ 문의 : 02-402-1218, http://3dpage.co.kr

■ 사업 분야 : 3D프린터 임대, 출력, 상품 개발

■ 취급 제품 : Stratasys Dimension 시리즈(Dimension BST / SST 768 / SST 1200 / Elite), Fortus 시리즈(Fortus 200MC, Prodigy Plus), Objet 시리즈(Eden 250/260/260V)

3D페이지는 산업용 3D프린팅 장비 임대 업체이다. 쉽게 구입할 수 없는 고가 FDM 장비에서 오브젯 장비까지 다수 보유하고 있어, 사용자의 목적이나 용도에 따라 적합한 프린터를 선택하여 한 달 단위로 이용해볼 수 있다. 출력과 상품개발 서비스도 제공한다.

씨이피테크

3D Printing Engineering Group

CEP TECH

주식회사 씨이피테크

■ 문의 : 02-749-9346, www.ceptech.co.kr

■ 사업 분야 : 3D 프린터, 3D 스캐너, 소프트웨어 판매 및 3D 프린팅 제작 서비스

■ 취급 제품 : 3D 시스템즈사 3D 프린터 외 보급형 3D 프린터, 다양한 스캐너 및 소프트웨어

씨이피테크는 20년간의 3D 프린터, Additive Manufacturing, 3D 스캐너 등의 축적된 기술적 노하우를 바탕으로 고객에게 3D 솔루션을 제공하고 있다.

숙련된 기술력으로 미국 3D시스템즈사의 3D 프린터 및 다양한 3D 스캐너와 소프프트웨어를 선도적으로 공급하고 있다.

단순한 제품 판매만이 아닌 협력자로서 제품 및 기술개발 혁신을 위해 노력하고 있다.

씨이피테크는 강력한 기술력과 신속, 정확한 고객 지원을 바탕으로 투철한 사명감과 기술을 선도한다는 자부심을 갖고, 고객 여러분이 만족할 수 있도록 최선의 노력을 다할 것이다.

아나츠(Anatz)

■ 문의 : 02-2040-7707, www.anatz.com, https://www.facebook.com/Anatz3D

■ 사업 분야 : 고품질 및 대량생산용 3D 프린터 플랫폼 개발 및 공급

■ 취급 제품 : 아나츠엔진(AnatzEngine), 아나츠엔진 빅(AnatzEngine Big), 아나츠프린팅팜 식스틴 (AnatzPrintingfarm Sixteen), 아나츠프린팅팜 팩토리

(AnatzPrintingfarm Factory), 아나츠플랫폼(AnatzFlatform), 아나츠제너레이터(AnatzGenerator), 아나츠밭봇(AnatzBaatbot) ; 도시농업 자동화기계, 아나츠하이버 (AnatzHiver) ; 스마트 벌통

국내 3D프린터 제조업체인 아나츠(Anatz)는 3D 프린터로 발전 가능한 모든 것에 비전을 가지자는 개발 가능성을 걸고, 3D 프린터의 보급과 저변 확대, 콘텐츠 개발, 나아가서는 Ecosys(생태계)와 Biodegradable(생분해성) 등의 융합형 개발을 하고자 한다. 또한 모든 사람들이 상상력을 발휘하여 일상에 없어서는 안될 무언가를 창조할 수 있도록 도움으로써 새로운 시선과 가치를 생산하고자 한다. 현재 아나츠는 뛰어난 기술력을 바탕으로 의료, 패션, 자동차, 교육, 제품 등 다양한 분야의 전문과들과 협업하고 있으며 갈수록 발전하는 우수성을 인정받고 있다.

아토시스템(Atto System)

■ 문의 : 053-853-5208,
www.attosystem.co.kr
■ 사업 분야 : 3D 프린터, EOD 로봇, 무인비행기, 일반부품, 멀티콥터, 항공촬영
■ 취급 제품 : Athos(DLP) F1, F2, F3, H1, Porthos(FDM) I, II, Aramis(교육용 FDM)

아토시스템(Atto System)은 자체 개발한 DLP 프린터를 바탕으로 Casting Resin을 출력할 수 있어 귀금속 및 치과용으로 최적화된 DLP 3D 프린터 업체이다. 가장 정밀한 Z축 적층 두께인 010125mm를 실현해 최고의 퀄리티를 실현하고 일반 레진을 사용하므로 유지비용 또한 우수하다.

안코바이오플라스틱스

■ 문의 : 033-731-5845, www.ankor.com
033-732-9157, www.topleaf.co.kr
■ 사업 분야 : PLA 관련 원료 컴파운딩, PLA 3D 필라멘트 원료 생산
■ 취급 제품 : Ingreen PLA 3D Filament

안코바이오플라스틱스(구 TLC코리아)는 미국 NatureWorks의 3D 필라멘트용 Ingeo PLA 국내 독점 수입업체로서 NatureWorks로부터 수개월의 테스트 과정을 거쳐 공식인증을 획득한 필라멘트 생산업체이다. 지난 10년 간의 PLA 관련 경험으로 자타가 인정하는 PLA에 관한 최고의 노하우를 소유하고 있으며 이를 바탕으로 현재 사용되고 있는 필라멘트는 물론 새로운 3D 프린팅 원료개발에 앞으로도 꾸준히 전념할 것이다.

알테어코리아

■ 문의 : 070-4050-9200,
www.altair.co.kr,
http://blog.altair.co.kr
■ 사업 분야 : 엔지니어링, 시뮬레이션
■ 취급 제품 : 하이퍼웍스, 솔리드씽킹, PBS 웍스 등

알테어는 주력 제품인 개방형 CAE 엔터프라이즈 솔루션 하이퍼웍스를 비롯하여 3D 기반의 디자인 소프트웨어인 솔리드씽킹, 수준 높은 인력을 바탕으로 각 산업 및 기업에 제공하는 CAE 컨설팅 서비스인 프로덕트 디자인, 효율적인 업무 관리를 위한 워크로드 매니저 PBS 웍스 등과 같은 제품으로 제조 단계에서의 혁신을 만들어내고 있다.

1985년 미국 미시건주 사우스필드에서 '알테어 엔지니어링'이라는 엔지니어링 컨설팅 기업으로 출발한 알테어는 이후 꾸준히 해석, 분석, 예측, 최적화 등에서 세계 최고의 기술을 확보하여 데이터 엔지니어링의 글로벌 리딩기업으로 자리를 잡아가고 있다. 한국알테어 역시 2001년 지사를 설립한 이래 매년 평균 20%씩 안정적인 성장하고 있다.

알피캐스트

■ 문의 : 031-434-3690
■ 사업 분야 : 3D 프린팅 패턴을 이용한 정밀주조 제작, 3D 프린팅 부품 제작
■ 취급 제품 : 산업용 정밀주조 부품(임펠러, 터빈휠, 터빈하우징, 컴프레서 하우징 등) 및 건축용 주조품, 금속 정밀 Mock-up

알피캐스트는 3D 프린팅 패턴을 이용하여 금형없이 금속 정밀주조품 제작 및 개발(알루미늄 합금, 주철, 스테인리스 스틸 등)하고 있다. 주조품의 형상이 복잡하여 금형 제작 비용이 비싸고 수량이 적은 경우 유리하다.

야마젠코리아

■ 문의 : 02-864-1755, www.yamazenkorea.co.kr
■ 사업 분야 : 공작기계 관련 영업
■ 취급 제품 : MATSUURA LUMEX AVANCE-25

야마젠코리아는 일본의 공작기계 전문상사로 설치 및 A/S 전문회사이다.

PART 6

에이디엠테크

■ 문의 : 055-924-7336,
www.admtech.co.kr
■ 사업 분야 : 3D 스캐닝, 3D 프린팅 서비스, 3D 데이터 설계, 플라스틱/석고/정밀 주조용 왁스/금속 등 다양한 제품의 3D 프린팅 서비스
■ 취급 제품 : MJP/DLP/SLA/SLS 종류의 플라스틱 3D 프린터, 정밀 주조용 Wax Casting 3D 프린터, 석고 재질의 3D 프린터, 금속 3D 프린터

에이디엠테크는 2019년 4월에 설립된 회사로 3D 프린팅을 전문으로 서비스하고 있다. 3D 시스템즈의 3D 프린터를 사용해 높은 정밀도를 가지고 있다. 다양한 3D 프린터와 재료를 통해 금속 프린팅부터 플라스틱까지 사용자가 필요한 목적에 맞는 제품을 생산할 수 있다.

또한 3D 데이터를 제작할 수 없는 업체를 위해 설계 인력을 구성했으며, 편하게 3D 프린터를 사용할 수 있도록 하고 있다.

에이엠솔루션즈

■ 문의 : 070-8811-0425,
www.amsolutions.co.kr
■ 사업 분야 : 3D 프린터, 프린팅 소재, The BubbleShop
■ 취급 제품 : The BobbleShop(Scan-to-Print, 피규어 제작 솔루션), Ceramic 3D Printer(Lithoz), Metal 3D Printer(OPTOMEC), 3D 프린팅 소재(Metal Powder, TLS, LPW)

에이엠솔루션즈는 다양한 소재(종이, 금속, 세라믹)의 3D 프린팅 기술을 이용하여 자동차, 항공우주, 방위, 가전, 의료 등의 제조업과 디자인 산업에 독보적인 3D 프린터 및 프린팅 기술을 제공하고 있다. 또한 3D 프린팅을 이용하여 새로운 기술과 시장을 결합할 수 있는 콘텐츠를 제공하고 있다. 3D 프린팅 기술로 개인, 게임 캐릭터와 같은 피규어 제작부터 기계부품, 모형, 디자인시제품 등 다양한 분야에서 제작서비스와 콘텐츠를 개발하고, 전문 3D 프린팅 숍을 운영할 수 있도록 토털 솔루션을 제공한다.

에이엠코리아

■ 문의 : 031-426-8265,
www.amkorea21.com
■ 사업 분야 : 3D 프린터 판매 및 유지보수, 컨설팅, 시제품 제작
■ 취급 제품 : HP사 3D 프린터, UnionTech사 SL 3D 프린터, Aspect사 SLS 3D 프린터, Coherent사 SLM 금속 3D 프린터, Sodick사 Hybrid 금속 3D 프린터, 3DCeram 사 세라믹 3D 프린터, Wenzel CT 3D 스캐너

에이엠코리아(AMKOREA)는 그동안 축적된 기술력을 바탕으로 3D 프린터 기술 지원과 제품판매 및 시제품 제작을 주요 사업으로 하고 있다. 스마트팩토리 구축에 적합한 산업용 3D 프린터부터 비즈니스 모델에 따른 다양한 생산형 3D 프린터 등을 취급하고 있다. 또한 3D 프린터 및 시제품 분야에서 오랫동안 실무에 종사했기 때문에 고객이 실제로 필요로 하는 컨설팅 및 AS 기술을 보유하고 있으며, 고객의 니즈를 정확히 파악하여 최상의 솔루션을 제공하고 있다.

에이일리언테크놀로지아시아

■ 문의 : 070-7012-1314,
http://pentok.co.kr
■ 사업 분야 : 3D 펜, 소모품 및 3D 펜 콘텐츠 등
■ 취급 제품 : 펜톡(PENTOK) 등 3D 펜, 3D 펜 교육 및 교재 등 관련 콘텐츠

에이일리언테크놀로지아시아는 RFID 모든 제품군을 개발, 제조, 판매하는 유일한 회사로서, 본사는 미국 캘리포니아주 MorganHill에 소재하고 있으며, 아시아 지역의 영업 및 마케팅을 수행하고 있다. 2014년에 3D 펜 사업을 본격적으로 시작하였으며, 이후 2016년 국내 최초의 3D 펜 및 콘텐츠 전문 브랜드 'PENTOK(펜톡)'을 런칭, 3D 펜인 '뉴펜톡' 고온 3D 펜과 '펜톡쿨' 저온 3D 펜을 출시하였다. 고품질의 3D 펜 및 필라멘트 제품 판매로 소비자들의 만족도를 이끌어내면서 새롭게 급성장하고 있는 3D 펜 시장을 주도하는 동시에, 강사연수, 방과 후 학교 발명·창의교실 등 3D 펜을 활용한 교육분야 사업을 전개하고 있다.

에이치디씨(HDC)

■ 문의 : 031-817-6210,
www.hdcinfo.co.kr
■ 사업 분야 : 장비판매(3D 프린터)
■ 취급 제품 : DWS사 SLA 방식 / EOS사 SLS, DMLS 방식

HDC(에이치디씨)는 1999년 설립된 이래로 16년간 자동차, 전자, 캐릭터 애니메이션, 주얼리, 덴탈 산업에 이르기까지 다양한 산업에 3D 프린터를 접목해온 노하우를 축척해 왔으며 독일 EOS사 한국 공식 Distributor와 이태리 DWS사 한국 총판으로 3D프린터를 공급해 오고 있다.

EOS사는 SLS(Selective Laser Sintering) 타입 장비로써 플라스틱 및 메탈에서 독보적인 기술력을 보유하고 있으며, DWS사는 현존 가장 깨끗한 표면을 구현 가능한 SLA(Stereo Lithography) 장비로써 HDC사는 장비의 판매 및 취급을 비롯한 장비 사용과 관련된 모델링

노하우와 후처리 프로세스에 대한 노하우를 보유하고 기술지원 및 교육 서비스까지 3D프린터를 사용한 전체 산업발전에 기여하고 있다.

에이팀벤처스

■ 문의 : 02-742-6321,
www.ateamventures.com
■ 사업 분야 : 장비 및 소프트웨어
■ 취급 제품 : Creatable D3, Waggle, Shapengine

에이팀벤처스는 IT 기술로 제조를 혁신하고 있다. 에이팀벤처스는 메이커 운동을 지원하고 선도하는 하드웨어, IoT 개발 사업부 '크리에이터블 랩스'와 3D 프린팅의 저변 확대를 위한 온라인 3D 프린팅 서비스 '쉐이프 엔진'으로 '제조의 민주화'를 앞당기고 있다. 누구나 쉽게 아이디어를 구현할 수 있는 세상을 만들기 위해 꾸준히 3D프린터 및 관련 IoT디바이스와 프린팅 서비스를 개발하고 업그레이드하고 있다. 에이팀벤처스는 글로벌 진출을 위해 미국 산호세(캘리포니아주)에는 2015년 3월, 중국 선전(深圳)에는 2017년 7월 법인을 설립했다. 3D프린터 시장을 확장하고 함께 성장하기 위해 더 노력할 것이다.

XYZ프린팅 한국지사(삼위국제입체열인과기고분유한공사)

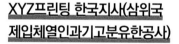

■ 문의 : 02-555-9776,
www.xyzprinting.com
■ 사업 분야 : 3D프린터, 컴퓨터 및 주변장치 판매
■ 취급 제품: da Vinci Jr. Pro, da Vinci 1.1 Plus, Nobel, Nobel 1.0A, Nobel Superfine, da Vinci Color, da Vinci Super, 3Dpen, Scanner

대만 New Kinpo Group의 자회사인 XYZ프린팅은 세계 시장을 주도하는 3D 프린터 제조업체이다. 효율성 높은 3D 프린팅을 전 세계의 교육자, 학생, 아티스트, 일반소비자, 기업, 가정에 보급하기 위해 최선을 다하고 있으며 누구라도 쉽게 3D 프린터를 소유하고 사용할 수 있는 가능성을 열었다. XYZ프린팅의 제품은 사용법이 용이할 뿐만 아니라 사용자 경험을 토대로 설계하였으며, 3D 프린팅 업계의 주요 기술 산업 행사와 유수한 전문잡지에서 여러 차례 받은 수상을 하였다. XYZ프린팅은 현재 한국을 비롯해 미국, 유럽, 중국, 일본, 태국에 지사를 설립하였다. 2017년 9월 1일 잉크젯 프린팅과 FFF(Fused Filament Fabrication)를 결합한 3DColorJet 기술을 사용하는 세계 최초의 풀 컬러 3D 프린터인 da Vinci Color를 출시하였다.

엘코퍼레이션

■ 문의 : 031-261-7330, www.lcorporation.co.kr
■ 사업 분야 : 3D 프린터 및 소재 판매, 출력 서비스, 교육, 플랫폼 사업, 3D 프린터 및 소재 수출, 스타트업 육성
■ 취급 제품 : 폼랩(Formlabs), 얼티메이커(Ultimaker), 루고(LUGO), 마크포지드(Markforged), 스냅메이커(Snapmaker), 신트라텍(Sintratec), 샤이닝(SHINING 3D), 빅렙(BigRep), colorfabb(colorfabb)

엘코퍼레이션은 3D 프린팅 통합 솔루션을 제공하는 3D 프린터 전문기업으로 3D 프린터의 유통 및 출력 서비스, 플랫폼, 교육, 데이터 제작, 공간 구성 등 3D 프린터의 대중화에 앞장서고 있다. 2013년 미래교역 3D 프린터 사업부로 시작한 엘코퍼레이션은 현재 국내외 3D 프린터 발굴 및 해외 시장 확대에 적극적으로 나서고 있다. 엘코퍼레이션은 현재 폼랩(Formlabs), 마크포지드(Markforged), 신트라텍(Sintratec) 등의 글로벌 3D 프린터를 국내에 공급하고 있으며, 교육 기관, 의료 기관, 연구소 및 다수의 기업들과 파트너 계약을 맺고 있다.

영일교육시스템

■ 문의 : 1670-3463,
www.yes01.co.kr
■ 사업 분야 : 3D 프린터 브랜드 총판, 교육장비 제조 및 판매
■ 취급 제품 : MakerBot, BigRep, APIUM, CleanGreen 3D,RIZE, Xact, Roboze, AON,ForTex,NBR 한국 총판

23년의 업력을 자랑하는 영일교육시스템은 500만불 수출의 탑을 수상했으며, 교육장비 전문 글로벌 강소기업이다. 지난 6년동안 약 2000곳의 고객과 많은 메이커스페이스를 구축하여 3D 프린터의 선두업체로 거듭나고 있다. 앞으로도 영일교육시스템은 고객이 불편함 없도록 최상의 서비스를 제공하고자 노력하는 성실한 회사가 될 것이다.

오케이쓰리디(OK3D)

■ 문의 : 010-9910-9707,
https://cafe.naver.com/winprin
■ 사업 분야 : 3D 프린팅 교육, 강의 및 강연, 3D 프린터 판매, 출력서비스, 컨설팅 상담
■ 취급 제품 : 메이커봇 제품, 큐비콘 제품

ok3d는 2014년 'winprin'라는 이름으로 시작해, 2015년 ok3d로 회사명을 바꾸고 현재까지 사업을 이어오고 있다. 국내에서 3D 프린팅 교육에 있어서 높은 자리에서 인정받으며 꾸준히 강의를 진행하고 있다.

PART 6

오토데스크코리아

■ 문의 : 오토데스크코리아,
www.autodesk.co.kr

■ 취급 제품: 퓨전 360(Fusion 360), 넷팹
(Netfabb) 등

오토데스크(Autodesk)는 사물을 만드는 사람들을 위한 소프트웨어를 만든다. 고성능 자동차를 운전해본 적이 있다면, 고층 건물을 보고 감탄한 적이 있다면, 스마트폰을 사용한 적이 있다면, 좋은 영화를 감상한 적이 있다면, 수백만 오토데스크 소프트웨어 사용자가 만든 결과물을 경험해본 것이다. 이처럼 오토데스크는 사람들이 모든 것을 만들 수 있도록 돕는다.

오토데스크는 3D프린팅 기술이 차세대 모든 '만들어지는 것'의 디자인과 제조 공정에 획기적인 역할을 해나갈 거라 믿는다. 오토데스크 퓨전 360(Fusion 360)은 CAD, CAM 및 시뮬레이션이 하나의 패키지로 결합된 클라우드 기반의 플랫폼으로, 모든 제품 개발 과정을 단일 클라우드 기반 플랫폼으로 연결시켜 온라인, 오프라인, Mac, 윈도우, 그리고 모바일 상에서 사용 가능하다. 넷팹(Netfabb)은 제조 업체의 제품 설계 및 규모의 경제 검토 방식을 개선해주는 오토데스크의 적층 제조(또는 적층 가공) 솔루션으로, 콘텐츠부터 기계까지 원클릭으로 완벽한 산업용 적층 제조 워크플로 구현이 가능하며, 3D 프린팅용 모델을 보다 쉽고 빠르게 준비할 수 있도록 도와준다. 오토데스크는 퓨전360 외에 팅커캐드(TinkerCAD), 마야(Maya), 위드인(Within) 등의 3D 프린팅 솔루션을 제공하고 있다.

오티에스(OTS)

■ 문의 : 1899-7973,
www.3dthinker.com

■ 사업 분야 : RP 장비 및 3D 프린터, 레이저 커팅기, CNC 머신 등 제조 및 유통

■ 취급 제품 : Deltabot-K-CU /
Deltabot-K-IN

오티에스(OTS)는 각종 RP 장비를 제조 및 유통하고 있다. 국내 최초로 델타형 3D 프린터 상용화에 성공했다. 3D 프린터 분야에 많은 노력을 기술을 축적했고, R&D를 통해 델타 방식의 FDM 3D프린터뿐만 아니라 SLA, DLP, SLS 등 제품의 연구개발에 노력하고 있다. 이외에도 레이저 커팅기, CNC머신 등 기계 개발에 많은 노력과 투자를 통해 고품질의 기기 생산을 위해 최선을 다하고 있다.

위크리코퍼레이션

■ 문의 : 070-5102-3910,
www.wecrecorp.kr

■ 사업 분야 : 3D 프린팅 기반 상품 개발,
창의교육, 협업플랫폼

위크리코퍼레이션은 제품디자인 서비스 및 3D 프린팅 제조기술을 기반으로 한 자체상품을 개발하고 있으며, 다양한 산업분야와의 협업을 통해 새로운 결과물을 만들어내고 있다. 다양한 분야의 공예작가들과 함께 협업을 통한 상품개발을 하고 있다.

윈포시스

■ 문의 : 031-609-9700,
www.winforsys.com

■ 사업 분야 : 3D 프린팅 사업, 3D 프린팅 장비 제작 및 판매, Melting Pool Tomography(MPT) 기술 개발 및 판매

■ 취급 제품 : Metalsys 150E &
Metalsys 250E & Metalsys 500

윈포시스(Winforsys)는 2004년 설립 이후 꾸준히 R&D 투자를 진행했으며, 2018년부터 연구개발비 8% 이상을 투자하고 있다. 또한 2013년부터 금속 3차원 프린터에 대한 연구를 시작하여 국내 최초로 SLM 방식의 금속 3차원 프린터를 개발하고 있다. 현재 티타늄, 코발트 크롬, 스테인리스 등 다양한 금속에 대응할 수 있는 장비를 개발 및 판매를 진행하고 있으며, 세계적인 수준의 금속 3D 프린터 공정 모니터링 기술을 보유하고 있다.

이오에스코리아(EOS Korea)

■ 문의 : 02-6330-5800,
www.eos.info

■ 사업 분야 : SLS, DMLS 3D 프린터

■ 취급 제품 : SLS - FORMIGA P110,
P396, P770, P800/DMLS - M100, M290, M400, M400-4

EOS는 레이저 소결방식의 폴리머 및 메탈 3D 프린터 제조업체로, 고객에게 통합된 e-Manufacturing Solution을 제공한다. 독일 뮌헨에 본사를 두고 있으며, 한국 지사는 서울 가산동에 소재하여 국내 고객 통합관리 및 장비 운영 지원을 시행하고 있다.

인스텍

■ 문의 : 042-935-9646,
www.insstek.com

■ 사업 분야 : 금속 3D 프린터 제조 및 금속 부품 제작 서비스

■ 취급 제품 : MX-Standard(MX-600, MX-1000), MX-Grande(Custom), MPC(Machine for porous coating), MX-Lab

인스텍은 국내 금속 3D 프린팅 기술개발에 성공한 후 DMT(Direct Metal Tooling) 금속 프린팅 기술개발의 상용화를 목적으로 설립된 AM(Additive Manufacturing) 분야의 선도기업이다. 인스텍은 자체개발한 DMT 3D 금속 프린팅, 레이저 재료공정, 시스템 개발 등 핵심 기술을 기반으로 하여 AM과 관련된 토털 솔루션을 제공하며 장비 제조 및 부품 제작 프린팅 서비스를 제공한다. 제품 설계부터 제작까지 고객이 DMT 금속 프린터를 사용하는데 필요한 기술을 모두 자체 개발하여 사용자가 더 쉽고 편하게 사용할 수 있는 환경을 마련하였고, 금속 3D 프린팅 시장의 선도기업으로 자리잡았다. DMT 기술은 DMT Closed-loop Feedback System을 통해 실제 적층되는 금속층의 높이에 영향을 주는 공정변수들을 실시간으로 제어함으로써 매우 정밀한 두께의 금속층을 만드는 기술이다. 최근에는 혁신적인 금속 소재 개발용 장비로 MX-Lab을 출시하였고, CVM Powder Feeder를 개발 및 장착하여 금속 3D 프린팅 시장에서 한단계 진보된 기술을 선보이고 있다. 그동안 인스텍은 독일, 러시아 등 유럽 및 세계시장에 장비를 수출해 왔고 다양한 분야의 연구개발을 통해 전 세계적으로 기술의 우수성을 입증했다. DED Metal 3D 프린팅 시장에서 한단계 진보된 기술 개발을 필두로 본격적인 세계 시장진출을 앞두고 있다.

인텔리코리아

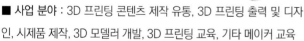

■ 문의 : 070-4610-5054,
www.cadian3d.com, www.cadian.com

■ 사업 분야 : 3D 프린팅 콘텐츠 제작 유통, 3D 프린팅 출력 및 디자인, 시제품 제작, 3D 모델러 개발, 3D 프린팅 교육, 기타 메이커 교육

■ 취급 제품 : 캐디안(CADian), 캐디안3D(CADian3D)

인텔리코리아는 오토캐드를 대체하는 토종 캐드인 '캐디안'의 개발사이다. 2D 캐드인 캐디안(CADian) 외에도 3D 프린팅, 디자인, 제품설계를 위한 3D CAD인 캐디안3D(CADian3D)를 개발하여 국내 및 해외에 보급하고 있으며, 두터운 유저층을 보유하고 있어 3DMax, 라이노3D, Fusion360 등을 대체할 수 있는 국산 3D 캐드로 자리매김하고 있다. 그 외에도 3D 프린팅 및 메이커 인력 양성을 위한 다양한 교육과 3D 콘텐츠 제작, 제품 디자인 및 시제품 개발 용역 서비스를 진행하고 있다.

제이엔텍

■ 문의 : 031-605-5550,
www.jntek3d.com

■ 사업 분야 : 3D 프린터 및 3D 스캐너 판매, 시제품 제작, 3D 스캐닝 및 역설계

■ 취급 제품 : Markforged Carbon 3D 프린터, Markforged Metal 3D 프린터, Solutionix 3D 스캐너

제이엔텍은 Markforged 3D 프린터 및 Solutionix 3D 스캐너의 국내 공식 대리점으로서 장비 판매는 물론 3D 프린팅 및 스캐닝 서비스 전문 업체이다.

자동차, 전자, 항공 우주, 의료, 주얼리 등 다양한 산업 전반에 걸쳐 최적의 토털 3D 솔루션을 제공하고 있다. 카본&금속 3D 프린터 등 독보적인 기술력과 노하우, 최신의 장비 도입을 통하여 고객 여러분들께 최상의 가치와 만족을 제공할 것이다.

자이브솔루션즈

■ 문의 : 031-726-5076,
https://jiveus.com

■ 사업 분야 : 3D 프린팅 및 3D 스캐닝 장비 공급

■ 취급 제품 : EnvisionTEC 3D 프린터, David 스캐너(SLS-2), Creaform 3D 스캐너

자이브솔루션즈(구 주원)는 자동차, 산업기기, 환경, 계측기기 분야에 첨단장비를 보급해 왔다.

DLP(Digital Light Processing) 기술에 대한 원천특허를 보유하고 있는 독일 EnvisionTec의 장비와 금속파우더에 선택적으로 고출력 레이저를 조사, 소결하여 도포하는 공정의 Sintering 방식의 장비를 판매하고 있다. 뿐만 아니라, 고객이 필요로 하는 3D 스캐너 및 관련 소프트웨어 등 3D 프린팅 관련 토털 솔루션을 제공하고 있다.

저먼렙랩 코리아(한일프로텍)

■ 문의 : 02-2082-2739, www.germanreprap.co.kr

■ 사업 분야 : 3D 프린터, 3D 프린팅 및 기술지원

■ 취급 제품 : L320, X400, X500Pro, X1000

저먼렙랩 코리아는 독일 German RepRap사의 FFF/LAM 방식의 산업용 3D 프린터를 판매하고 있으며, 장비 운용에 필요한 전반적인 기술지원을 제공한다. 특히 실리콘을 출력할 수 있는 새로운 프린팅

PART 6

방식인 LAM(Liquid Additive Manufacturing) 기술의 3D 프린터 L320을 보급하여, 기존 액상 실리콘 고무의 가공기술에서 벗어난 새로운 가능성을 제시한다.

지니코딩에듀

■ 문의 : 051-331-0110,
http://jcodeedu.com
■ 사업 분야 : 교육용 교재 및 교구 개발, 교육 콘텐츠 개발, 교육 전문 회사
■ 취급 제품 : 3D 프린터(A200, M250), 3D 펜(Jinie 3D pen), 코딩 드론 외 다수

지니코딩에듀는 1998년 인컴정보로 출발하여 독보적인 콘텐츠와 교육 노하우로 무장한 교육기술전문 회사이다. 3D 프린터, 3D 펜(하드웨어)와 아두이노, 인공지능(소프트웨어) 등 지식산업사회에 꼭 필요한 교구제를 직접 연구, 개발, 제조하여 다양한 교육 콘텐츠를 개발과 앞서가는 교육과정으로 학교, 학원, 공공기관 등에 직접 교육을 제공하고 있다.

지멘스 디지털 인더스트리 소프트웨어

■ 문의 : 02-3016-2000, www.plm.automation.siemens.com/global/ko/
■ 취급 제품 : Solid Edge, Siemens NX 등 3D 설계 소프트웨어

지멘스 디지털 인더스트리 소프트웨어는 세계적인 PLM, 제조 운영관리 소프트웨어(MOM; Manufacturing Operations Management), 시스템 및 서비스 공급업체.

미국 텍사스주 플라노에 본사를 두고 있는 이 회사는 기업이 지속적으로 성장할 수 있도록 경쟁력을 강화하고 혁신 구현을 위해 고객들과 긴밀한 협력을 진행하고 있다.

창성

■ 문의 : 032-450-8770,
http://changsung.com
■ 사업 분야 : 전장/PC/모바일용 전기전자부품과 소재사업, 금속분말/기능성 소재/흡수·방열 소재/접점소재/전력변환용 소재 및 부품의 제조·판매
■ 취급 제품 : 3D 프린팅용 금속분말, 분말자성코아, 인덕터, 기능성 페이스트, 차폐·방열시트, 클래드 메탈, 기능성 소결부품

1980년 창립된 창성은 금속분말 제조기술을 개발한 금속소재 전문 기업이며, 자체 보유기술을 융·복합하여 기능성 페이스트, EMC(전자

파차폐재/방열재), 클래드메탈, 분말자성코아, 코일(인덕터)까지 다양하게 그 사업영역을 확대해 가고 있다. 또한 최근에는 전기차와 신재생에너지용 부품 공급에 집중하고 있다.

금속분말에 대한 축적된 경험과 기술을 바탕으로 국내 3D 프린팅 산업 초기부터 3D 프린팅용 금속분말에 대응해 왔으며, 현재 Fe계, Ni계, Co계 등 다양한 조성의 분말을 안정된 품질로 대량생산할 수 있는 시스템이 구축되어 있다. 이 중 치과 의료용 Co계 합금은 KGMP 인증과 함께 양산 납품이 진행중이며, Ni계 고온소재 또한 항공부품용으로 양산대응 중이다.

창성은 3D 프린팅 산업의 활성화에 일조하고자 3D프린팅 산업에 최적화된 금속분말 제조기술을 지속적으로 개발하고 있다.

캐논코리아 비즈니스 솔루션

■ 문의 : 02-3450-0700,
www.canon-bs.co.kr
■ 사업 분야 : 복합기/사무기기/프린터
■ 취급 제품 : 마브(MARV) MW15 / GB15(조달제품)

캐논코리아 비즈니스 솔루션(이하 CKBS)은 앞선 기술력과 끊임없는 연구개발로 선진 오피스 환경을 리드하며 발전을 거듭해 오고 있다. 소형 계산기에서부터 복사기, 팩스, 잉크젯 프린터, 레이저 프린터, 복합기는 물론 디지털 상업인쇄, 리테일 포토 등 풀 라인업을 갖추고, 모든 사무기기에 있어 속도와 품질, 디자인과 성능의 혁신을 선보이고 있다. CKBS는 모든 첨단 디지털 사무기기의 제공으로 새로운 오피스 문화를 창조하고 있다.

캐리마

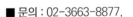

■ 문의 : 02-3663-8877,
www.carima.co.kr
■ 사업 분야 : DLP 3D 프린터 개발, 제조, 수출, 유통 판매, 기술교육, 3D 프린팅 서비스, 3D 스캐닝 서비스, 3D 역설계
■ 취급 제품 : 3D 프린터 : DM250K, DM400a, IMD, IMC, TM4K 등, 3D 스캐너 : 전신 3D 스캐너, FACE 전용 3D 스캐너 등

캐리마는 전 세계의 3D 프린팅 시장을 선도하는 국내 최초의 DLP 프린터 기업으로서 20년간 지속적인 DLP 3D 프린터 및 친환경 레진소재 연구 개발과 최고 수준의 기술로 3D 프린팅 솔루션 시장에 기술적, 산업적 기여를 하고 있다.

현재 미국, 일본, 러시아 등 해외 15개국에 3D 프린팅 솔루션을 수출 및 지원하며, 선진 기업들과 어깨를 나란히 하고 있으며, 캐리마는 대한민국의 미래지향적 접근으로 4차 산업혁명에 기술강국 위상을 높

이기 위해 대중화 및 세계화에 노력하고 있다.

2020년 신제품 DM250K, DM400a 제품과 업그레이드된 IMD, IMC, TM4K 제품으로 고객에게 낮은 자세로 함께 연구하고, 함께 이윤 창출을 위한 지원을 하고 있다. 아울러 3D 스캐너 FARO inc와 리셀러 협약으로 3D 토털 솔루션 지원사업과 자사 개발한 전신 3D 스캐너 및 FACE 전용 3D 스캐너 론칭으로 광학 엔진 분야에 세계적 선도 위치를 점유하고 있다.

케이랩스

■ 문의 : 052-283-4296,
www.klabs.co.kr

■ 사업 분야 : 3D 프린터 개발, 제작, 판매, 역설계, 시제품 제작

■ 취급 제품 : COBEES3, SHARK PLUS, SHARK-D, SHARK MEGA

케이랩스는 3D 프린터 전문회사로 부담없이 사용가능한 보급형 3D 프린터 COBEES 시리즈와 전문가용 3D 프린터 SHARK 시리즈의 꾸준한 개발과 판매에 이어 기업이나 연구소 등의 사용목적에 따라 고객 맞춤형 3D 프린터도 개발, 제작하고 있다. 또한 3D 프린터와 연계한 시제품 및 개발품 제작, 역설계 및 R&D 수행 등 상품 개발을 위한 전 과정에 대하여 서비스를 제공하고 있다.

케이에이엠아이(KAMI)

■ 문의 : 02-6670-4114,
www.kami.biz

■ 사업 분야 : 금속 3D 프린팅 장비 판매, 제작 서비스

■ 취급 제품 : 금속 3D 프린터 레이저 큐징(Laser CUSING)

케이에이엠아이(KAMI)는 금속 3D 프린터인 독일 컨셉 레이저(現 GE Additive member company) 국내 독점 대리점으로, 사내에 Mlab R, M2 장비를 보유하고 있다. 벤치마크 테스트 및 장비 교육, 애플리케이션을 지원한다.

케이엔씨

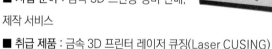

■ 문의 : 031-8033-0310,
www.knckorea.kr

■ 사업 분야 : SLS 3D프린터, 마이크로 EDM 3-5축 가공기, 소프트웨어

■ 취급 제품 : 산업용 금속 및 플라스틱 3D 프린터, 소형 데스크톱 3D 프린터, 레이저 및 잉크젯 방식 사형 3D 프린터

케이엔씨는 EOS GmbH, Sinterit, Sarix 및 Dyemansion,

materialise 등 SLS 방식의 3D 프린터와 마이크로 EDM 3-5축 가공기, 후처리 장비, 소프트웨어 등을 국내에 소개하고 기업의 기술과 경제적 효율성을 위해 도입 및 기술을 지원하고 있다. 또한 3D 프린팅 시스템·소프트웨어 컨설팅 및 시제품을 제작하고 있다.

케이티씨

■ 문의 : 0505-874-5550,
http://kvox.co.kr,
http://ktcmet.co.kr

■ 사업 분야 : 3D 프린터 판매, 3D 프린터 재료 공급

■ 취급 제품 : VX1000, VX1000-HSS, VX2000, VX4000, ATOMm-4000, ATOMm-8000

케이티씨(KTC)는 3D 프린터 판매부터 시제품 제작까지 토털 솔루션을 제공하고 있다.

코보트

■ 문의 : 031-492-9333,
www.kobot.co.kr

■ 사업 분야 : FFF방식 3D프린터 및 FFF 방식 출력물 표면 적층 훈증식 후처리기

■ 취급 제품 : 뽀샤시245, 뽀샤시250E, 뽀샤시500E, 뽀샤시1200, 뽀샤시액(표면처리시약)

코보트는 2014년 창업한 스타트업으로 주문형 대형 FFF방식 3D 프린터 제작 및 출력물의 표면 적층을 매끄럽게 표면처리 해주는 장비 '뽀샤시'와 표면처리시약을 판매하고 있다.

30년 경력의 자동화기계관련 엔지니어가 창업하였으며, 현재 주물 주형용 목형 제작을 위한 3D프린터 및 표면처리 시스템을 개발 진행 중이다.

코보트는 3D프린터와 3D프린터 출력물의 표면 적층 훈증식 표면처리기 전문 제조업체이며, 산업용 로봇 설계 및 제작을 하는 회사이다.

큐비콘

■ 문의 : 1661-4371,
www.3dcubicon.com

■ 사업 분야 : 3D 프린터 제조 및 판매

■ 취급 제품 : 3D 프린터(큐비콘 Style, 큐비콘 Style Plus, 큐비콘 Single Plus, 큐비콘 Style NEO)

큐비콘은 하이비젼시스템의 자회사로서 2015년 3D 프린터 브랜드 큐비콘을 런칭하면서 설립되었다. 17년 독립법인으로 분사하고 모

PART 6

회사의 핵심 역량 기술인 영상처리기술, 신호처리기술, 모션제어기술을 바탕으로 FDM 3D 프린터부터 산업용 SLA 3D 프린터에 이르기까지 다양한 제품을 제조 판매하며 3D Solution Provider로서 입지를 다져 나가고 있다. 여러 신기술을 적용한 보급형 3D 프린터 공급으로 이미 국내 누적 판매대수로 1만대 이상 기록하고 있고 글로벌화에 따른 해외공급을 확대하고 있는 큐비콘은 4차 산업혁명의 중심에서 모든 필요한 곳에 24시간 사용될 수 있는 3D 프린터를 만드는 것을 목표로 대한민국을 넘어 세계 속의 큐비콘으로 발전해 나갈 계획이다.

타이드 인스티튜트(TIDE Institute)

■ 문의 : http://tideinstitute.org
■ 사업 분야 : 글로벌 창업 문화 확산과 선도형 기술창업 지원

TIDE Institute(타이드 인스티튜트)는 과학기술(Technology), 상상력(Imagination), 디자인(Design), 기업가 정신(Entrepreneurship) 네 가지 핵심요소의 최신 트렌드에 대한 정보를 한국사회에 공유하고 글로벌 창업 문화 확산과 선도형 기술창업을 지원한다.

현재 TIDE Institute에서는 전국 각지에 디지털 제작공방을 운영 중이며 대표적으로 서울 종로구 세운상가에 위치한 FabLab Seoul이 있다.

FabLab Seoul은 전 세계에 300개가 넘는 네트워크를 형성하고 있으며 국내에선 최초이다. 이는 현재 전국 각지에 퍼져있는 무한상상실을 비롯해 기타 오픈 메이커 스페이스의 롤모델이기도 하다. 또한 이를 토대로 직접 위탁운영하기도 한다.

수원시 영통구 경기지방중소기업청에 위치한 셀프제작소를 운영하고 있다. FabLab(Fabrication Laboratory)과 경기지방중소기업청 셀프제작소는 3D 프린터와 LaserCutter 등 디지털 제작 장비(Digital Fabrication)을 사용하여 누구나 자신의 아이디어를 구현할 수 있다. 이러한 장비들은 어렵지 않고 저비용으로 자신의 아이디어를 구현할 수 있게끔 도와주고 있으며 이 중 3D 프린터를 이용한 시제품 제작은 전국의 모든 예비창업자들에게 큰 각광을 받고 있다. 기존에는 엄청난 고비용과 전문 업체를 통해 이루어졌던 시제품 생산들이 별도의 3D 프린터를 구매하지 않아도 FabLab Seoul과 셀프제작소를 통해 활발히 이루어지고 있기에 이는 상당한 자본이 있어야만 가능했던 제조 창업에 대한 장벽을 낮춰주고 있다. 최근에는 가정용 3D 프린터뿐만 아니라 산업용 3D 프린터인 Projet 160 제품도 들여와 더 많은 시제품 제작을 가능하게 하고 있다.

탑쓰리디(TOP3D)

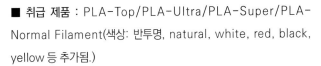

■ 문의 : 070-8118-3230, www.top3d.co.kr
■ 사업 분야 : 3D 프린터 재료/ 원료, 3D PLA 필라멘트, 3D 기능성 PLA 필라멘트
■ 취급 제품 : PLA-Top/PLA-Ultra/PLA-Super/PLA-Normal Filament(색상: 반투명, natural, white, red, black, yellow 등 추가됨.)

탑쓰리디(TOP3D)는 다년간의 지속적인 연구개발을 통해 고품질의 3D 프린터 전용 필라멘트를 개발하였다.

개발된 TOP3D 필라멘트는 PLA의 입체이성질체를 활용한 최적의 분자조합과 탑쓰리디의 분자구조제어시스템 및 친환경 첨가제의 개발로 탄생한 세계적 수준의 3D 프린팅 원료로서, 소비자의 각종 요구를 반영하여 다양한 제품을 선보이고 있다.

티모스

■ 문의 : 02-6297-5750, www.thymos.co.kr
■ 사업 분야 : 3D프린터(Stratasys, Makerbot, 큐비콘, 신도리코), 3D 스캐너(Zeiss, Medit), 역설계 및 시제품 제작 서비스
■ 취급 제품 : 3D프린터(Stratasys, Makerbot, 큐비콘, 신도리코), 3D 스캐너(Zeiss, Medit)

티모스는 3D 프린터와 3D 스캐너(Scanner) 판매 및 기술지원, 제품 용역 서비스 등 제품 개발에서 검사까지 모든 영역에 걸친 서비스를 제공하고 있다.

티모스의 제품라인은 3D 프린터와 3D 스캐너 그리고 메이커스페이스 구성 가능 제품으로 되어 있다.

3D 프린터는 전문가용 Stratasy제품과 보급형인 Makerbot, 큐비콘, 신도리코 제품을 공급하고 있다.

스트라타시스(Stratasys) 제품은 기능성 Engineering Plastic인 ABS, PC, PC-ABS, Nylon, Ultem, PPSF 등을 사용할 수 있는 FDM 시리즈의 3D 프린터와 액상의 합성 폴리머 소재를 분사하여 적층 함으로써, 단일 소재 뿐만이 아닌, 두 소재를 혼합하여 적층할 수 있는 기능 및 Full Color 제품을 제작할 수 있는 모델을 보유한 Polyjet 방식을 공급하고 있다.

3D 스캐너는 자이스(Ziess) 및 메디트(Medit)사의 제품을 공급하고 있다.

자이스의 핸디형 및 광학 제품과 메디트의 자동측정테이블이 탑재된 광학식 스캐너는 시장경쟁력이 매우 우수하다.

또한, 메이커 스페이스에 제공 가능한 다양한 제품의 라인업이 구축되어 있다.

TPC메카트로닉스

■ 문의 : 1588-5982, www.tpcpage.co.kr

■ 사업 분야 : 공장 자동화(공압, 모션콘트롤, 3D 프린터, 협동로봇)

■ 취급 제품 : FINEBOT(파인봇)

지난 40년 이상의 꾸준한 기술개발과 시장개척을 통하여 TPC 메카트로닉스는 공장 자동화의 핵심부품인 공급기기의 핵심부품인 공압기기의 국내최대 생산업체로 입지를 확보하였고 모션콘트롤, 3D 프린팅, 협동로봇 사업 분야를 순차적으로 추가하여 2016년부터는 '스마트팩토리 융합 솔루션'을 사업 방향으로 설정하였다.

스마트팩토리 융합 솔루션을 고객들에게 제공함으로써 4차 산업혁명이 시작된 급변하는 산업현장에서 고객들의 생산성을 극대화 시킬 수 있는 솔루션을 제공할 수 있게 되었다. 고객의 생산성 향상과 원가 절감이 핵심 미션인 TPC는 새로운 가치 창출을 통하여 차별화된 솔루션과 신속한 서비스를 고객들께 제공하여 4차 산업혁명의 변환기에 다품종 소량생산의 환경 아래서도 고객들이 생산성을 극대화 시킬 수 있도록 기여를 할 것이다.

트렌드서울

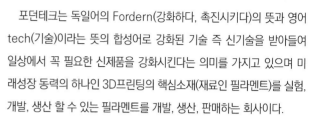

■ 문의 : 02-525-4530, www.trendseoul.com

■ 사업 분야 : 적층제조 솔루션 및 교육

■ 취급 제품 : FaaS, FaaS_mini

트렌드서울은 FaaS Middleware 플랫폼 및 3D 프린팅 다중 제어기술을 활용한 FaaS 기반의 다품종 소량생산 서비스(생산 엑셀레이션), FaaS_mini 미니어처 기반의 스마트팩토리 교육을 진행하고 있다.

FaaS 기반 다품종 소량서비스는 중소기업 및 스타트업 기업들을 대상으로 시제품 컨설팅에서 생산, 후가공 처리, 제품 검사 등 최적의 시제품 생산의 전과정을 지원하는 플랫폼이다.

FaaS 미니어처 기반 스마트팩토리 교육 플랫폼은 기존 FaaS 스마트팩토리 운영 하드웨어 플랫폼을 스케일 다운시켜 만들어진 교육용 라인으로, 실제 라인에 비해 비용적인 측면에서 실용적으로 라인을 구성한 교육을 위한 플랫폼이다.

포던테크

■ 문의 : 070-4286-3133, www.fordentech.com

■ 사업 분야 : 3D프린터, 자동제어

■ 취급 제품 : 필라멘트 제조기, 펠렛, 필라멘트

포던테크는 독일어의 Fordern(강화하다, 촉진시키다)의 뜻과 영어 tech(기술)이라는 뜻의 합성어로 강화된 기술 즉 신기술을 받아들여 일상에서 꼭 필요한 신제품을 강화시킨다는 의미를 가지고 있으며 미래성장 동력의 하나인 3D프린팅의 핵심소재(재료인 필라멘트)를 실험, 개발, 생산 할 수 있는 필라멘트를 개발, 생산, 판매하는 회사이다.

적층형 3D프린터에서 필수 소모품인 필라멘트를 사용자가 직접 제조해서 사용하는 필리봇(FILIBOT), 필리봇프로(FILIBOT PRO)와 출력된 필라멘트를 감아주는 권선기 즉, 필라스(FILAS)가 주력 제품이다. 이외 원료(PELLET), 특수 필라멘트 등이 있다. 필리봇프로(FILIBOT PRO)는 △여러 소재의 혼합 압출 가능 △23~600℃ 빠른 온도 전환 △생성된 재료의 품질을 위한 순간 냉각 장치, 굵기 측정 센서 장치의 장착 등의 특장점을 보유하고 있으며 핵심 기술에 대한 특허도 보유한 상태이다. 또한 본 제품은 해외 선진국 시장은 물론 저개발 도상국가에서도 산업의 핵심인 소재를 개발하는 목적으로 적합하다.

포디게이트

■ 문의 : 02-542-3995, www.4d-gate.com

■ 사업 분야 : 3D 스캐너 정밀형수입사, 3D 스캐너 광대역수입사, 사진계측 소프트웨어, 3D 스캐닝, 3D 프린터&3D 프린팅 출력

■ 취급 제품 : 캐나다 POLYGA, 미국 FARO, 한국HRCLS300, HRCLS400

포디게이트는 국내에 12년 이상의 스캐닝 프린팅 솔루션을 국내에 공급하는 회사이다. 아울러 3D 프린팅 및 스캐닝 관련 노하우 및 3D 스캔, 프린팅 종합 컨설팅이 가능한 회사이다.

포머스팜

■ 문의 : 070-4837-1137, www.formersfarm.com

■ 사업 분야 : 3D 프린터 제조, 프린팅 서비스

■ 취급 제품 : Sprout, Sprout Mini

PART 6

포머스팜은 국내 기술력을 바탕으로 PineTree, Sprout, Sprout Mini까지 보급형 FDM 방식의 3D 프린터를 개발 및 판매하고 있다. 우수한 제품 설계 및 기술력을 바탕으로 프린팅 품질에서 우수한 평가를 받고 있으며, 젊은 기업다운 성실한 AS로 고객만족을 최우선으로 하고 있다.

퓨전테크놀로지

■ 문의 : 031-342-8263,
www.fusiontech.co.kr
■ 사업 분야 : 산업용 3D 프린터 판매, 출력 서비스, 소프트웨어 교육, 소프트웨어 판매 및 소재 판매
■ 취급 제품 : SLM Solutions사의 금속 3D 프린터 라인업, Farsoon Technologies사의 산업용 플라스틱 SLS 3D 프린터 라인업, J.H TECH.ELECTRONIC (GZ) LTD사의 산업용 Qubea SLA 3D 프린터 라인업, Raise3D사의 FDM 3D 프린터 라인업, 메디컬 엔지니어링 소프트웨어(Materialise Mimics innovation Suite, 3-matic), 위상최적화 소프트웨어(solidThinking INSPIRE)

퓨전테크놀로지는 업력 25년 이상의 전문가인 김인명 대표가 이끄는 국내 산업용 3D 프린팅 토탈솔루션 회사이다. 1991년 SLA 방식의 3D 프린터를 국내 최초로 도입하여 산업체에 컨설팅하고 납품한 경험을 기반으로, 현재는 SLM, SLS, SLA 방식의 산업용 3D 프린터를 국내 기업체, 연구기관, 대학교 및 의료시장에 공급하고 있다.

프로메테우스

■ 문의 : 02-6929-4117,
www.promet.co.kr
■ 사업 분야 : 제작서비스, 기구설계, 3D 프린팅 컨설팅, 3D 프린팅 교육
■ 취급 제품 : 제품제작서비스(3D 프린팅, CNC, 진공주형, 기구설계, 후처리), 3D 프린팅 컨설팅, 3D 프린팅 교육사업

프로메테우스는 3D프린터 토탈 솔루션 공급 업체로서 업계를 선두해온 프로토텍의 자회사이다. 2004년 이후 줄곧 최고의 3D 프린터 판매/유지보수 업체로 시장에 자리매김한 프로토텍은, 동시에 전문화된 3D프린팅 서비스도 제공해 왔다. 2013년 정밀공학회 생산기술상, 2016년 AS9100인증, 2017년 기술평가우수기업인증 등 끊임없이 혁신해 왔다. 프로메테우스는 이를 발전적으로 이어받아, 전문화된 제작 서비스를 부각하고 더욱 강화시키고자 설립되었다.

프로메테우스는 3D프린팅 기술을 기반으로, CNC, 진공주형, 스캐닝/역설계, 후처리까지 전문화된 토탈 제작 서비스를 제공한

다. Stratasys의 Global Manufacturing Network(GMN) 멤버로서 세계적 서비스 또한 가능하다. 특히 3D프린팅 기술은 새로운 제조방법으로서, 제조 현장의 생산성을 높이고 부가가치를 극대화하는 가능성을 가지고 있다. 해외에서는 자동차, 항공, 소비재, 의료, 교육, 예술 등 모든 영역에서 적극적으로 활용되면서 기업/기관의 경쟁력 강화에 이바지하고 있다.

프로토텍

■ 문의 : 02-6959-4113,
www.prototech.co.kr
■ 사업 분야 : 3D 프린터/3D 스캐너 판매, 시제품 제작 서비스, 3D 프린팅 관련 소프트웨어
■ 취급 제품 : 스트라타시스 3D 프린터, 금속 3D 프린트(TRUMPF, Desktop Metal), 3D 스캐너, 3D 프린팅 서비스

3D프린팅 토탈솔루션 기업 프로토텍은 혁신적인 솔루션으로 제조업에 새로운 패러다임을 제시한다. 프로토텍은 20여년 넘게 3D프린팅 관련 서비스 및 컨설팅을 제공하고 있다.

3D프린터기업 스트라타시스(Stratasys)의 국내 최대 파트너사로서 FDM 및 PolyJet 방식 3D프린터 판매와 기술지원을 책임지고 있으며, 기업 경쟁력 강화를 위한 3D프린팅 컨설팅을 책임진다. 솔루션 확장을 위해 TRUMPF, Desktop Metal사와 금속 3D프린터 국내 총판 계약도 체결했다.

초소형 스캐너부터 광대역 스캐너까지 다양한 3D스캐너와 역설계 소프트웨어 솔루션도 공급하고 있다.

또한 프로메테우스 자회사를 설립하여 전문적인 제작 서비스를 제공하고 있으며, GMN(Global Manufacturing Network) 멤버로서 업계 최초 AS9100 인증을 받았다.

프로토텍은 업계 최대의 전문 인력이 최고의 컨설팅 능력으로 고객 맞춤형 제안을 해드리고 있으며, 고객만족을 최고의 가치로 여기고 고객의 경쟁력 향상을 위해 충실한 파트너가 되고자 한다.

플러스플라스틱

■ 문의 : 02-6453-5575, www.plusplastic.com, www.byrhino3d.com
■ 사업 분야 : 디지털 디자인 소프트웨어 공급, 개발
■ 취급 제품 : Rhinoceros, KeyShot, Vray 등 디자인 소프트웨어 및 3차원 프린터

플러스플라스틱은 디지털 디자인 전문기업으로 제품디자인 및 설계, 건축설계, 역설계, 커스텀 툴 개발 등 다양한 분야에 특화된 디자인 서비스를 제공하고 있다.

또한 Rhinoceros를 디자인 플랫폼으로 3D모델링, 렌더링, 3D제작을 위한 소프트웨어와 어도비(Adobe)의 그래픽 소프트웨어, 마이크로소프트의 OS, 사무용 소프트웨어 등 디자이너(제품, 건축, 주얼리, 기계 등)에게 필요한 디지털디자인 솔루션을 공급하며, 라이노를 기반으로 고객 요구에 따라 플러그인을 개발 및 공급하고 있다.

PTC코리아

■ 문의 : 02-3484-8000,
www.ptc.com/ko/
■ 사업 분야 : IoT, PLM, CAD, ALM, SCM, SLM
■ 취급 제품 : ThingWorx, Creo, Windchill, ThingWorx Navigate, ThingWorx Studio, PTC Mathcad 등

PTC는 사물인터넷(IoT) 기술을 보유한 기업으로, IoT 및 AR 플랫폼과 비즈니스 현장에서 성능을 증명한 다양한 솔루션을 통해 물리적 세계와 디지털 세계를 결합하는데 중요한 역할을 하고 있다. 1986년 PTC는 디지털 3D 설계의 혁신을 일으켰고, 1998에는 인터넷 기반 PLM을 최초로 출시한 바 있으며, 현재 스마트 커넥티드 프로덕트, 운영 및 시스템을 위한 기술 플랫폼 및 엔터프라이즈 애플리케이션을 공급하고 있다.

한국기술

K-TECH
(주)한국기술

■ 문의 : 1899-8731,
www.ktech21.com
■ 사업 분야 : 산업용 및 전문가용 3D 프린터와 3D 스캐너 장비 판매, 3D 소프트웨어 판매, 기술지원, 시제품 제작 서비스, 3D 프린팅 융합 교육
■ 취급 제품 : 3D시스템즈 산업용 메탈/SLS/SLA 3D 프린터와 전문가용 MJP/CJP 3D 프린터

한국기술은 ISO/ASTM52900-15에 따른 7가지 공식 3D 프린팅 방식 중 6가지 기술을 보유하고 있다. 3D시스템즈와 국내 독점 대리점 계약을 1990년에 체결하고 국내 최초로 산업용 SLA 3D 프린터를 보급한 이래, 30년간 3D 프린팅 솔루션 전문 업체로 자리잡아 왔다. 1990년부터 한국 300여 개 이상의 기업과 정부기관 및 교육기관에 3D 프린터 공급을 하였으며 현대자동차 그룹, GM자동차, 삼성전자, LG전자 등의 납품업체로 성장했다. 10명의 숙련된 전문 엔지니어를 보유하고 있으며 철저한 사전/사후 서비스 체계에 중점을 두고 있다.

한국아카이브

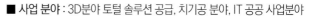

■ 문의 : 02-558-8114,
www.hankooka.com
■ 사업 분야 : 3D분야 토털 솔루션 공급, 치기공 분야, IT 공공 사업분야
■ 취급 제품 : 3D Systems 3D 프린터, Actify, Artec, 3Dconnexion, Roland

한국아카이브는 오랜 경험을 바탕으로 고객이 요구하는 솔루션을 제공하는 전문업체로서 착실한 성장을 해오고 있으며, 각 관련분야 국내시장에서 선도적 위치를 점하고 있다.

3D Systems의 3D 프린터(쾌속 조형기, RP)뿐만 아니라 연관되는 3D Visualization을 위한 Actify의 제품, 3D Data의 Motion Control을 위한 3Dconnexion의 제품, Roland의 3D 밀링과 3D 스캐너 제품, 3Shape의 정밀 3D스캐너, SensAble의 촉각 모델링 시스템, 디지털 치기공솔루션까지 3D분야의 다양한 솔루션을 연구, 개발 및 제공하고 있다.

그 동안 고객의 성원 속에 안정적인 성장을 바탕으로 보다 통합되고 가치 있는 솔루션을 제공할 수 있게 되었다. 이에 만족하지 않고 국내 산업발전과 고객의 성공을 위해 계속해서 솔루션을 연구, 개발 및 발전시켜 나갈 것이다.

한국어도비시스템즈

Adobe

■ 문의 : 02-530-8000,
www.adobe.com/kr
■ 사업 분야 : 소프트웨어
■ 취급 제품 : 어도비 포토샵 CC(Adobe Photoshop CC)

어도비는 떠오르는 신예 아티스트에서부터 글로벌 브랜드에 이르는 다양한 고객들에게 디지털 콘텐츠를 창작하고 이를 통해 최고의 고객 경험을 제공하는데 필요한 모든 것을 제공하고 있다.

어도비 크리에이티브 클라우드(Adobe Creative Cloud)는 세계적인 크리에이티브 데스크톱 앱, 모바일 앱, 그리고 어도비 스톡(Adobe Stock)과 같은 다양한 서비스를 제공한다. 어도비 크리에이티브 클라우드의 모든 기능은 CC 라이브러리(CC Library)를 통해 유기적으로 연결되어 있다. 이를 통해 데스크톱과 모바일 기기를 아우르는 크리에이티브 워크플로우가 제공되어 사용자들이 보다 손쉽게 창작활동을 할 수 있도록 지원한다. 어도비 포토샵(Photoshop), 일러스트레이터(Illustrator), 인디자인(InDesign) 등의 크리에이티브 클라우드 앱으로 최고의 작품을 제작 가능하다. 크리에이티브 클라우드의 가치는 제품 업데이트와 신기능을 통해 끊임없이 높아지고 있다.

PART 6

한국ATC센터

■ 문의 : 1588-0163, www.eatc.co.kr

■ 사업 분야 : 민간자격증

한국ATC센터는 1995년 11월 17일 설립되어 ATC 자격시험(AutoCAD, 3dsMax, Inventor)을 매월 2, 4주 토요일에 시행하고 있다. 연간 3만 명 이상이 응시하고 있는 민간자격시험으로 다양한 분야에서 활용할 수 있는 3D 프린터 관련 기술자격을 시행하고 있다.

한국엠에스씨소프트웨어

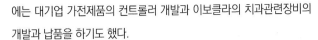

■ 문의 : 031-710-7611,
www.mscsoftware.com/kr

■ 사업 분야 : CAE 소프트웨어 개발 및 제공

■ 취급 제품 : MSC Nastran, Adams, Marc 등 다양한 분야의 전문적인 시뮬레이션 소프트웨어 개발 및 제공

한국엠에스씨소프트웨어는 제품개발 단계에서 여러 환경과 조건 하에 발생할 수 있는 현상들에 대해 정확하고 신뢰성 있는 시뮬레이션이 가능하도록 다양한 툴을 제공하고 있다.

이를 통해 실제 시제품 제작과 테스트에 필요한 시간과 비용을 절감함과 동시에, 설계의 최적화와 혁신적인 제품개발을 돕고 있다.

현우데이타시스템

■ 문의 : 02-545-6700,
www.3dinus.co.kr

■ 사업 분야 : 3D 프린터

■ 취급 제품 : EOS P-Series, M-Series

1987년 설립된 이래, 미국 데이터카드(DataCard)의 카드 시스템(Card System)으로 데이터 관리시스템 보급을 선도하며 고객의 신뢰를 쌓아오고 있다. 2013년 독일의 EOS GmbH와 공식 파트너십을 체결하고 3DINUS의 브랜드명으로 국내 3D 산업시장에 진출했다. 30여년 간 쌓아온 시스템 기술 분야의 독자적인 노하우와 경험을 접목하여 소프트웨어와 기술지원을 하고 있다.

헵시바

■ 문의 : 032-509-5814,
www.hebsiba.co.kr

■ 사업 분야 : 냉난방기제품, 신재생에너지, 3D프린터

■ 취급 제품 : 산업용 에어컨, 히터, 태양광인버터, 3D프린터

헵시바는 1986년 전자컨트롤 기술을 내세워 설립되었으며, 90년대에는 대기업 가전제품의 컨트롤러 개발과 이보클라의 치과관련장비의 개발과 납품을 하기도 했다.

제어기술을 바탕으로 OEM에서 시작하여 현재는 특수냉난방기와 전력변환인버터의 개발 제조의 강소기업으로 성장했다.

2012년부터는 Veltz3D 브랜드로 3D프린터 사업을 본격적으로 시작하여, 정부과제 '맞춤형 치과 3D프린팅 장비 소재 개발사업'의 컨소시엄을 주관사에 선정되어 3D프린팅 기술개발에 매진하고 있다.

과제 2년차 만에 상용화에 성공하고 지난 1년간 호실적을 거두며 성공적으로 치과업계에 진출했다.

특히 덴탈 분야의 장비와 소재, 소프트웨어의 융합에 집중하면서 3D프린팅 산업활성화에 기여하고 있으며, 올해는 글로벌 경쟁력을 갖춘 제품출시를 통해 해외시장을 공략한다는 계획이다.

황금에스티 메트롤로지 사업부

■ 문의 : 02-6121-4671, http://metro.hwangkum.com

■ 사업 분야 : 3D 스캐너, 검사자동화 장비, 면품질검사 장비, 갭단차 측정 장비, 측정 서비스용역, 소프트웨어

■ 취급 제품 : T-SCAN CS, T-SCAN LV(자이스 옵토테크닉사의 레이저 주사식 3D스캐너), COMET 6 8M/16M, COMET L3D(자이스 옵토테크닉사의 패턴 주사식 3D스캐너), ABIS(자이스 옵토테크닉의 면품질검사 장비), COMET Automated, T-SCAN AUTOMATION(자이스 옵토테크닉사의 치수검사자동화 장비), 소프트웨어(PolyWorks, Geomagic).

황금에스티는 2015년 6월)는 세계적인 기업(자이스)과 전략적인 합병을 한 후 자이스 옵토테크닉(Carl Zeiss Optotechnik GmbH)으로 회사 명칭이 변경 되었고 3차원 측정기 부분의 혁신적인 발전을 예고하고 있다.

황금에스티 메트롤로지 사업부는 독일 스타인비클러(STEINBICHLER)와 자이스(ZEISS)가 합병해서 만든 후 자이스 옵토테크닉(Carl Zeiss Optotechnik GmbH)의 공식 인증공급 업체이다. 3D 스캐닝 데이터를 이용한 치수검사, 역설계, 품질관리를 위한 자동화 분야에서 독보적인 기술을 보유하고 있다. 또한 자동차, 우주항공, 전자, 중공업, 군수산업 분야의 개발단계에서 양산에 이르기까지 산업전반에 3Ds 솔루션을 제공하고 있다.

한국HP

■ 문의 : 02-780-6200,
www8.hp.com/kr

■ 사업 분야 : UV DLP 3D 프린터 개발

및 제조, 판매

■ **취급 제품** : HP Jet Fusion 4200, HP Jet Fusion 5200, HP Jet Fusion 580/540

HP는 워크스테이션에서 3D 프린팅에 이르기까지 제조의 미래를 가능하게 하는 기술과 솔루션을 보유하고 있다.

GE 애디티브

■ **문의** : 02-6201-3000, https://www.ge.com/additive/what_we_do_korea

■ **사업 분야** : 3D 프린팅 장비와 재료 제조 및 판매, 고객지원, 적층제조 컨설팅

■ **취급 제품** : 금속 3D 프린터, 금속 분말 재료, Addworks 컨설팅 서비스

GE 애디티브(GE Additive)는 GE의 사업부 중 하나로, 적층 설계, 제조의 세계적인 선두주자이다. 적층 제조 분야의 전문성, 첨단 기계, 고품질 소재와 같은 통합 서비스를 통해, GE는 고객사가 혁신적인 제품을 만들 수 있도록 지원하며 제조 공정의 어려움을 해결하고, 비즈니스 성과를 개선시킴으로써 더 나은 세상을 만드는데 기여하고 있다. GE애디티브는 적층제조 장비 공급자인 컨셉 레이저와 아캄EBM, 그리고 적층제조 소재 공급자인 AP&C를 자회사로 두고 있다.

2018년 3월, 한국에 설립된 GE 애디티브 코리아는 항공우주, 자동차, 중공업, 의료 및 기타 주요 산업의 한국 고객들에게 컨셉 레이저(Concept Laser)와 아캄(Arcam) EBM 적층제조 기계, AP&C 소재와 애드웍스 적층제조 컨설팅 서비스를 제공하고 있다.

PART 6

관련 기관 및 단체 소개

3D융합산업협회(3DFIA)

■ 문의 : 02-6388-6086,
www.3dfia.org

■ 사업 분야 : 3D프린팅산업 산업계 의견 수렴 및 정부 정책 수립 지원(3D프린팅산업발전전략포럼, 글로벌 3D기술포럼, 3D프린팅 산업 실태조사, 제도 개선사항 발굴 및 정책제안 등), 3D융합인력양성(국가인적자원개발컨소시엄, 산업별 인적자원개발협의체-3D프린팅 부문, 창조아카데미-3D프린팅, 3D프린팅산업 인력수급 실태조사 수행 등), 표준화 기반조성(ISO/TC 261 한국 간사기관), R&D 수요 발굴 및 기획, 기타 3D융합 산업 활성화 및 저변 확대를 위한 활동 수행(한국전자전-3D융합관 운영, FormNext-한국공동관 운영, 3D프린팅 기술세미나 개최 등)

3D융합산업협회는 3D융합산업 활성화 및 관련 산업계의 구심점 역할 수행을 위해 2010년 설립된 기관으로, 3D영상, 3D프린팅, VR/AR 등 4차 산업혁명 관련 3D융합기술의 정부정책 수립 지원, 3D융합인력의 양성, 표준화 활동지원 및 R&D 등 3D융합산업 발전을 위한 다양한 사업을 추진하고 있다. 120여개 회원사와 각종 위원회를 중심으로 3D융합산업 현장의 목소리가 정책에 반영되고 산업발전에 기여할 수 있도록 산·학·연·관 네트워크 구축 및 운영에 힘쓰고 있다.

3D프린팅강사협회

■ 문의 : 02-3144-2327,
www.3dpta.org

■ 사업 분야 : 3D프린팅 창의융합 교육과정, 3D프린팅 전문강사양성과정 등 3D프린팅 전문 교육 실시, 3D프린팅 관련 전문 인재(강사)에 대한 관리 플랫폼 구축으로 양질의 교육을 통한 3D프린팅 산업 저변 확대에 기여, 전국단위 창의융합 방과후 교육 및 자유학기제 교육 지원, 글로벌 ART SCIENCE 프로젝트 기획 및 운영

3D프린팅강사협회는 국내외 3D프린팅산업 관련 신기술을 습득하여 국가와 사회에 전파하고, 전 국민이 3D프린팅 산업 기술을 실현하게 하는 목표를 갖고 출발한 전국의 3D프린팅 전문·일반 강사 및 초중고 교사, 대학 교수, 평생교육인 등으로 구성된 전국 규모의 민간단체이다.

본 협회는 미래 한국의 경쟁력은 정보와 과학, 첨단 기술 및 창의 교육에 있고, 3D프린팅이 정보, 과학, 첨단 기술의 중심에 있다고 보며, 전 국민에 대한 양질의 3D프린팅 교육 확산과 산업으로의 적용이 국가 경쟁력 강화에 아주 중대한 일임을 인식하고 있다.

이러한 목표를 구체화시키는 것으로 3D프린팅 관련 강사를 양성하고 보수 교육하며, 3D프린팅 표준 교육 과정을 개발 보급하고자 한다. 국제적 학술 교류 및 협력으로 3D프린팅 산업 발전에 공헌하고, 3D프린팅 교육을 통한 취업·창업·창직을 도모하며, 국가 산업 발전과 경제 활성화에 이바지한다. 각 지부는 지역사회에서 강연회, 강습회를 개최하고 또한 3D프린팅 무료 재능기부 교육을 실시하여 정보 격차 없는 대한민국 미래 사회를 선도할 것이다.

3D프린팅연구조합

■ 문의 : 032-715-7913,
www.3dpro.or.kr

■ 사업 분야 : 연구기획, 기술 개발·보급, 시장동향 및 교육사업

3D프린팅연구조합은 3D 프린팅 산업의 연구개발 등 기술개발분야의 제반 업무를 협의·조정하고 관련 산업의 상호간 협동화 기반을 구축하여 3D 프린팅 산업의 건전한 발전 및 활성화를 목적으로 설립되었다.

3D프린팅연구조합은 정부가 진행하는 과제를 수행하고 컨퍼런스 및 세미나 등을 개최 또는 지원하며 국내 3D프린팅 산업의 발전을 이끌고 있다.

3D프린팅산업협회

■ 문의 : 054-461-3030,
www.3dpia.org

사단법인 3D프린팅산업협회는 2013년 기술사랑방에서 출범하여

산업통상자원부로부터 2014년 1월에 법인 설립을 승인받아 정식 출범하였다.

사단법인 3D프린팅산업협회는 이제 초기 성장단계에 있는 국내 3D 프린팅 산업시장의 육성을 목표로 세계적인 3D프린팅 환경에 발빠르게 대처하고 회원 업체간의 정보교류를 통해 미래를 향한 새로운 비전을 공유하고자 한다.

새로이 창업하는 벤처기업뿐만 아니라 기존 제조업계를 포함한 각종 산업영역에서 3D프린터를 활용한 신제품 개발, 신소재 산업, 3D디자인 기술 등을 적극 지원함으로써 새로운 시장개척과 가치 창조를 통해 경쟁력 강화와 지방산업 육성을 위해 최선을 다할 것이다.

3D프린팅펜
창의융합교육협회

■ 문의 : 02-868-3303,
http://3dpenedu.or.kr

■ 사업 분야 : 3D 펜 교육 및 교재 등 관련 콘텐츠 개발, 3D 펜 강사 및 전문 인력 양성·연수, 3D 펜 프로그램 운영 등

3D프린팅펜창의융합교육협회는 교육과학기술부의 STEAM 교육 육성에 따른 교육 방식에 근거하여, 2015년 9월 설립이래 근래에 이르기까지 창의융합인재교육에 가장 적합한 아이템인 3D 펜을 활용한 교육 콘텐츠 및 커리큘럼 개발에 힘쓰고 있으며, 경력단절여성, 학교 밖 청소년 등을 대상으로 한 프로그램이나 방과 후 학교, 치매안심센터, 유치원, 문화센터 등 기관 맞춤 강의를 제공하고 있다. 2020년 기준 약 1400여 명의 3D 프린팅 펜 지도사를 배출하며 국내 3D 펜 전문인력 양성에 힘쓰고 있는 동시에, 전국적으로 전문 강사풀을 운영하고 있다.

한국3D프린팅협회

■ 문의 : 02-2253-4811,
http://k3dprinting.or.kr

한국3D프린팅협회는 미래창조부 관인 협회로서 미래창조부를 위시한 유 관부처의 3D 프린팅 관련 정책 이행을 민간 차원에서 협력하고 관련 기업의 발전을 함께 도모하고자 만들어졌다.

협회는 3D프린팅 관련 교육과 홍보를 바탕으로 창업 기반의 생태계 조성에 이바지하고자 하며, 정부의 목표와 발 맞추어 2020년까지 1000만 창의 Makers를 양성하고 전국 각지의 초·중·고에 3D 프린터를 공급하는 한편, 청년실업에 실질적인 도움이 될 수 있는 일자 리 창출에 앞장설 계획이다.

협회에서는 이를 통해 창의 교육을 통한 창직/창업 확대로 이루어지고 기업의 자발적 발전을 통하여 대중소 기업의 상호 발전에 기여할 것으로 기대하고 있다.

3D 프린팅 제조혁신센터
(KAMIC)

■ 홈페이지 : www.kamic.or.kr (제조혁신센터)

한국생산기술연구원은 중소기업의 기술경쟁력 제고를 위해 1989년 정부 출연기관으로 설립된 이래 생산기술분야의 산업원천기술의 개발 및 실용화 지원을 통해 글로벌 중소·중견기업 육성을 선도하고 창의적 융합생산기술을 창출하는 세계일류 생산기술 전문연구기관으로 성장하고 있다.

1000여명의 연구인력으로 전국 7개 지역본부를 구축하여 전국의 중소기 업 밀착형 기술지원을 강화한 근접지원체제를 운영하고 있다. 중소기업을 위한 기술개발과 기술지원을 통해 2012년 세계1등 기술 5개, 국제특허등록 27건, 글로벌기업 302개 육성, 공동 R&D 945건, 기술지원 8만여건 등의 성과를 달성하였다.

3D 프린팅은 최근 한국생산기술연구원이 우수한 연구인력을 투입하여 새로운 기술을 개발하고 있는 핵심분야이며 산업부의 지원을 받아 3D프린팅 기술기반 제조혁신지원센터를 운영하고 있다.

대한3D프린팅융합의료학회

■ 문의 : 070-4252-1947, www.3dpm.or.kr

대한3D프린팅융합의료학회(The Korean Society of 3D Printing for Allied and Fusion Medicine)는 3D 프린팅과 적층 기술을 이용한 첨단의료로 국민의 건강과 삶의 질 향상에 이바지 한다는 미션을 갖고 2016년 3월에 설립된 학회이다.

본 학회는 3D프린팅 융합기술에의한 맞춤형의료기기 개발 및 기술의 임상적용, 유관 의료기술 개발을 위한 산/학/연/병/정 융합의 장 마련, 융합교육을 통한 의료3D프린팅 인재 육성, 국내 의료용 3D프린팅 유관 산업 활성화, 3D프린팅 의료 관련 국가정책 개발 및 규제조정 소통 확대를 목표로 운영되고 있다.

무한상상실

■ 성격 : 정부기관이 운영하며, 무료 또는 저렴하게 3D 프린터를 사용할 수 있다.

■ 홈페이지 : www.ideaall.net

무한상상실은 정부 기관이 운영하는 곳이다. 정부는 과학관, 도서관, 우체국, 대학, 주민센터 등 공 공 시설에 무한상상실을 개설하고 창의적인 아이디어에 대한 프로그램을 운영한다.

무한상상실의 장점은 정부 자금으로 운영을 하기 때문에 무상이라

PART 6

는 점이다. 그러나 무상으로 진행하는 곳에서 기계나 품질에 대한 퀄리티를 담보하기에는 한계가 있으므로 이에 대한 정보를 파악하고 필요에 따라 이용하는 것이 필요하다.

오픈크리에이터즈

■ 성격 : 3D프린터 커뮤니티

■ 홈페이지 : http://cafe.naver.com/makerfac

오픈크리에이터즈는 국내에서 가장 큰 3D프린터 커뮤니티를 가지고 있다. 커뮤니티를 조성한 이유는 사람들이 좀더 수월하게 자신의 창작물을 공유하고 기기를 사용할 수 있도록 하기 위함이다.

3D 프린터가 조명을 받고 있지만 여전히 그것은 사용자의 능력으로 감당할 부분이 많은 기기이다. 이것을 모르고 구입한 많은 분들이 기기를 사용하지 못 하고 애를 먹는 사례가 꾸준히 늘어나는 것 또한 사실이다. 커뮤니티는 이러한 사람들에게 유용한 정보를 전달하고, 꼭 필요한 노하우를 제공해주는 창구의 역할을 한다. 더불어 창작한 결과물을 사람들에게 공유함으로써 혼자만의 이벤트가 아닌 같이 즐기는 창작으로서의 즐거움을 느낄 수 있도록 해준다.

오픈크리에이터즈 커뮤니티 회원은 현재 7만명을 넘긴 상태이며, 꾸준히 회원 수를 늘려가고 있다. 향후에는 3D 프린터뿐만 아니라 창작 전반의 통합적인 콘텐츠를 다루는 커뮤니티로 발전시키는 것이 오픈크리에이터즈의 목표이다.

K-AMUG(한국적층제조사용자협회)

■ 문의 : 052-247-5585, www.kamug.or.kr

■ 사업 분야 : 3D 프린팅 관련 전문 엔지니어(유저) 그룹

과학기술정보통신부 산하의 한국적층제조사용자협회는 국내 적층제조(AM)기술 축적 및 공유를 통한 3D 프린팅 산업 활성화를 목적으로 하는 관련 전문 엔지니어(유저)로 구성된 전문가 협회이다. 2017년 9월 '3D 프린팅 갈라 in 울산' 행사에서 창립식을 개최하고 울산시의 본원을 중심으로 하여 전국적인 협회로서 본격적인 활동에 들어가게 되었다. 협회는 국내 3D 프린팅 관련 공급자 및 수요자 중심으로 창립되어 3D 프린팅의 발전 및 관련 기술인의 권익증진에 기여하며, 활발한 기술교류를 통해 3D 프린팅 산업을 발전시키고자 한다.

KAMUG
윌리암왕선생님의
카페/한국 AM
3D프린터유저그룹

■ 성격 : 산업용 3D 프린터와 3D 프린터의 사용자, 기술자 정보 공유 및 모임

■ 홈페이지 : http://cafe.naver.com/3dprinters

비영리 유저그룹 카페로 회원 수 1만 5000명이 넘는 비영리 유저 그룹이다. 산업용, 개인용 3D 프린터를 사용하여, 기존의 플라스틱 프린팅뿐만 아니라 금속, 주물 등의 프린터의 활용 방안을 모색하고 창업까지 고려하는 모임이다.

무료 교육, 세미나. 전시, 신제품, 사용 방법, 노하우 등을 찾아볼 수 있다.

이 카페에는 일반인을 위한 윌리봇 오픈소스 3D 프린터의 개발 과정 및 오픈소스가 공개되어 있으며, 10만 원대 오픈소스 국민 3D 프린터의 개발 과정과 개발에 필요한 모든 소스가 공개되고 있다. 누구나 쉽게 다가갈 수 있는 디자인과 이해하기 쉬운 프린터 구조, 쉽게 배우고 사용할 수 있는 교육을 통하여 학생들의 창의력을 발산시키는 환경을 제공한다.

산업용 SLS 주물사 프린터, BJ 방식의 프린터 등의 개발과 연계된 카페로, 교육 및 확산을 위해서 사용 교육, 세미나 등의 계몽 활동을 위해 노력을 하고 있다.

운영자 주승환 교수는 현재 미래부 산업자원부의 3D 프린팅 국가전략 로드맵 작성에도 위원으로 활동하며, 적극적인 지원을 하고 있다.

오픈소스 프린터의 개발뿐만 아니라 산업용 메탈 프린터의 개발 및 보급이 이루어 지고 있는 유저 그룹이다.

산업용 3D 프린터의 개발, 사용, 오픈소스 공개, 공동 구매, 개발 등이 활발하게 이루어지고 있는 개발자 커뮤니티이다.

경북대 3D융합기술지원센터

■ 문의 : 053-217-3456, www.3dc.or.kr

■ 사업 분야 : 3D융합산업 관련 기술 개발, 장비 지원, 기술 확산 교육, 기 술 사업화 지원

경북대학교 3D융합기술지원센터는 3D 융합산업 분야 기업들의 기술 경쟁력 강화, 기술 개발 활성화, 제품화 촉진을 위해 거점센터를 통해 장비 구축 지원, 기술 확산 지원, 기술 사업화 지원을 수행하는 지역 거점 기관이다. 4개의 세부 사업(건축/운영, 장비 구축, 기술 확산, 기술 사업화 지원)으로 구성되어 있으며, 사업의 수행을 통해 3D 융합산업 관련 기업의 기술 개발 활성화 및 기술 경쟁력 강화에 기여하는 것을 목표로 하고 있다.

경북대 첨단정보통신융합산업기술원

■ 문의 : 053-219-0531, www.iact.or.kr

■ 사업 분야 : 3D엔지니어링 기술(디자인, 설계, 제작(가공, 3D 프린팅), 검사/검증) 지원, 3D 산업 전후방 산업에 대한 연계지원

경북대 3D융합기술지원센터로 시작한 첨단정보통신융합산업기술원은 국내 최대 규모로 집적된 3D 프린터 거점 기관이다. 현재 산업용 플라스틱, 메탈 3D 프린터가 40대 이상 구축되어 있고 그 외 3D 소프트웨어, 3D 스캐너, 환경/물리적 시험 장비까지 원스톱으로 구축되어 있다.

디자인, 설계, 그 외 장비 운영 인력이 모두 상주하고 있어 3D 엔지니어링 기술(디자인, 설계, 제작(가공, 3D 프린팅), 검사/검증)을 원스톱으로 지원을 받을 수 있다. 연간 수천 건의 지원을 하고 있으며, 명실상부한 국내 최대 3D 프린팅 인프라 지원기관으로 전기전자분야 사업수행기관 중 유일하게 한국산업기술진흥원(KIAT)으로부터 우수기관 표창을 받기도 하였다.

또한, 다양한 융합기술 분야의 지원을 위해 3D융합기술지원센터, 레이저응용기술센터, 휴먼케어기술센터, 스마트드론기술센터, 스타트업지원센터(크리에이티브팩토리), K-ICT 3D 프린팅 대구센터(맞춤제작터), IOT아카데미, 스마트시티지원센터로 구성되어 3D 산업 전후방 산업에 대한 연계지원도 가능하다.

대림대학교 기계과

■ 문의 : 031-467-4808(4801), http://dept.daelim.ac.kr/mac
■ 사업 분야 : 3D모델링 및 3D프린팅 교육/콘텐츠 개발

대림대학교는 3D프린터 교보재 및 교육 콘텐츠 개발로 4차산업 창의인재 주관기관으로 성장하고 있다.

대림대학교 기계과에서는 보유하고 있는 3D프린터 설계/제작 기술을 활용하여 산업체와 협업하여 특성화고등학교 및 전문대학교 교육모듈개발과 전문교재를 개발하였다.

또한 국가지원 R&D사업으로 초,중,고, 대학생 3D프린팅 교육 콘텐츠를 개발하였다. '3D프린팅으로 창의력을 키워요(초, 중급과정)', '3D프린팅 활용과 실무(고, 대학생)', '클라우드 기반의 저작과 활용' 등의 교육콘텐츠 개발과 더불어 일선 학교 재학생들을 대상으로 실무교육을 진행하고 있다.

대경대학교 3D프린팅과

■ 문의 : 053-850-1284, http://3d.tk.ac.kr
■ 사업 분야 : 3D모델링 및 3D프린팅교육, 시제품제작지원
■ 취급 제품 : 맞춤형 피규어제작, 무드등제작

국내 유일! 국내 최초! 미래지향저이면서 자신의 창조성을 발현할 수 있는 3D 프린팅 전공, 국내 최초로 전신포토스캐너 도입, 풀 컬러 3D 프린터 등 최첨단 기자재를 활용한 실무중심교육으로 의료, 로봇, 기계, 건축, 자동차, 피규어, 게임 등 다양한 산업에서 활동 할 수 있는 인재를 키워낸다.

2017년 9월 1일 학교기업 DK3D프린팅 상상공작소 개소로 현장실습 및 취업이 이루어지고, 고객이 원하는 맞춤형 피규어제작, 무드등을 학생들이 직접 제작함으로 실무중심교육이 이루어지고 있다.

서초문화예술정보학교 3D프린팅과

■ 문의 : 02-3488-5282, http://seocho.sen.sc.kr/107687/subMenu.do
■ 사업 분야 : 청소년 엔지니어링 기술교육

서초문화예술정보학교 3D프린팅과는 4차 산업시대에 청년에게 디지털 기반으로 이루는 3D 프린팅, 3D 스캐닝, 3D 모델링 교육 및 엔지니어링 교육을 통해 창의적이고 실무적인 능력을 갖춘 인력을 양성하고 있다.

인사이드 3D 프린팅 컨퍼런스&엑스포

■ 문의 : 031-995-8076, www.inside3dprinting.co.kr
■ 사업 분야 : 3D 프린팅 세계 전문 전시회 및 컨퍼런스

인사이드 3D 프린팅 컨퍼런스&엑스포 행사는 2014년 6월에 한국을 처음 방문했던 국제적인 순회행사이다. 본 행사의 특징으로는 국내 최초 개최되는 3D프린팅 관련 단독 행사로 국제 컨퍼런스 및 전문전시회가 구성되어 있으며, 국내외 대기업, 정부 등 주요 참가자, 바이어 대상 프로모션을 실시한다. 또한 국제행사인 만큼 해외업체의 높은 참여율(주로 미국)로 해외수출, J/V 및 업무협약 체결이 가능하다. 본 행사는 킨텍스와 메클러미디어(MecklerMedia)가 공동주최하는 행사이다.

부록

3D 프린팅 가이드 V3 목차

스트라타시스 코리아 윤대호 기술영업부장

제조산업으로의 3D 프린팅 도약을 준비하다

에이치성형외과 백정환 원장

3D 프린팅 기술을 활용한 '3D FIT 안면조소술'로 의료 분야 혁신

5000도씨 옥은택 CEO

후처리 가공에 집중해 속도와 비용을 잡은 와이어 메탈 3D 프린팅

국민대학교 공업디자인학과 장중식 교수

중대형 3D 프린터 개발 및 보급 확산에 힘쓸 것

세상을 향한 작은 움직임을 만드는 펀무브

3D 프린터와 아두이노로 전자의수 직접 만들기

플레이플랜 이미지 대표

3D 프린팅 활용해 건축조립모형 모듈 개발

PART 5. 주요 3D 프린터 소개

CMET 3D 프린터

ATOMm 4000 / 8000, Mini Meister

가정용 렌탈 3D 프린터

BF-14

산업용 대형크기 출력이 가능한 3D 프린터

BigRep One / BigRep One Studio

보급형 고품질 3D 프린터

Creatable D3

듀얼 노즐 소호 사업자용 중형 FDM 3D프린터

Creator New Pro

산업용 FDM 3D 프린터

Cross

풀 HD DLP 엔진으로 정밀도 높인 3D 프린터

Cubicon Lux

덴탈용 DLP 3D 프린터

D2

오픈소스 필라멘트 3D 프린터

da Vinci 1.0 Pro

완벽한 풀 컬러 3D 프린터

da Vinci Color

델타형 데스크톱 FDM 3D 프린터

Delta Pro S300L 2017

임시 치아 제작용 포토셰이드 3D 프린터

DFAB

다양한 재료로 깨끗한 표면 제작하는 SLA 3D 프린터

DigitalWax 030X

3D 프린팅이 가능한 로봇 암

DOBOT magician

CNC 밀링과 3D 프린터 일체화시킨 하이브리드 조형기

duoFab

압출형 실리콘 3D 프린터

EnterBot SDM-100S

금속 제품의 소량생산, 스페어 파트, 기능성 시제품을 위한 적층 제조 시스템

EOS M290

고품질 대형 금속 부품의 생산을 위한 적층 제조 시스템

EOS M400

대형 파트 제작 및 산업용 고효율 생산을 위한 듀얼 레이저 소결 시스템

EOS P770

전문가급 사무용 3D 프린팅 솔루션

F123 시리즈

SLS 방식의 산업용 3D 프린터

Farsoon eForm / 252P / 403P

산업현장에 적합한 FDM 3D 프린터

FINEBOT Z420

준산업용 SLA 3D 프린터

Form2

예비 부품 및 기능성 시제품을 위한 플라스틱 레이저 소결 시스템

FORMIGA P 110

UV 광원을 적용한 3D 프린터

G Printer

그라데이션 컬러 3D 프린터

Good BoT 1236M

다양한 색상으로 출력이 가능한 컬러 3D 프린터

Good BoT Color 3D Printer

대형 프로슈머, 생산용 FDM 3D 프린터

Guider2

높은 품질과 빠른 속도의 DLP 3D 프린터

HERCLES 300 / 400

HP 멀티 젯 퓨전 기술이 적용된 3D 프린터

HP Jet Fusion 3D 4200

스마트한 고정밀 3D 프린터

IM96

산업용 대형 3D 프린터

Inspire Series

챔버형 듀얼 노즐 중형 FDM 3D 프린터

Inventor

부록

PART 6. 3D 프린팅 소프트웨어 소개

PART 7. 주요 3D 프린팅 관련 제품 소개

전문가용 3D 프린팅 필라멘트

colorFabb

Filament maker

FILIBOT

국산 3D 프린터용 소재

3D 필라멘트

최신 FDM 및 폴리젯 3D 프린팅 재료

Nylon 12CF 및 Agilus30

3D 프린터 원격 제어 및 실시간 모니터링 장치

Waggle

온라인 3D 프린팅 서비스 플랫폼

Shapengine

빠르고 정확한 3D 스캐너

Cubicon Scan Pro

UV 경화 시스템

CureM

PART 8. 주요 3D 프린팅 관련 기관 및 업체 디렉토리

주요 3D 프린팅 관련 기관 및 단체 소개

주요 3D 프린팅/스캐닝 관련 업체 소개

3D 프린팅 가이드 V2 목차

PART 5. 주요 3D 프린터 및 관련 제품 소개

DLP 방식의 3D 프린터 _ 아토시스템

Arthos Porthos, Aramis

CMET 3D 프린터 _ 케이티씨(KTC)

ATOMm-4000 / 8000

메탈 프레임 3D프린터 _ 랩C

Creator Pro

FDM(열가소성수지) 방식의 3D프린터 _ 3D엔터

Cross 3.5

XYZprinting의 다양한 제품군 _ XYZprinting코리아

daVinci 시리즈

건축용 대형 델타 방식의 3D 프린터 _ 오티에스

Deltabot-K-CU / Deltabot-K-IN

DLP 방식의 보급형 3D 프린터 _ 캐리마

DP 110

디자이너와 개발자를 위한 FDM 방식의 3D 프린터 _ 헵시바

E1 Plus

산업용 3D프린터 _ HDC, 현우데이타시스템

EOS P-Series (플라스틱), M-Series (메탈)

FDM 방식의 3D프린터 _ TPC메카트로닉스

FINEBOT 9600A / Z420A / Touch S

대형 크기의 출력이 가능한 델타 방식의 3D 프린터 _ 프리폼

Freeform LD700과 Freeform LD1200

고속, 고해상도의 FDM 데스크톱 3D 프린터 _ 퓨전테크

F-series FDM 3D Printer

PC 또는 네트워크 연결이 필요 없는 UV DLP 3D프린터 _ 굿쓰리디

G Printer

산업용 대형 3D 프린터 _ 선도솔루션

Inspire Series

대형 DMT 3D 메탈 프린터 _ 인스텍

LMX-1

DLP 방식의 산업용과 주얼리 전용 3D 프린터 _ 헵시바

MIICRAFT Plus / MIICRAFT Jewelry

튼튼한 내구성과 높은 정밀도의 FDM 3d 프린터 _ 모멘트

Moment

전문가용 데스크탑 DLP 3D 프린터 _ 소나글로벌

M-ONE

빠르고 정교하게 대형 사이즈 제작이 가능한 3D프린터 _ 쓰리디박스

NEW MEISTER

최대 8배 빠른 속도의 LCD SLA 3D 프린터 _ 드림티엔에스

Prismlab Rapid-200, 400, 600

메탈 3D 프린터 _ 세중정보기술

ProX300

가정 및 사무용 FDM 방식의 3D프린터 _ 소나글로벌

ROBOX

국내 최초 산업용 주물사 3D 프린터 _ 센트롤

SENTROL 3D SS600

Realizer의 금속 3D 프린터 _ 에이엠코리아

SLM Series

제조를 위한 고정밀 3D 프린터 _ 시그마정보통신

Solidscape MAX2

FMD 방식의 대형 3D 프린터 _ 스텔라무브

T5

개인용 3D 프린터 _ 선도솔루션

UP Series

Voxeljet 3D 프린터 _ 케이티씨(KTC)

VXC800, VX-1000, VX-4000

깨끗한 표면 구현 가능한 보급형 SLA 3D 프린터 _ HDC

XFAB

오픈 소스 기반의 3D 프린터 _ 오브젝트빌드

골리앗(Goliath) H200 / 300 / 1000 / DLP, MS GOV

DLP와 SLA 장점 융합한 산업용 3D 프린터 _ 주원

독일 EnvisionTEC 제품군

소호(SOHO)용 FDM 3D프린터 _ 랩C

드리머(Dreamer)

키트(Kit)를 조립해 완성하는 3D 프린터 _ 오픈크리에이터즈

마네킹(Mannequin)

FFD 방식의 중·보급형 3D프린터 _ 대건테크

마이디 시리즈(MyD Series)

탁상용 레진 3D프린터 _ 랩C

모피어스(Morpheus)

3D 프린팅 형상물 자동 표면처리기 _ 코보트

뽀샤시(BBOSHASI)-250E

데스크톱에서 프로덕션까지 지원하는 3D 프린터 _ 스트라타시스

스트라타시스(Stratasys) 3D 프린팅 제품군

콤팩트한 3D 프린터 _ 포머스팜

스프라우트 미니(Sprout Mini)

세계 최초 3D 프린팅 펜 업그레이드 _ 에일리언테크놀로지아시아

쓰리두들러(3Doodler) 2.0

부록

3D 프린팅 가이드 V1 목차

부록

3D 프린팅 가이드 V4

(3D Printing Guide V4)

엮은이	캐드앤그래픽스
펴낸곳	이엔지미디어
전화	02-333-6900
팩스	02-774-6911
홈페이지	www.3dprintingguide.co.kr (3D 프린팅 가이드)
	www.cadgraphics.co.kr (캐드앤그래픽스)
이메일	mail@cadgraphics.co.kr
주소	서울 종로구 세종대로 23길 47 미도파광화문빌딩 607호(우 03182)
등록	제2012-000047호
등록일	2004년 8월 23일
기획	최경화, 정수진, 이예지
디자인	김미희, 서효정
초판 1쇄	2020년 10월 1일
ISBN	979-11-86450-20-8
정가	25,000원

이 도서의 국립중앙도서관 출판예정도서목록(CIP)은 서지정보유통지원시스템 홈페이지(http://seoji.nl.go.kr)와
국가자료종합목록 구축시스템(http://kolis-net.nl.go.kr)에서 이용하실 수 있습니다.
(CIP제어번호 : CIP2020013486)

CNG TV
캐드앤그래픽스 지식방송

■ 출연 문의 :

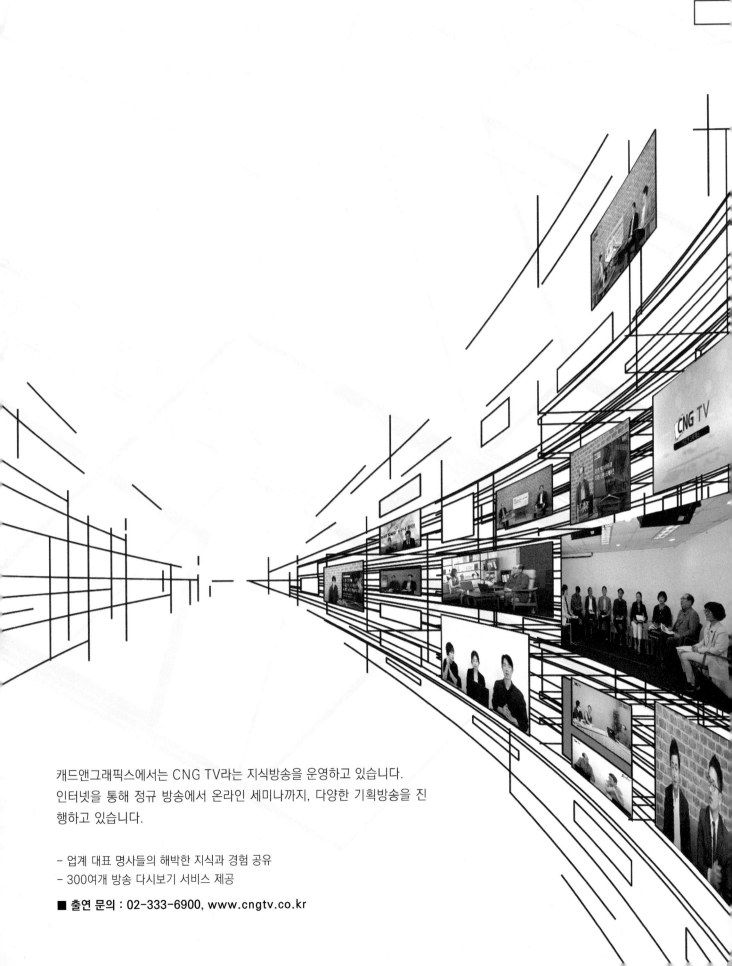

캐드앤그래픽스에서는 CNG TV라는 지식방송을 운영하고 있습니다.
인터넷을 통해 정규 방송에서 온라인 세미나까지, 다양한 기획방송을 진
행하고 있습니다.

– 업계 대표 명사들의 해박한 지식과 경험 공유
– 300여개 방송 다시보기 서비스 제공

■ 출연 문의 : 02-333-6900, www.cngtv.co.kr